Tobias O. Meissner

DE DEMONEN

WB∗Fantasy

Vertaald uit het Duits door Dineke Bijlsma

Omslagontwerp Bureau Beck
Omslagillustratie Lee Avison/Trevillion Images

De tekst uit *Oorlog en vrede* op blz. 317 in de vertaling van Marja Wiebes en
Yolanda Bloemen is verschenen bij uitgeverij Van Oorschot (2006)

Oorspronkelijke titel *Die Dämonen*
© 2009 Piper Verlag GmbH, München
© 2011 Nederlandse vertaling Dineke Bijlsma en
Uitgeverij Wereldbibliotheek bv
Spuistraat 283 • 1012 VR Amsterdam

www.wbfantasy.nl

ISBN 978 90 284 2364 0

Inhoud

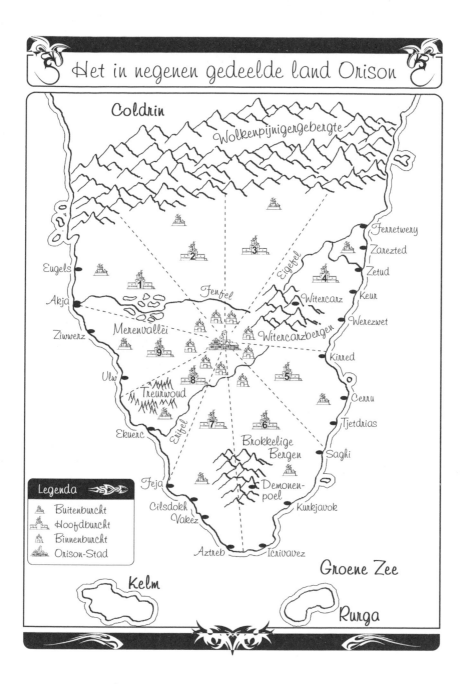

Vooruitblik

De koning, die geen ogen had, stak een hand uit naar de zee.

Door de viermaster die ruim honderd meter bij de koning op het strand vandaan in het woelige water voor anker lag, voer een siddering, al werd de takelage door geen zuchtje wind beroerd.

Ver op de achtergrond pakten zich wolken samen, die vale bliksemschichten uitspuwden. Onder een woeste hemel deinde een donkergrijze zee met wittig schuim op zijn ontblote tanden.

De blinde koning spreidde zijn vingers uit als een vork. Via zijn arm kon hij het schip horen schommelen op de steeds wilder wordende golven. Hij stak zijn vingers naar voren, alsof hij ze onder de viermaster schoof, en balde zijn hand toen tot een vuist.

Het reusachtige schip kraakte. Matrozen en soldaten begonnen op het dek rond te rennen als mieren in een nest waar je met een stok in port. Er klopte iets niet. Er werden tegenstrijdige bevelen gebruld. Sommige mannen sprongen met een duister voorgevoel overboord.

De koning hief zijn arm met de gebalde vuist langzaam op naar de wolken. Ontzagwekkend, krakend onder de last, als een reus met een algenbaard, kwam de enorme viermaster druipend en schuimend uit de golven omhoog. De ankerketting brak met een scherpe, zwiepende knal in tweeën. Matrozen en soldaten vielen en schreeuwden, maar nog steeds lag het dek min of meer horizontaal, zodat althans de kapitein nog kon blijven staan, al gaf hij nu dan geen bevelen meer. Hij zag alleen maar de zee onder zich verdwijnen en het kraaiennest bijna de wolken raken, en mompelde trillend een onhoorbaar gebed.

De koning op het strand hief zijn arm met de gebalde vuist op tot ver boven zijn hoofd. Hij kon het schip met één hand niet houden, zo zwaar was het, dus gebruikte hij eerst ook een tweede hand, en vervolgens nog een derde en een vierde. Het schip ging hoger en hoger, en kwam dichterbij, door een onweerstaanbare kracht aangetrokken, totdat het een meter of twintig boven de koning bleef hangen. Zout water daalde als een fijne regen neer. De geur van zeewier, mosselen en viskuit. Het geschreeuw en gekerm van de hulpeloze mensen daar boven. Sommigen sprongen nog overboord en vielen nu met een doffe dreun op het zand.

Toen liet de koning zijn armen zakken, opende zijn vuisten en richtte vier gestrekte wijsvingers op het strand voor zich, waar een vrouw in een gouden wapenrusting op hem af kwam rijden, helemaal alleen, zonder escorte.

De viermaster vloog als een afgeschoten pijl naar voren en raasde recht op de paardrijdster af. Van zo'n twintig meter hoogte suisde hij met de ramsteven naar voren omlaag, waarbij hij het halve strand met zijn schaduw verduisterde, zijn masten in de vliegende vaart doorbogen en zijn geteerde kiel nog steeds zout water lekte. Zo meteen zou hij de paardrijdster vermorzelen, op het strand laten neerstorten en in duizend tonnenzware stukken uiteenbarsten.

Maar de vrouw in het zadel stak haar handen in de lucht en weerde het vliegende schip naar opzij van zich af. Het kiepte om – mensen vielen als afbladderende verf over de overhellende reling – en stortte ruim honderd meter van het strand vandaan in het water. De punten van de masten boorden zich in de golven. De zee verhief zich protesterend onder het gewicht en hapte gretig naar de scheef liggende kolos, die als door een wolkbreuk door wilde watermassa's werd overspoeld. Soldaten werden door schuivende lading mee onder water gesleurd, en verdronken. Slechts een enkeling hoorde je nog schreeuwen. Vaag, als een meeuw.

Het werd stiller. Alleen de rollende donder weerklonk nog als tromgeroffel. Bliksemschichten dansten sidderend als witgloeiende spinnen aan de hemel.

De paardrijdster bleef vlak voor de koning stilstaan en kwam met een zwaai uit haar zadel.

'We moesten maar eens met die onzin ophouden, Gouwl,' zei ze. 'Er zijn nog maar amper mensen over om te gebruiken. Waarom vergeten we ons kinderachtige pact niet en vechten we het niet uit als demonen?'

'Ja, Irathindur, laten we het maar uitvechten,' antwoordde de koning, die geen ogen had, en hij trok zijn mantel uit. Hij was nu naakt; hij had een zwarte huid en overal donkere, glanzende stekels op zijn gedrongen lichaam. Aan zijn brede lijf waren zes armen zichtbaar, en daaronder drie benen. Met twee van zijn zes handen nam hij langzaam de koningskroon van zijn hoofd en wierp hem in het fijne witte zand.

De gouden vrouw ontdeed zich op haar beurt van haar wapenrusting. Afgezien van haar mooie en onbarmhartige gezicht, en haar lange, als slangen zwiepende haren vertoonde haar lichaam geen enkel teken van vrouwelijkheid – geen borsten, geen brede heupen. Haar lijf was smal, haast breekbaar mager, en had een ziekelijk mosterdgele kleur.

'Goed,' zei ze vol vuur, 'laten we het dan nu eindelijk afmaken!'

De wolken openden zich als een gordijn. Het zand spoot in witte fonteinen de lucht in.

Toen begon de allesbeslissende strijd, die tijd en ruimte in één klap wegvaagde.

EERSTE
OMWENTELING

De flessentrekker

Het was een vrolijke boel in de Troostende Trompet.

De tafels bewogen, voerden oorlog met elkaar. Mensen stonden erop te balanceren, duwden elkaar, vielen eraf. Er werd gevloekt, geschreeuwd, maar vooral ook veel gelachen en gedronken.

Minten Liago zat als enige met een donkere uitdrukking op zijn gezicht in de schaduw tegen de muur naar de helse drukte te kijken.

De waard had zijn toestemming voor de uitbundige wedstrijd gegeven. Van twee ronde tafels hadden ze twee vijandige landen gemaakt: Bierland en Wijnland. Op de ene tafel stonden zes dronkenmannen, die de zes dronkenmannen van de andere tafel probeerden af te duwen. De tafels werden weer door zo'n tien andere dronken lieden op hun schouders gedragen en heen en weer geslingerd, zodat sommigen die erbovenop stonden er alleen al daardoor af vielen. Telkens weer kwamen de tafels als kemphanen op elkaar af zwaaien en botsten tegen elkaar; de vechtende partijen werden één grote wild om zich heen slaande, trappende en boksende kluwen. Het doel van het spel was allesbehalve duidelijk. Als er te veel spelers van tafel waren gevallen, klommen er weer nieuwe op, of degenen die gevallen waren probeerden het nog een keer. Waarschijnlijk zou iedereen op een bepaald moment gewoon doodmoe worden, of vreselijke honger of dorst krijgen. Of de waard zou met zijn oude bronskleurige legertrompet het teken geven dat het sluitingstijd was. Maar voorlopig leek de Troostende Trompet meer op een gekkenhuis dan op een café waar je ook prima kon eten.

Rond het lawaaierige strijdgewoel in het midden van de kroeg stonden, zaten en hurkten mensen die toekeken, aanmoedigden, lachten, het glas hieven, weddenschappen afsloten en het hoogste woord voerden. Iedereen maakte kabaal. Eentje blies op een kam, en eentje, die eerst nog op een van de tafels had meegevochten, hing nu aan armen en benen aan een plafondbalk en aapte de mensen onder hem na. Een ander deed elke beweging van de vechtenden met zijn eigen lichaam mee en gilde het voortdurend uit alsof hij zelf was geraakt. En de meisjes die erbij stonden, lachten de hele tijd zo hard dat het wel leek alsof ze iets gênants te verbergen hadden. Maar Minten Liago wipte alleen maar met zijn stoel achterover, totdat de rugleuning de muur raakte, en steunde toen met zijn voeten tegen de rand van zijn tafeltje. Hij voelde een duister soort onrust in zich broeien. Hoe luider en wilder het spektakel om hem heen werd, des te meer voelde hij zich van het hele gebeuren afgezonderd. Hij had lekker gegeten en gedronken, zoals eigenlijk elke dag als hij na zijn werk naar de Troostende Trompet ging en zichzelf op een echt smakelijke maaltijd trakteerde. De vrouw van de waard stond bekend als de beste kokkin van de hele Steeg van de Dansende Lamp.

Hoewel Minten genoeg in zijn muntenkistje had om de rekening te kunnen betalen, vroeg hij zich voortdurend af hoe het de waard in zo'n drukte in godsnaam zou moeten opvallen als een van zijn gasten nu opstond en zonder te betalen het café uit liep.

Wat Minten bezighield was hoe haalbaar dat zou zijn.

Zulke gedachten waren allesbehalve normaal voor hem, want eigenlijk was hij behoorlijk rechtdoorzee. Hij kwam uit een eenvoudig gezin, uit de havenstad Saghi in het oosten van het zesde baronaat, en had zich zijn hele jonge leven al als dagloner of los werkman in de havens, pakhuizen en stallen weten te redden. Aangezien hij pas tweeëntwintig jaar oud was, en nog sterk ook, was het hem altijd weer gelukt genoeg muntstukken te verdienen om zich geen zorgen te hoeven maken over de week daarna, en meer dan dat had hij van zijn dagen en nachten ook nooit verwacht.

Maar hier in Kurkjavok, de grootste en centraal gelegen havenstad van het zesde baronaat, had hij iets nieuws ontdekt: je ermee bezighouden over dingen na te denken. Je had hier veel zogenoemde studenten die met rare mutsen op hun hoofd en met knopen bezette jassen aan overal in het nachtleven van de stad te vinden waren, en die telkens weer in geleerde discussies losbarstten waarin niet degene won die het hardst kon slaan, maar degene die de beste argumenten wist aan te voeren. In het heuvelachtige gedeelte van de binnenstad was een oude geleerde, Serach genaamd, die volkomen belangeloos lezingen in het openbaar hield. Minten Liago had zich verscheidene keren onder het publiek bevonden; de eerste keer puur bij toeval met een baal katoen op zijn schouder, de andere keren doelbewust omdat Serachs taalgebruik en manier van praten hem tot in zijn slaap hadden achtervolgd. Serach zei gevaarlijke dingen. Hij vertelde dat de koning nog maar een kind was en dat alle koningen en baronnen en zelfs barones den Dauren niet beter of slimmer waren dan welke gewone havenarbeider ook. Hij vertelde dat het het noodlot van machtige en uitgestrekte koninkrijken was om op een dag uiteen te vallen en in vergetelheid te raken. Hij vertelde dat bepaalde basiswetten in de menselijke natuur er de oorzaak van waren dat de mens nooit langdurig vreedzaam en gelukkig zou kunnen leven. En hij schetste de legende van de demonenpoel, waarin ongeesten in eeuwige pijn waren gevangen, gevangen door het weinige goede in de harten van de mensen, gevangen door liefde en onbaatzuchtigheid, gevoel voor schoonheid en medeleven – en hoe dun en brokkelig de wanden van de demonenpoel de laatste tientallen jaren toch weer waren geworden, omdat de mensen geen oog meer hadden voor het goede in zichzelf. Serach voerde aan hoeveel een demon leek op iemand die zijn kind, zijn vrouw of kroegkameraden sloeg.

Serach had het ook over de zee en over de wolken gehad, en over het telkens weer nieuwe leven dat de zee door de wolken met hun tranen werd ingeblazen, en de wolken door de zee met zijn adem. Hij had gesproken over de aanwezigheid van de zon, die elk levend wezen nodig had om zich te warmen en te kunnen voeden, en over de afwezigheid van de zon, die evenzeer belangrijk was voor alles wat leefde, om te kunnen afkoelen en tot rust te komen. Maar bovenal had Serach gezegd dat elk mens, of hij nu als koning, baron, boer of knecht was geboren, de teugels van zijn lot in eigen hand had en alles kon worden wat hij maar wilde: een koning, een baron, een boer of – zoals kennelijk door velen gekozen – gewoon een knecht.

Minten Liago was nooit een groot denker geweest, maar nadat hij verscheidene keren naar de wijze Serach had geluisterd, was serieus de wens in hem gegroeid te gaan studeren. Het probleem was alleen dat hiervoor een toelatingsexamen nodig was waarbij je moest laten zien dat je kon lezen, schrijven en rekenen. Minten kon wel goed genoeg rekenen om door te hebben wanneer iemand hem een oor wilde aannaaien, en beheerste ook het lezen goed genoeg om inkoopformulieren en laadlijsten te kunnen ontcijferen, en ermee te werken – maar het schrijven ging hem niet zo goed af, omdat hij daar niet echt het nut van inzag. Bovendien was je als aankomend student inschrijfgeld verschuldigd, en ook het studeren zelf kostte aardig wat muntstukken, omdat de leraren moesten worden betaald, met als gevolg dat alleen kinderen van rijke ouders het zich konden veroorloven te gaan studeren, zonder zich daarnaast met zwaar werk volkomen te hoeven uitputten.

Zoals Minten Liago daar nu zat na te denken, kon iedereen meteen wel zien dat hij gewoon een zoon van arme ouders was, ouders die hem, toen hij amper dertien jaar was, naar het welvarende Kurkjavok hadden gestuurd om daar voor zichzelf eerlijk de kost te gaan verdienen. Hij droeg een ruimvallende linnen broek, vol vlekken van het werk, en een donkergekleurd mouwloos vest. Een zwaard of andere wapens bezat hij niet; hij had genoeg aan zijn vuisten en soms een rondslingerend stuk hout om ruzies en vechtpartijen met rondstruinende schurken in zijn voordeel te laten uitpakken. Met zijn schouderlange, roodblonde, enigszins ruig golvende haar en zijn wild groeiende bakkebaarden was hij een zeer opvallende verschijning. Zijn gezicht was net iets te breed en te plat om mooi te kunnen worden genoemd, maar zijn neus was recht, zijn lippen waren niet te vol, en hij had ogen waar een blik in lag die een ervaren oudere vrouw uit Icrivavez ooit als 'doordringend' had omschreven – ogen die degene tegenover hem recht in het snel kloppende hart keken, met het effect dat iedereen serieus nam wat Minten zei. Maar Minten had normaal gesproken niet zo veel te zeggen; hij luisterde liever in plaats van het hoogste woord te voeren.

Zo zat hij nu dus in de bruisende Troostende Trompet, met de resten van zijn avondeten nog voor zich op tafel, op zijn stoel te wippen; iets wat hij in de paar jaar die hij op een dorpsschool had mogen doorbrengen ook altijd graag had gedaan en wat hem nogal eens een berisping van de strenge onderwijzers daar had opgeleverd.

Hij zat te wippen en had het rare gevoel dat zijn hele leven op zijn grondvesten schudde.

Hoe lang zou hij in de haven en de stoffige pakhuizen van de grondbezitters moeten werken voordat hij het inschrijfgeld voor de studie en de onderwijsbijdrage voor het eerste halfjaar bij elkaar had? Hoe lang zou hij zich 's nachts stiekem bij kaarslicht in het schrijven moeten oefenen, voordat hij in de ogen van de examinatoren genade zou vinden? En zou het eigenlijk wel genoeg zijn om woorden te kunnen ontcijferen om te bewijzen dat hij kon lezen? Moest hij niet ook kunnen voorlezen, net zo zelfverzekerd en vloeiend als Serach bij zijn voordrachten?

Maar waarom beslisten die examinatoren over zijn leven? Waarom moest je kunnen voorlezen en schrijven als je toch alleen maar wilde horen wat de zee en de wolken met elkaar deden? Waarom moest je meteen al een geleerde zijn als je toch alleen maar les van geleerden wilde hebben?

Waarom was het 'waarvandaan' zo bepalend voor hoe het allemaal verder liep? Had dan niet iedereen, zoals Serach had gezegd, de teugels van zijn leven in eigen hand? Konden obstakels dan niet gewoon worden omzeild, overwonnen of uit de weg worden geruimd? Of zaten gewone mensen zoals hij allang in de demonenpoel verstrikt, eindeloos rondgeslingerd door krachten en met bedoelingen die het eigen verstand te boven gingen, hulpeloos en niet bij machte de teugels vast te houden die het leven hem spontaan aanreikte?

Waarom kon hij nu niet gewoon opstaan en dwars door de onzinnige tafeloorlog heen de Troostende Trompet uit lopen zonder zijn rekening te betalen? Het tweeënhalve stuk dat hij daardoor zou besparen kon het eerste begin van zijn studie zijn. In de afgelopen zes maanden had hij zo veel stukken in de Trompet uitgegeven, tweeënhalf per avond, dat was bij elkaar wel meer dan vierhonderd – hoe kon de waard dan moeilijk doen over dat zielige tweeënhalve stuk dat Minten hem nu niet zou geven?

Wat Minten bezighield was hoe haalbaar dat zou zijn. Het gemak waarmee hij het zou kunnen doen. De drukte in de kroeg, waardoor het niet eens zou opvallen.

Zonder geweld. Zonder daadwerkelijk een misdadiger te worden. Gewoon opstaan en weggaan, en zelf de stukken houden die hij anders voor een noodzakelijke maaltijd had moeten neertellen.

Hoe vaak zou hij zo zonder te betalen moeten vertrekken voordat hij het inschrijfgeld en de onderwijsbijdrage voor het eerste halfjaar bij elkaar had? Hoe vaak moest hij met kwade bedoelingen ergens gaan eten? Honderd keer? Honderdtwintig keer? Elke avond naar een ander café, zodat ze hem niet herkenden en hem aan zijn schulden herinnerden? Zou hij eigenlijk tot zulk opzettelijk bedrog, al dat soort omzwervingen om zijn schuld te ontlopen in staat zijn?

Hij zou er nooit achter komen als hij niet eens ergens een begin maakte. Het ten minste één keer uitprobeerde om te zien hoe het voelde om iemand op te lichten.

Zonder kwade bedoelingen vooraf, die waarschijnlijk zijn eetlust zouden hebben bedorven. Nu pas, te midden van al het tafelgeweld, was hij op het idee gekomen. Deze keer was het dus nog het gemakkelijkst.

Hij hield op met wippen. Hij duwde zich van de muur af en liet zijn stoel netjes op de vloer neerkomen. Toen stond hij op en liep langs de druk vechtende partijen, midden tussen het weddende volk, de krijsende vrouwen en het dronkenmanskabaal door dat alles in de kroeg overheerste. Een van de tafels kantelde net; de mannen die erop stonden duikelden over elkaar, met armen en benen waarvan niet duidelijk was bij wie ze hoorden. Luid gelach sloeg als een golf tegen een rots en spatte tot spuugachtig schuim uiteen.

Minten kwam bij de deur aan.

'Hé, jij daar, leeuwenkop! Je hebt nog niet betaald!'

De waard. Maar een paar stappen bij Minten vandaan. Hoe was het de waard in dit gedrang in godsnaam opgevallen? Misschien had Minten zich niet zo angstvallig op de achtergrond moeten houden, niet zo'n somber gezicht moeten opzetten. Misschien was zijn prachtige haardos inderdaad te opvallend. Misschien was hij ook gewoon te zeer stamgast om onopgemerkt te kunnen blijven.

Minten zag dit moment van zijn leven haarscherp voor zich. Nog steeds was het allemaal gemakkelijk. Hij hoefde alleen maar te blijven staan en iets te mompelen in de trant van: 'Ik ging alleen maar even een luchtje scheppen, hoor. Natuurlijk kom ik nog betalen.' En daarbij het kistje met de rinkelende stukken erin te laten zien. Of de waard de stukken zonder een woord te zeggen in de hand te drukken en zich met een somber gezicht verder stil te houden, alsof de waard er goed aan had gedaan de student in spe eraan te herinneren dat hij nog moest betalen.

Of hij stapte hier nu deze deur door en een nieuw bestaan binnen.

Een bestaan waarin misschien zelfs de droom om te gaan studeren niet eens meer droombaar was.

Had uiteindelijk niet ieder mens de teugels van zijn leven in eigen hand?

Was het uiteindelijk niet de teugelloosheid die in deze kroeg woedde, die hem, Minten Liago, die op het punt stond zijn leven in eigen hand te nemen, hier juist tot een uitzonderingsgeval maakte?

Hij stapte de deur uit.

De nacht was fris en aangenaam. Overal in Kurkjavok rook het naar de zee en overal naar de hemel erboven.

Minten was net een stukje de steeg in gelopen toen achter hem de deur van de kroeg werd opengesmeten. De waard riep hem nog iets achterna, wat klonk als: 'Hé, je gaat er toch niet zomaar vandoor, hè?' Daarna riep de waard niets meer, maar blies op zijn oude bronskleurige legertrompet. Een simpel, herkenbaar, standaard legersignaal: alarm.

Minten kwam tot zo'n meter of tachtig de Steeg van de Dansende Lamp in toen opeens een groepje van vijf ongeschoren en spaarzaam bewapende stadssoldaten van het zesde baronaat hem de weg versperde. De geciseleerde 6 was duidelijk op hun uniformen te herkennen. Het trompetsignaal van de waard was nog steeds hoorbaar. Met zijn instrument gaf de waard aanwijzingen: hoeveel, wat, waarheen.

'Weglopen zonder te betalen, hè?' zei een van de soldaten grijnzend. 'Dat is helemaal niet aardig.'

'Helemaal niet aardig,' herhaalde een ander.

'Nu ga je dus vier keer zo veel betalen,' kondigde de goedgehumeurde soldaat aan. 'Eén deel voor de waard en nog eentje extra voor de opwinding, en dan nog eens twee delen voor ons voor de moeite die het ons kostte om hier speciaal naartoe te lopen!'

'Het kostte ons inderdaad moeite,' bevestigde de ander. 'We hebben ons bijna in het zweet gelopen.'

Weer zag Minten dit moment zo duidelijk voor zich alsof iemand het gebeuren voor hem uittekende en hij zelf van bovenaf naar de tekening keek. Er was nog steeds een weg terug. De vier delen betalen – hij had net genoeg stukken bij zich, al had hij dan voor morgen niets meer over –, een verontschuldiging mompelen en in ieder geval zijn ongewapende handen in de lucht steken, ten teken dat hij zich overgaf. Flessentrekkerij was geen al te zwaar vergrijp. Waarschijnlijk kwam hij er met deze boete wel vanaf. Minten aarzelde.

Van achteren kwam de waard aan gelopen, samen met iemand van het personeel. Minten vond het maar vreemd. De gasten, die in hun oorlogsspel door het trompetgeschal waren gestoord, konden ondertussen het hele café van de waard afbreken, maar dat nam de man op de koop toe om een enkele flessentrekker niet te laten ontkomen. Terwijl Minten niet eens een duur gerecht had besteld. Waarom had die waard het toch zo op hem voorzien? Omdat Minten een stamgast was? Maakte dat het vergrijp extra pijnlijk?

De voorste soldaat kwam op hem af. 'Oké, en nu hier met die stukken. We hebben nog wel iets beters te doen vannacht.' Hij stond pal voor Minten en maakte aanstalten hem te grijpen, hem zijn muntenkistje uit zijn handen te grissen. Minten pakte de soldaat bij zijn uitgestrekte arm vast en draaide die zo ver door dat de soldaat, wilde hij zijn arm niet breken, een salto moest maken en hard met zijn achterwerk op de grond belandde.

Meteen brak er een enorm tumult los. Drie soldaten stormden tegelijkertijd op Minten af: twee blootshands, met gretig naar hem uitgestoken vingers; de derde trok een met leer omwikkelde ijzeren knuppel uit zijn houder. Minten ramde de man met de knuppel zo hard met zijn vuist tegen zijn tanden dat hij met opengebarsten lippen tegen de grond ging en zich niet meer verroerde. De knuppel rolde met veel lawaai over de straatstenen. Met de beide anderen worstelde Minten maar even, totdat ze twee keer met hun ongehelmde hoofden pijnlijk tegen elkaar waren geknald en met tranende ogen boven op elkaar vielen. Minten had nu nog één soldaat tegenover zich, de oudste en meest ervarene van de vijf. Minten schudde met zijn rechterhand, waarin de tandafdrukken van de knuppelsoldaat stonden. Ook de eerst zo goedgehumeurde van de vijf probeerde na zijn ongewilde saltosprong weer overeind te krabbelen. Om een vuistgevecht af te weren hief Minten zijn handen tot kinhoogte op, maar de meest ervaren soldaat deed iets heel anders dan toeslaan: zonder aarzeling trapte hij Minten tegen zijn onderlijf. De pijn brandde als de zon op een scheepsdek op een zomerse dag. Minten sloeg dubbel, maar het lukte hem nog de zijwaartse aanval van de eerst zo goedgehumeurde soldaat af te slaan. Deze sloeg achterwaarts tegen een huis en gleed vervolgens langs de muur omlaag. Weer stond Minten alleen nog tegenover de ervaren soldaat. Hij moest beter op de benen van de man letten.

Opeens raakte iets van achteren hem op zijn hoofd. Wat hem raakte, maakte een raar geluid. Het was geen knuppel of iets dergelijks. Minten wilde zich net omdraaien toen de ervaren soldaat hem al voor de tweede keer een flinke trap tussen zijn benen gaf. Dat was hem te veel. Met een klaaglijke schreeuw zakte Minten op zijn knieën. Ook het voorwerp achter hem raakte hem nog eens hard op zijn schedel, en deze keer kon Minten het zelfs zien, omdat hij ineengedoken op zijn zij viel. Het was de oude bronskleurige legertrompet van de waard.

Minten kwam hard op de straatstenen terecht. Toen het gezicht van de waard boven hem opdook, was het helemaal betraand en verwrongen van verontwaardiging. 'Dríé stukken, vervloekte idioot dat je bent!' schreeuwde de waard tegen hem. 'Dríé stukken kost het eten dat je elke avond bij me naar binnen werkt! Je komt nu al zes maanden bij me, en al zes maanden bereken ik je elke avond een half stuk te weinig, omdat iedereen zo kan zien dat je student wilt worden en het inschrijfgeld niet bij elkaar krijgt, en omdat mijn vrouw en ik dachten dat je het wel zou redden en een goede student zou worden als we je een beetje hielpen! En wat doe jij, vervloekte idioot dat je bent? Je besteelt óns, uitgerekend ons! Ik hoop dat je er in de cel nog eens over nadenkt hoe erg je ons hebt teleurgesteld!'

De ervaren soldaat gaf hem nog twee keer een trap. Een keer in zijn buik, een keer tegen zijn hoofd.

Minten Liago kwam in een draaikolk terecht waaruit iets opklonk dat leek op gelach, maar dat toch heel anders was bedoeld.

De barones

In de hoofdburcht van het zesde baronaat, die blauw en rijzig als een vaandelwoud de wolkeloze hemel in stak, heerste de levendige bedrijvigheid van een lenteachtige middag. Werklui waren bezig de schade te herstellen die de afgelopen strenge winter aan de muren had toegebracht. Op sommige plekken hoefde alleen de blauwe verf te worden vernieuwd, op andere moesten dakgoten, dakspanen of zelfs de op gruwelijke demonen lijkende waterspuwers worden gerepareerd. Hoog op hun krakende steigers haalden de arbeiders allerlei capriolen uit en wierpen elkaar gereedschap en scheldwoorden toe.

Beneden op de binnenplaats werd de wekelijkse groentemarkt gehouden. Zelfs zeldzame vruchten van de eilanden Rurga en Kelm werden hier te koop aangeboden, maar ook doodgewone appels en peren werden door concurrerende markthandelaren als uitzonderlijke delicatessen aangeprezen. De burchtbewoners maakten van de gelegenheid gebruik om een voorraad fruit en groente voor de komende week in te slaan. Burchtsoldaten zorgden ervoor dat alles rustig verliep.

In de galerij van de duizend pilaren op de tweede verdieping van de binnenste burchtgebouwen flitsten bedienden en hoger geplaatste lieden ook bedrijvig heen en weer, en te midden van hen, gehuld in fonkelend zwart, liep de barones, voor wie meteen een pad werd vrijgemaakt; iedereen bleef van angst stilstaan en boog voor haar.

'Mijn god, wat is ze toch een lekker mens!' kreunde Faur Benesand, en hij moest zich praktisch aan een van de vele pilaren vasthouden om niet van opwinding onderuit te gaan.

Eiber Matutin verbleekte. 'Sst, sst, Benesand, malloot dat je bent! Als ze ons hoort, zijn we allebei de klos!'

'Ach, ik was toch allang verkocht. Vanaf de allereerste keer dat ik haar zag!'

'Stil nou en hou eindelijk eens je mond!' Alsof dat niet precies hetzelfde was – Matutin zei graag een paar keer hetzelfde in verschillende bewoordingen.

Het tweetal was achter een paar pilaren en een houten klimophekwerk weggedoken toen barones Meridienn den Dauren zwart vlammend langs hen liep. Ze was ongetwijfeld weer eens kwaad op iemand. En inderdaad: ze liep regelrecht op een van de hoger geplaatste paleisbedienden af en foeterde hem vanwege een gebroken zeepbakje uit totdat hij over zijn hele lijf stond te trillen.

Faur Benesand en Eiber Matutin maakten deel uit van de staf van coördinatoren van de barones. Daarom droegen ze allebei een donkerblauw, met boordsels en knopen afgezet uniform. Benesand, pas dertig jaar oud, groot van postuur, met een bijna vrouwelijk mooi gezicht, een smalle snor en lang, verzorgd achterovergekamd blond haar, was aan het hof van de barones als heffingscoördinator verantwoordelijk voor het invorderen, veiligstellen en verrekenen van de tienden en andere belastingen voor boeren en burgers, evenals voor het onderhoud van wegen, weilanden en bossen. Matutin daarentegen was vroeger festiviteitencoördinator geweest, totdat de barones haar toenmalige legercoördinator, na een mogelijk onderling conflict, in een aanval van woede een dolk in zijn borst had gestoten. Bij gebrek aan een geschikter opvolger had ze onmiddellijk de wat oudere, tot zwaarlijvigheid neigende Matutin tot opperbevelhebber benoemd – vermoedelijk ook om alle onderdanen om haar heen die veel geschikter voor zo'n post leken te ergeren, wakker te schudden en tot overtuigender prestaties aan te zetten. Matutin, die bijna flauwviel van angst, had niets anders kunnen uitbrengen dan: 'Wie een feestelijke optocht kan organiseren, kan ook een legerparade organiseren. Oorlogen zijn er toch niet meer.' Matutin had zich nu in ieder geval al drie jaar op de wankele stoel van legercoördinator weten te handhaven, ongetwijfeld ook omdat er in die periode inderdaad niets voor het bestaande leger te doen was geweest, maar iedere nacht bad hij nog steeds dat het niet tot een of ander gewapend conflict met een ander baronaat of met het duistere, in nevelen gehulde rijk van Coldrin zou komen.

De barones mocht dan een licht ontvlambare vrouw zijn, maar ze was ook buitengewoon mooi. Ze was veertig jaar oud, had strenge en krachtige gelaatstrekken, geprononceerde jukbeenderen en grote, groene, grimmig kijkende ogen. Haar lange zwarte haar droeg ze in haar nek zo strak samengebonden dat het bij de haarwortels gewoon pijn moest doen. De barones droeg trouwens ook heel graag nauwsluitende, ongemakkelijke kleding, liefst met insnoeringen en riemen die haar diep in de huid sneden, liefst ook van olieachtig glanzend materiaal. Faur Benesand lag hele nachten te fantaseren over telkens weer nieuwe manieren waarop de barones bij elke beweging in haar strakke, niet-ademende kleding zweette en rook, en hoe ze wel zou smaken als ze hem op een dag haar zinnelijke lijf van haar voeten tot en met haar mond zou laten aflikken.

Ze wist natuurlijk wat hij voor haar voelde. Het lukte hem nooit dat te verbergen. Maar des te meer strafte ze hem met haar minachting of met nietszeggende opmerkingen die alleen hij als seksueel getinte dubbelzinnigheden wist uit te leggen en die tijdens zijn eenzame nachten telkens weer nieuwe fantasieën bij hem opwekten.

Ook nu beet hij weer in de rug van zijn eigen hand. 'Ik móét haar hebben! God weet dat ik haar moet hebben, en moedigt me aan te doen wat ik moet doen!' zei hij vaag.

'Dat gaat je de kop kosten! En niet alleen je kop!'

'Och, Matutin, bange ouwe droogstoppel dat je bent! Je bent allang vergeten dat er dingen bestaan die het waard zijn om voor te sterven. Eén nacht met de barones – en ik stort me zielsgelukkig en lachend in de demonenpoel!'

'Praat me niet over de demonenpoel! Die vervloekte zielen zijn onrustiger dan ooit, melden mijn mannen. Ik heb hun goed op het hart gedrukt niet te dicht bij de rand te komen, zodat er geen ongelukken gebeuren.'

'Wie kan het wat schelen? Wie denkt daar nou ook maar één seconde over na? Kijk toch eens naar haar. Kijk dan!' Hij wees naar de foeterende barones alsof Matutin haar nog nooit eerder had gezien. 'Ze is het leven en de lust, de zon, de maan en de lokkend glinsterende sterren – kortom, het enige licht in mijn donkere bestaan.'

'Matutin! Benesand! Waar zitten jullie nou weer wanneer ik jullie nodig heb, nietsnutten?' De stem van de barones sneed door de pilarenzaal als een zeis door het koren. Matutin ging ogenblikkelijk in de houding staan en kwam in paradepas achter de pilaren vandaan.

'Hier, waarde barones! Hier en nooit ver weg! Altijd tot uw dienst!'

Benesand haalde diep adem, nam een aanloopje en sprong zijwaarts over een lage houten balustrade in de galerij. Zijn haar was daarbij een beetje in de war geraakt, maar hij kwam met een stralende glimlach tot stilstand. 'U hebt me geroepen, meesteres? Ik ben geheel en al de uwe!'

De barones liet de trillende bediende staan en liep naar de twee coördinatoren toe. Elke beweging van haar strakke, glanzende, glimmende broek maakte Benesands verlangen nog ondraaglijker.

'Wat spoken jullie daar toch uit achter die pilaren in die bloemperken? Kunnen jullie niet gewoon de galerij gebruiken zoals ieder ander?'

'Altijd op zoek naar spionnen, genadige Vrouwe!' Om de angst voor zijn mogelijk gewelddadige legerfunctie te camoufleren, had Eiber Matutin er de gewoonte van gemaakt om enorm luid en afgemeten te gaan praten als iemand officieel het woord tot hem richtte. Benesand dook elke keer onwillekeurig ineen als de nogal dikke oude man opeens zo begon te brullen.

Maar tot Benesands teleurstelling vertrok de barones geen spier. 'Spionnen? We zijn toch helemaal niet in oorlog, of vergis ik me nu?'

'We kunnen niet voorzichtig genoeg zijn, barones! Beter nu wantrouwig dan dat we later het nakijken hebben!'

Faur Benesand streek zijn haar weer glad en grijnsde. 'Ook een van de pilaren zou wel eens niet zo stevig kunnen zijn als u van een pilaar – terecht – verwacht. We moeten gewoon overal oog op houden.'

'Ik begrijp het,' zei ze, en ze keek hem recht aan. Daar had je weer zo'n insinuatie die alleen hij kon snappen, een stilzwijgend iets tussen hen. Ze wíst dat hij constant naar haar keek, en ze genoot ervan! Benesand jubelde inwendig. 'Goed, ik heb een opdracht voor jullie twee luilakken. Het onnozele kind heeft het in zijn hoofd gehaald de demonenpoel te gaan bekijken. Uitgerekend nu, terwijl het daar voor het eerst sinds jaren weer onrustig is. Matutin, ik wil dat jij hem hoogstpersoonlijk met een escorte bij de binnenburcht ophaalt en hem door mijn baronaat begeleidt. Ik heb zelf geen zin om me met dat soort onzin bezig te houden – zeg hem maar gewoon dat ik hoofdpijn heb of bedenk maar een andere smoes. Toch moet het onnozele kind wel het gevoel hebben dat het zesde baronaat er alles aan doet om zijn veiligheid te garanderen, en daarom stuur ik jou mee, Benesand. Ik heb een adviseur ter plekke nodig die kinderlijk genoeg is om de behoeftes van een kind te kunnen begrijpen. Jullie vertrekken morgen in alle vroegte naar de binnenburcht.'

'Morgenvroeg pas? Betekent dat dat u me vannacht nog nodig hebt, meesteres?' vroeg Benesand met een hoopvolle glimlach.

'Hmm?' Ze leek hem niet goed te hebben gehoord. Althans, zo deed ze het voorkomen. 'Nou ja, als je je dan met alle geweld een keer nuttig wilt maken, ga je dan maar bij de stallen melden. De paarden moeten voor de rit van morgen vast nog goed worden geborsteld.'

'Maar natuurlijk!' antwoordde Benesand met een juichende ondertoon in zijn stem. Hij viel bijna in zwijm. Zo onverbloemd had de barones hun toekomstige liefdesdaad nog nooit beschreven! Ze draaide zich om en liet hem daarbij haar goddelijke achterwerk zien. Benesand stootte een genotskreet uit die bijna op een snik leek.

Matutin, naast hem, ontspande zijn buikspieren. Zijn stem werd ook weer normaal zacht. 'Mijn god, dit bevalt me helemaal niet. Ik vind dit echt heel verontrustend. Naar de demonenpoel! Uitgerekend wij tweeën naar de demonenpoel. Denk je dat ze van ons af wil?'

'Van ons af wil? Hoe kom je daar nu bij?' vroeg Benesand met een brede grijns. Zijn regelmatige witte gebit was zijn grote trots. 'Ze wil me in de geur van gevaar hullen. Een held van me maken, een demonendoder, zodat ze zich daarna des te ongeremder aan me kan overgeven. Mijn saaie functie staat me al zo lang tegen. Boeren tot rede brengen. Wanbetalende stadsburgers laten afranselen. Dat stelt toch allemaal niets voor? Dat zijn toch geen mannendaden? Nu kan ik hier tenminste eens weg, naar de water- en lavafonteinen van de Brokkelige Bergen. Net als, mijn beste Matutin, net als water en lava, die al brullend omhoogkomen, één worden, met veel geraas in damp veranderen en daarna uitgeput en gelukzalig neerzinken – net zo zal onze nacht zijn.'

'Onze nacht?'

'Die van mij en de barones, natuurlijk. God, wees toch niet zo traag van begrip, man! Ze is zo zwoel, dat heerlijke mens. En ik laat me zingend door haar zwoelheid verzwelgen.'

'En wat nu? Ga je je nu echt bij de stallen melden?'

'Wat dacht je! Wie kan er nu slapen in zo'n nacht vol opwinding? De dierlijke, lijfelijke geur van de stallen geeft me alvast een voorproefje, een idee van het lekkers dat me nog staat te wachten.'

Zo gingen ze uit elkaar. Faur Benesand haastte zich naar de binnen-plaats van de burcht en liet zich daar door de verblufte stalmeester zakjes haver, borstels en een hooivork geven. Eiber Matutin ging, nadat hij andere burchtbewoners handig had weten te ontlopen, vroeg naar bed.

Hij lag nog lang wakker en dacht na.

De barones wilde misschien wel echt van hem af, hoopte dat hij van de brokkelige rand van de demonenpoel in de diepte zou glijden. Dat uitgerekend die idiote en impulsieve Benesand met hem mee moest maakte hem nog eens extra ongerust.

En de koning nog wel. De koning in hoogsteigen persoon! Want met 'het onnozele kind' – God verhoede dat hij zich deze benaming in het bijzijn van de koning liet ontglippen! – werd natuurlijk niemand minder dan koning Tenmac III bedoeld. Sinds de ontijdige dood van zijn vader Tenmac II zat er nu een zestienjarige jongen met een donssnor en overslaande stem op de ivoren troon van Orison. Meridienn den Dauren en de hoofden van de andere baronaten van het land verwachtten elk moment een ondoordacht en onvolwassen besluit van hun nieuwe vorst. De eerste stappen in die richting had hij al gedaan. Hij had een inkrimping van de staande baronaatslegers voorgesteld, wat door alle negen baronaatshoofden eenstemmig en verontrust van de hand was gewezen. Hij had de jacht op blauwogige vossen verboden, omdat hij zo gek op die dieren was. Morrend hadden de baronaatshoofden zich bij de nieuwe wet neergelegd. Hij had hardop overwogen de slavernij te beperken en die niet meer in privé-huishoudens, maar hoogstens alleen nog in grote fabriekshallen toe te staan. Er werd gefluisterd dat zijn adviseur Tanot Ninrogin hem dit revolutionaire idee weer uit zijn hoofd had gepraat. Verder had de jonge koning afgezanten naar Coldrin gestuurd, het griezelige nevelland van de hoorndragers. Al meer dan tweehonderd jaar geleden had Orison alle contact met Coldrin verbroken, en de meeste inwoners van Orison vonden het wel prima zo. Misschien zouden de hoorndragers denken dat er iets in Orison te halen viel als er nu ineens weer contact werd gelegd.

En nu wilde Tenmac III, de onvolwassen, overoptimistische Tenmac III, zijn veilige troonburcht in Orison-Stad verlaten om de demonenpoel te gaan bekijken, deze continue bron van onrust in het zesde baronaat. Eiber Matutin kreeg alleen al bij de gedachte aan deze wervelende, bruisende maalstroom van zielen de rillingen. Ging er onder het volk niet het gerucht dat de demonen je konden pakken en je ziel uit je konden zuigen als het zachte binnenste uit een vrucht?

Had Tenmac II niet gewoon kunnen blijven leven? Waarom moest deze ervaren koning, die altijd alles bij het oude liet, nu uitgerekend bij de opening van een hoftoernooi in een plas vettige maaltijdsaus uitglijden en van zijn balkon storten? Hadden de demonen niet ook al bij dit ongeluk een klauw in het spel gehad?

Zoals iedere avond zei de legercoördinator Eiber Matutin voor het slapengaan zijn gebed op: 'God, zorg ervoor dat er geen oorlog komt. Laat de ijdelheden en hatelijkheden van de baronaatshoofden geen nare gevolgen hebben en gewoon worden vergeten. Laat onze jonge koning met zijn vingers van het afschuwelijke Coldrin afblijven. Laat onze hooggeachte barones, wanneer het er echt op aankomt, één enkele keer haar temperament weten te beteugelen. En alstublieft, vergeet u het niet, ik kan het niet vaak genoeg herhalen: geen oorlog, geen oorlog, geen oorlog!'

Uiteindelijk viel hij in slaap, maar het gehinnik van de paarden op de binnenplaats had hem toch nog lang wakker gehouden.

De koning

'Ik wil er dichterbij,' zei Tenmac III, zo zachtjes dat niemand het kon verstaan.

'Wat zegt Uwe Majesteit?' Zijn favoriete adviseur, de vaderlijke, vriendelijke Tanot Ninrogin, boog zich in zijn zadel naar hem over.

'Ik wil er graag... dichterbij,' herhaalde de koning schuchter.

'Goed, dan wordt het dichterbij. Wacht, ik ga met u mee.'

Voor hen, een kleine twintig meter verderop, gaapte in de rotsachtige bodem de demonenpoel. Van hieruit kon je er nog niet in kijken, maar je kon het al horen: het vreemde, onaardse geruis en gegier als van de in een grot gevangen wind.

De koning, die zo tenger was dat zijn fluwelen cape en met ruches afgezette kleding rond zijn lichaam flodderden alsof er niemand in zat, liet zich door een van zijn ridders uit het zadel helpen. Tanot Ninrogin steeg eveneens af en keek naar de kleine kapel die vlak bij de afgrond was gebouwd, zodat pelgrims hier met de demonen voor ogen een gebed en een gift konden doen. Met zijn asgrauwe baard en dunne haar leek de adviseur zestig of zeventig jaar oud, maar in feite was hij pas kortgeleden vijftig geworden. De voortdurende zorgen over het welzijn van Orison hadden hem voortijdig oud gemaakt.

Ninrogin wierp de beide commandanten van het konvooi, Faur Benesand en Eiber Matutin, een vragende blik toe. 'Jullie hebben er toch niets op tegen, mannen, dat de koning een kijkje bij de rand van de demonenpoel neemt?'

'Maar natuurlijk niet!' Benesand lachte en sprong vervolgens bijna overdreven zwierig uit het zadel. 'Ik ga wel met u mee, hooggeachte heren!'

'Maar kom er niet al te dicht bij,' raadde Eiber Matutin hun aan. Aangezien niemand hem had aangesproken, klonk zijn stem zacht en beefde hij lichtelijk. Met de acht ridders van de koning en de tien extra escorteruiters van de binnenburcht bleef hij achter.

Van voren blies hun een warme wind tegemoet, die enigszins naar eiwit rook. Terwijl de kinderlijke koning naar de rand liep, vertrok hij vol walging zijn gezicht.

Hij had bijna waterig lichtblauwe ogen en rode lippen die door een schoonheidsvlek werden geaccentueerd; de twee sieroorringen die hij als teken van zijn koningschap droeg, deden hem er nog eens extra als een ietwat verlegen meisje uitzien.

'Ben je hier al eens eerder geweest, Benesand?' vroeg hij aan de stevig doorstappende escorte, die men hem in de binnenburcht als de heffingscoördinator van het zesde baronaat had voorgesteld.

'Nog nooit,' gaf deze openhartig toe. 'De weg door de Brokkelige Bergen werd in mijn jeugd als te lastig beschouwd, omdat veel van de bruggen niet goed genoeg werden onderhouden. En later had ik toen geen tijd meer. Wie aan het hof van de barones wil vooruitkomen, heeft zelfs amper tijd over om te slapen.'

'Aha,' bromde de grijsbebaarde adviseur van de koning glimlachend. 'En hoe kan iemand dan nog verder vooruitkomen, als hij al een van de negen coördinatoren is?'

'Tja, de barones heeft nog steeds geen echtgenoot gevonden.' Benesand grijnsde en liet daarbij zijn uitzonderlijk witte tanden zien. Zo veel eerlijkheid maakte ook op een man als Tanot Ninrogin, die altijd en overal bedacht was op intriges, een ontwapenende indruk.

De belangstelling van de koning ging nu alleen nog maar uit naar de gapende krater vlak voor hen.

De Brokkelige Bergen, hoe bizar, veelvormig, steil en onwerkelijk die in de dampen van de hete geisers ook mochten lijken, waren slechts nog een decor, nu de enorme demonenpoel zich in zijn volle omvang voor het drietal ontvouwde.

Het ongeveer cirkelronde gat had een doorsnee van ruim honderd meter en ging meer dan vijftig meter loodrecht de diepte in. Of er ook een bodem was kon je niet zien, want op vijftig meter diepte draaide een gigantisch iets rond, dat geen water en geen nevel, geen moeras en geen wolk was, maar, zoals werd gezegd, een eeuwige, grijze, trage maalstroom van zielen.

Het gat was enkel afgezet met een oeroud, rafelig touw, dat vol hing met getaande banspreuken en waarin op de plek waar ze nu stonden voor moediger kijklustigen zelfs een opening was gemaakt. De kleine kapel, bedoeld om in te bidden, moed te vinden, angst te verwerken en offers te brengen, leek met het eeuwige rusteloze gewoel zo vlakbij een laatste toevluchtsoord te zijn.

'Klopt het,' vroeg de koning aarzelend, en hij hield zich met één hand aan het touw bij de opening vast, want hij had een beetje last van hoogtevrees, 'dat iedereen die in Orison sterft, in deze maalstroom wordt opgenomen?'

'Dat is een van de drie heersende theorieën, mijn koning,' legde Tanot Ninrogin geduldig uit. 'Dat deze demonenpoel het onsterfelijke van onze doden bevat en daardoor door de eeuwen heen steeds voller wordt, totdat hij op een dag zal overlopen en Orison zal overspoelen. De oudste theorie, die op legenden uit het grijze verleden is gebaseerd en waaraan de demonenpoel zijn naam ook te danken heeft, zegt daarentegen dat de draaikolk het thuis is van vreemde levensvormen – demonen die daar door een machtige banspreuk, uit de tijd dat de mensen nog magie kenden, worden vastgehouden en ertoe worden gedwongen eeuwig te blijven ronddraaien. Die banvloek werd uitgesproken door niemand minder dan de grote magiër Orison, die het land toen ook zijn naam gaf en de grenzen ervan bepaalde.'

Hij zweeg, totdat Tenmac III vroeg: 'En de derde?'

'De derde theorie, mijn koning, zegt dat de demonenpoel eigenlijk leeg is en dat ons eigen bestaan slechts een afspiegeling van al het kwade is dat in de harten en zielen van de mensen knaagt en woedt.'

'En welke van die drie theorieën klopt?'

'Ik denk zelf dat de waarheid ergens tussen de drie verklaringen in ligt. Er is zeker iets in de mens dat bij zijn dood niet sterft. Bij het conflict dat uw vader met het tweede baronaat uitvocht, ben ik er meer dan eens getuige van geweest dat iemand stierf, en ik had kunnen zweren dat er toen iets gebeurde wat met het gezonde verstand niet te verklaren viel. Ook zal ik niet ontkennen dat het er bij een mens vanbinnen net zo kan uitzien als daar beneden. Maar ik vind het ook naïef om het bestaan van demonen te ontkennen. Eeuwen geleden moeten die er zijn geweest. Dat wordt in talloze bronnen vermeld. Ze werden bezworen en als wapen ingezet. Sommigen van hen gingen ook op eigen houtje aan de slag en zaaiden dood en verderf in de destijds nog onbedwongen landen. Maar toen opeens doofde de magie in de mensen uit als een kaars door een winterse windvlaag. De demonen verdwenen eveneens. Maar waarheen? Hadden ze alleen maar in de mensen bestaan, en gingen ze verloren toen ook de magie verloren ging? Of werden ze overwonnen en allemaal naar deze afgrond verbannen toen de mensen inzagen dat ze op het punt stonden de macht over de demonen kwijt te raken? Oorzaak en gevolg zijn meestal moeilijk te bepalen wanneer het om iets van eeuwen geleden gaat.'

Het drietal zweeg. Benesand was enorm gefascineerd door het malende wilde geraas in de diepte. Er liet zich daar beneden een geweld zien zo groot en continu dat je wel moest geloven dat het zich zelfs een weg door rotsen kon banen, en zeker door zulke brokkelige, roestachtige als deze hier. En toch kon de maalstroom de krater niet uit. Benesand zag daadwerkelijk een afspiegeling voor zich. Een afspiegeling van zijn onbeantwoorde en daarom kwellende hartstocht voor de barones.

De jonge koning hield een slip van zijn cape voor zijn neus. Zijn bleekblauwe ogen traanden. De eiwitlucht, die hier bij de rand almaar heter werd en die hem ook een wat branderig-zoute smaak op de tong gaf, maakte nogal indruk op hem. 'Er zijn maar weinig plekken in Orison waar je zo duidelijk iets kunt zien wat je voorstellingsvermogen te boven gaat,' fluisterde hij.

Tanot Ninrogin, die eraan gewend was dat de koning zachtjes sprak, knikte. 'Er is de zee, die Orison aan drie kanten omringt en waarvan we waarschijnlijk nooit te weten zullen komen hoe onmetelijk groot die is. Er is het Treurwoud in het achtste baronaat, waar de bomen een raadselachtig eigen leven schijnen te leiden en waar iedereen die niet oppast door angst en verdriet wordt overweldigd, en er is het Wolkenpijnigergebergte, dat ons in het noorden afgrenst van het nevelachtige Coldrin. En dan bestaan er natuurlijk nog de hemel en de sterren, waarvan sommige wijzen beweren dat het verre steden zijn die 's nachts zijn verlicht. Maar afgezien daarvan zijn er inderdaad geen plekken meer in Orison waar nog sprake van magie is.'

'Was dat vroeger dan anders?' vroeg Benesand.

Ninrogin knikte. 'Vroeger, zo wordt tenminste beweerd, zat er magie in elke boom, in elke steen, in elke vogel, in elke grashalm en in elk insect dat over het land kroop.'

Benesands blik was nog steeds op de immense, maar in zijn traagheid indrukwekkende maalstroom gericht. 'Ik vraag me af wat er zou gebeuren als je erin sprong. Zou je gewoon doodgaan? Of zou je met macht en kennis weer boven komen drijven, als meer dan een mens, meer dan alle mensen misschien?'

'Probeer het uit.' Ninrogin glimlachte. 'Ik bedoel, probeer het uit als de barones je dat soort escapades toestaat.'

Faur Benesand gaf inderdaad even de indruk dat hij misschien zou springen. Maar het gevoel dat hij waarschijnlijk gewoon op een nare manier aan zijn eind zou komen won het van zijn enthousiasme. 'En wat als je hetgeen zich in de maalstroom bevindt zou oproepen? Bedoelt u dat je demonen met gezangen, dansen en schrifttekens zou kunnen oproepen? Machtige demonen? Een heel leger machtige demonen?'

'Ook dat zou ik vooral uitproberen,' antwoordde de koninklijke adviseur onaangedaan. 'Maar als je de juiste gezangen, dansen en schrifttekens niet gebruikt, kan er van alles gebeuren. Van helemaal niets – wat het meest waarschijnlijk is – tot – nog altijd vrij waarschijnlijk – iets heel anders dan wat je oorspronkelijk in gedachten had. Dat je precies bereikt wat je wilt bereiken lijkt me nog het meest onwaarschijnlijke van alles.'

'Maar zo gaat het immers altijd!' zei Benesand bijna kwaad. 'Het hele leven gaat zo! Wie niet waagt zal altijd een worm blijven. En alleen voor wie zich hoge doelen stelt liggen prachtige wegen open.'

Tanot Ninrogin legde een hand op de schouder van de twintig jaar jongere heffingscoördinator. 'Ben je altijd al zo ambitieus geweest, jonge vriend, of is dit daadwerkelijk de invloed van de demonenpoel?'

Het duurde even voordat Benesand zich van de afgrond kon losrukken, maar toen keek hij de adviseur recht aan.

'Ik ben altijd al ambitieus geweest. Zo ben ik coördinator geworden. Ik ben namelijk niet in een van de burchten geboren, maar in de havenstad Icrivavez. Om je van daaruit via de buitenburcht naar de binnenburcht op te werken, moet je je wel een hoog doel stellen – en je vast hebben voorgenomen geen worm te zijn.'

'Dat kan ik begrijpen,' zei Ninrogin knikkend. 'En is de hoofdburcht van het zesde baronaat dan dat hoge doel, of drijft het je nog verder landinwaarts, naar Orison-Stad?'

'Daar zou het me naartoe drijven... als de barones niet de mooiste vrouw op aarde was.'

'Ik begrijp het. Je wordt dus beheerst door een vurige loyaliteit.'

Benesand liet een brede glimlach zien. 'Zo zou je het kunnen zeggen, ja.'

'Ik wil graag iets doen,' onderbrak de jonge koning de twee anderen aarzelend. Zijn stem klonk door de cape die hij voor zijn mond hield nog onduidelijker dan anders. 'Ik heb nagedacht. Als er in alle drie die theorieën een greintje waarheid zit, als de demonen en de doden en ons woelige diepste wezen hier huizen – dan zou het toch ook eigenlijk helemaal geen kwaad kunnen om door een kleine gift iets van... medeleven te laten blijken? Wat vind jij ervan, Tanot?'

Tanot Ninrogin fronste zijn voorhoofd. 'Ik begrijp niet helemaal wat u van plan bent, majesteit.'

'Ach, niet echt iets bijzonders. Ik wil niemand beledigen of onrustig maken. Maar stel bijvoorbeeld dat ik een van mijn koninklijke oorringen hier in de afgrond gooi, met nog een zegen erbij. Denk je dan niet dat de afgrond zal begrijpen dat Tenmac III het beste met hem voorheeft? De demonen? De doden? Wijzelf?'

'U wilt dat de afgrond u als vriend ziet?'

'Ja, eigenlijk wel. Misschien is dit iets wat mijn voorgangers hebben nagelaten. Misschien zijn de demonen of doden... eenzaam, en alleen daarom een potentiële dreiging.'

'U hebt een goed hart, majesteit. Pakt u inderdaad maar een van uw oorringen. Wat er ook in de afgrond huist, het zal inzien dat de ring nog helemaal warm is van uw menselijkheid.'

'Hebt je er iets op tegen, Faur Benesand uit Icrivavez?'

Benesand was verbaasd dat de jongensachtige koning niet alleen zijn naam en geboorteplaats had onthouden, maar hem ook nog eens om raad vroeg. 'Het is niet aan mij om u adviezen te geven,' zei hij daarom ook eerst, maar toen schoot hem toch nog iets te binnen. 'Maar misschien moesten we, als we het dan toch over een milde gift hebben, ook iets uit naam van de barones schenken. De demonenpoel ligt tenslotte in het zesde baronaat, dus is de barones direct verantwoordelijk voor alles wat hiermee te maken heeft.'

'Heel goed!' De koning was hier echt mee ingenomen. 'Hebben jullie dan iets bij je wat van de barones is?'

Faur Benesand voelde zich betrapt. Hij had inderdaad een zijden zakdoek bij zich die de barones ooit in een winter helemaal vol had gesnoten en die ze daarna met een woedend gebaar had weggegooid. Benesand had hem stiekem opgepakt en er in menige eenzame nacht opgewonden de geur van opgesnoven. Maar die schat kon hij nu toch niet zomaar wegslingeren, alleen omdat hij ineens het politieke superidee had gekregen ook de barones bij het sentimentele gedoe van de koning te betrekken? Deze knaap was sowieso geen kandidaat voor het zinderende bed van Meridienn den Dauren, dus kon het ook geen kwaad haar ten opzichte van de andere baronaatshoofden een beetje op de voorgrond te plaatsen.

'Tja, eh... nou ja,' sprak hij gehaast, 'strikt genomen is eigenlijk alles wat ik aan mijn lichaam draag van de barones, aangezien ik bij haar in dienst ben en ze me dus kleedt en voedt. Ik zou dus... bijvoorbeeld... een schoen in de afgrond kunnen gooien. Maar toch denk ik – ik heb ineens een nog beter idee. Ik zal een traan vergieten! Een traan van liefde voor mijn meesteres! En die traan zal ik de maalstroom als de allergrootste schat cadeau doen!' Benesand klopte zich op de borst. Het was een briljant idee! Als hij een deel van zijn uitrusting in de maalstroom had gegooid, zou dit niet alleen gênant en afgezaagd zijn geweest, maar waarschijnlijk zou hij achteraf ook gedoe met de equipagemeester hebben gekregen, en misschien zelfs met zijn aanbedene zelf. Ze hechtte tenslotte nogal waarde aan haar eigendommen! Maar op deze manier kon hij de koning en zijn slimme raadsman mooi laten zien hoeveel macht de barones over de harten van haar onderdanen kon krijgen.

Hij hield een vinger onder zijn oog en dacht aan het enige wat hem altijd weer aan het huilen bracht: dat zowel hij als de barones langzaam ouder werd, zonder dat ze in de bloei van hun jeugd van elkaar hadden kunnen genieten. In Benesands ogen werd een vrouw tot haar veertigste levensjaar almaar mooier, maar daarna begon haar schoonheid langzaam te verwelken. De barones was nu veertig en zat dus nu op haar top. Mannen daarentegen werden óf lelijk oud en hadden op hun dertigste al afgedaan, óf ze werden mooi oud en vielen soms nog wel tot hun zeventigste bij de vrouwen in de smaak. Benesand hoopte natuurlijk dat hij tot de laatste groep behoorde, maar als hij echt wilde huilen moest hij aan iets vreselijks en vernederends als haaruitval zien te denken.

Misschien kwam het door het grootse, duistere gewervel in de diepte of door de aanwezigheid van de grijze, maar verder behoorlijk mooi oud geworden Tanot Ninrogin – maar de gedachte aan haaruitval kon hem op dat moment echt bar weinig schelen. Wel borrelde er, nu hij zich zo concentreerde, een hevige woede in hem op. Woede over elke verspilde nacht die hij niet samen met de barones doorbracht. Woede over de maalsteen van de tijd die onverbiddelijk doordraaide, net als deze maalstroom van demonen. Woede over alles wat de aandacht van de barones opeiste of opwekte, en dus van Faur Benesand afleidde. Woede over andere mannen die concurrenten van hem konden zijn. Hij had namelijk vreselijke geruchten gehoord. Geruchten over de eenzaamheid en het ongeduld van de mooie barones. Dat dit wilde en bazige voorwerp van zijn grote verlangen soms op haar eenzame ritten over het platteland en door de dorpen – verhit door haar warme zadel en de suizende wind door haar haar, dat ze alleen onder het paardrijden los droeg – een oliedomme, maar forse voetknecht uitkoos die haar tomeloze passie althans voor even in het ranzige stro van een dorpsbarak moest stillen. Hoe ze daar lag te kronkelen en te kermen, alsof ze om verlossing smeekte. Het was afschuwelijk dat zo'n simpele knecht zich aan haar vergreep, terwijl Benesand toch echt als enige meende te weten hoe hij haar diep en blijvend gelukkig zou kunnen maken.

Hij klemde zijn kaken op elkaar en begon licht te trillen. Koning Tenmac III bekeek deze poging tot liefdevol tranen plengen met belangstelling, maar toch pakte die heel anders uit dan hij misschien had gedacht.

Benesand merkte dat hij de controle over de situatie begon kwijt te raken en dat die gênant dreigde te worden.

Op het laatste moment, voordat zijn woede in haat kon omslaan en hij het zou uitschreeuwen, dacht hij nog net op tijd aan iets vreselijk ontroerends: het verhaal van het kleine hommeltje dat maar één dag te leven had en toch gelukkig was, omdat hij de zon mocht leren kennen. Zijn moeder had hem dit verhaal keer op keer moeten voorlezen, en bij het gedeelte waarin het kleine hommeltje ten slotte voorgoed zijn ogen sloot had de jonge Faur altijd weer moeten huilen. Nu dus gelukkig ook. Hij stelde zich het hommeltje wat slanker voor dan in het verhaal van zijn moeder, en met zijn eigen gelaatstrekken. En de zon was nu duister, donkerharig, zinnelijk en ver weg. Er vormde zich een enkele traan in zijn rechteroog, die hij door enorm zijn best te doen om niet met zijn ogen te knipperen nog wat groter liet worden en die hij ten slotte op de rug van zijn hand opving. 'Zo,' zei Benesand opgelucht, 'daar is hij dan: een traan, het bewijs van mijn eeuwige liefde voor mijn meesteres, barones Meridienn den Dauren. Dat deze traan de demonenpoel verkoeling en verlichting moge brengen!' Met een groots gebaar tikte hij hem in de afgrond. De koning en zijn adviseur keken de traan na, maar verloren hem tijdens zijn val al snel uit het oog.

Nu haalde de koning niet één, maar beide oorringen uit zijn als koninklijk opvolger doorboorde oorlellen, en zei: 'Dit zijn geschenken van een koning van deze wereld, als teken van waardering en begrip', en liet de beide kleine sieraden zachtjes van zijn open handpalm de diepte in glijden. Het was goed te volgen hoe ze omlaagvielen. Geluidloos gingen ze in de eeuwige maalstroom onder en verdwenen. Er veranderde niets aan de draaikolk.

Met z'n drieën keken ze nog een poosje de diepte in. Toen zuchtte de koning. 'Het wordt avond, en het wordt frisser. Laten we zorgen dat we nog voor de nacht bij de buitenburcht zijn.'

Ze gingen terug naar de anderen, en Eiber Matutin was er meer dan opgelucht over dat geen van hen iets was overkomen.

Twee demonen

De traan van Faur Benesand ging de draaikolk in, werd uiteengetrokken, vloeide uit, verstrooide, deelde en vermenigvuldigde zich.

Beelden weerspiegelden zich erin. Wervelende beelden. Kleurenpracht. Beelden van een insect met lang blond haar, een ridder, een krijger, maar dan wel een vrolijke.

Beelden van een zon, die een betoverend mooie vrouw was, maar die een uitstraling had die eerder koud en hard was dan warm en zacht.

Het insect verloor zijn haren, waardoor het er nog vreemder uitzag. Helemaal niet meer zo vrolijk, maar nog wel steeds een ridder en een krijger.

Toen zag je de zon wild met een donderwolk in het hooi bewegen.

Toen de zon ouder worden: een gegroefd, gerimpeld zonnetje. De wolk in het hooi verging tot hooi. Het gerimpelde zonnetje werd valer en valer.

Het insect dook weer op. Kaal, zwak en zwaarmoedig, maar nog steeds omringd door andere vrouwelijke insecten. Het gonsde en bromde.

Er was een hoge burcht te zien, die zich scherp tegen de hemel aftekende. Hij stond in het midden van een taartpuntvormig stuk land.

De draaikolk slokte de burcht op, trok hem uiteen tot een hele verzameling burchten, liet die uitvloeien tot een soort stad, verstrooide de stad tot vele identieke steden die 's nachts als sterren aan de hemel fonkelden, deelde de hemel en vermenigvuldigde hem, zodat hij eerst vouwbaar werd en daarna stapels vormde.

De kolk begon te ruisen en te beven.

Wezens kwamen in beweging. Wezens die ouder waren dan de draaikolk zelf, ouder ook dan de mensheid.

Tongen vormden zich, die aan de traanresten likten. Vingers vormden zich, die vol eerbied over het vloeibare oppervlak gleden. Ogen vormden zich, vreemdsoortige, eigenaardige ogen die de beelden in de traan beken. Stemmen murmelden elkaar hun waarnemingen toe om zichzelf in hun bestaan te bevestigen.

Toen kwamen de twee oorringen.

Ze waren piepklein, kleiner dan de vingertop van een mens, maar ze hadden evengoed meteorieten kunnen zijn, of neerstortende planeten. Een demon kent geen grootte, geen leeftijd, geen geslacht. Hij is onsterfelijk en zit al eeuwenlang in de draaikolk van deze demonenpoel gevangen omdat een magiër, Orison geheten, alle magie hiernaartoe had verbannen, waar die gemakkelijker kon worden vergeten.

Hoeveel demonen waren er? Niemand kon dat eigenlijk zeggen. Het was zelfs mogelijk dat hun aantal varieerde. Soms vond er bij een demon celdeling plaats, en spatte hij in stukken in de wervelende draaikolk uiteen – dan vormden zich uit de resten nieuwe demonen, en waren er plotseling meer dan eerst. Dan weer klonterden sommige in de razende draaikolk samen en waren er ineens minder. Leefde een demon? Had hij een lichaam? Hij leefde omdat hij leed. Hij had een lijf en een karakteristiek uiterlijk; geen van hen zag er hetzelfde uit. Ook verschilden ze qua grootte. Toch leken ze in de wervelende kolk allemaal op elkaar, waren ze allemaal slechts losse massa's. Het was niet eenvoudig om in de kolk een blijvend lichaam te houden. Meestal was het de herinnering aan de stoffelijkheid die de ene demon van de andere onderscheidde. De draaikolk wás de demonen. Alle demonen samen vormden de draaikolk. Hoe oud kon een demon worden? Ouder dan de wereld. Hoever gingen zijn herinneringen terug? Tot aan het begin, en dan nog verder terug, tot naar een plek waar hallucinaties en werkelijke ervaringen door elkaar liepen. Wat dacht een demon? Vluchten! Vluchten! Vluchten! Wat voelde hij? Pijn en onrecht. Wat nam hij waar? De snelheid van de draaikolk, de duizeling, de beweging, het ruisen van de kolk, het lawaai. Misschien nog de hoog oprijzende cirkelvormige wand van de afgrond en een onbereikbaar lijkende vrijheid daarboven. Hoeveel macht had hij? Geen, want hij zat gevangen. Wat was een demon? Goed of slecht? Een demon was beide en alles. Hij was niets zolang hij zichzelf niet had gevormd.

Een van hen – zijn naam was Irathindur – greep naar een van de voorbijtollende oorringen en hield zich eraan vast. Een demon die Gouwl heette, kreeg de andere oorring te pakken.

Irathindur zag er mensachtig uit. Twee armen, twee benen, een hoofd. Hij had een gelig-etterige kleur, was heel slank, bijna zo mager als een riet, had een spichtig gezicht zonder neus, met uitpuilende ogen en een klein spits mondje. Gouwl daarentegen had veel minder weg van een mens. Hij had zes armen – drie aan weerskanten van zijn lichaam – en drie benen – het derde ontsproot aan zijn stuitbeen –, waarop hij heel stevig als op een driepoot kon staan. Zijn korte lichaam was koolzwart, stekelig en gezet. Hij had geen ogen in zijn gedrongen gezicht, maar wel tientallen katachtige tastharen rondom zijn met slagtanden bewapende muil.

Beide demonen, Irathindur en Gouwl, waren op het moment dat ze zich aan het vormen waren niet veel groter dan een gewoon insect. Alleen doordat ze zo klein waren konden ze zich aan de oorringen van de koning vasthouden, als schipbreukelingen aan de planken van hun gezonken boot.

De ringen wervelden rond in de kolk. Irathindur en Gouwl konden eerst maar met moeite blijven zitten, maar na een paar omwentelingen vlogen ze al op de ringen voort als op een slee die door verse sneeuw gleed. Ze klampten zich vast, legden hun oren plat in hun nek en zetten zich schrap tegen de wind die hun tegemoet blies en het woeden der elementen. Andere demonen probeerden hen te pakken te krijgen en van de ringen te sleuren, maar de twee oorringtemmers weerden alle aanvallen af. Bliksemschichten knetterden binnen in de draaikolk. Hagel kletterde neer. Een vlammenregen. Magma. Telkens weer stormen en rukwinden. Ook verwrongen stemmen, die dreigden, waarschuwden of om hulp riepen. Naar beneden toe kwam er geen eind aan. Maar boven waren af en toe de maan te zien en de glinsterende steden aan de nachtelijke hemel. Boven moest er toch eens een eind aan komen, of hun althans iets wachten wat het allemaal de moeite waard maakte.

Onafhankelijk van elkaar leerden Irathindur en Gouwl hun ringen naar boven te laten vliegen. Langzaam, nauwelijks merkbaar, maar na een paar uur toch heel duidelijk, kwamen ze in de wervelende lagen van de kolk omhoog.

Bijna tegelijkertijd braken ze toen allebei door het oppervlak heen, dat altijd nog meer dan veertig meter onder de rand van de afgrond lag. Niets dan loodrechte wanden rondom. Niets dan roterende snelheid.

Irathindur en Gouwl wisten niets van elkaars bestaan, totdat ze elkaar voor het eerst gewaarwerden. Allebei verbaasden ze zich erover dat er nog iemand was die ook op een ring vloog.

Gouwl was de eerste die probeerde bij de rotswand te komen. Hij stuurde de ring wild in de kolk naar buiten toe, wierp zich tegen de rots en probeerde houvast te krijgen. Maar de vaart van de omwenteling was te groot; ondanks zijn kracht brak hij een paar vingers en hij had verscheidene omwentelingen nodig om zijn botten weer aaneen te laten groeien. In elk geval was hij de ring niet kwijtgeraakt, omdat hij hem tussen zijn knieën geklemd had gehouden. Zo kon hij boven het oppervlak van de demonenpoel blijven rondcirkelen. Irathindur probeerde als tweede een houvast te krijgen. Hij pakte het alleen handiger aan: hij wachtte een moment af waarop de ring zelf minder snel ronddraaide. Het lukte Irathindur zich aan de wand vast te klampen, maar daarna zat hij klem. Hij kon zich niet verroeren zonder dat hij door het geweld van de kolk weer van de wand zou worden gerukt. Slechts een lichaamslengte boven hem stak heel aanlokkelijk een veilige richel uit, maar hij had al zijn vingers nodig om zich hier vast te houden.

Gouwl raasde voorbij, telkens weer, en achter Irathindur gleed de ring die hem zojuist was ontglipt langzaam de diepte van de draaikolk in.

'Haal mijn ring terug!' riep Irathindur Gouwl toe, die langs hem suisde.

'Wat?'

'Haal mijn ring terug, voordat iemand anders het doet!'

'Wat moet ik daarmee?'

'Doe wat ik je zeg, dan komen we hier allebei uit!'

Gouwl deed wat hem gezegd werd en dook op zijn eigen ring naar beneden. Een derde, roodachtig glanzende demon met een hondensnuit en flaporen stond al op het punt Irathindurs ring te pakken en erop te klimmen, maar Gouwl ramde met alle macht tegen de tollende ring, greep hem, gaf er een paar rukken aan en schudde zo de vloekend wegdwarrelende flapoor af. Met beide ringen baande hij zich weer een weg naar boven, wat uren leek te duren. Was het soms een truc van de ander geweest om van hem af te komen? Nee. Die hing nog steeds hulpeloos en zwakjes aan de rots.

'Ik heb allebei de ringen!' brulde Gouwl triomfantelijk.

'Heel goed! Gebruik dan nu de ene om die aan de rotswand vast te haken. Zie je hier links van me die kleine uitstekende rotspunt? Daar kun je de ring aan haken en je er dan aan vasthouden.'

'Ik zie geen uitstekende rotspunt. Ik heb geen ogen!'

'Niet ver links van me. Neem je tijd. Vlieg er maar rustig een paar keer langs. Ik kan hem van hieruit goed zien, ik loods je er wel naartoe; je voelt de contouren wel in de rots. Verder naar boven... Verder naar boven... Verder naar links... Te ver naar links...'

'Ja, nu weet ik wat je bedoelt.' Gouwl was al helemaal duizelig geworden van het ingespannen aftasten van de langsrazende rots.

'Heel goed! Gebruik mijn ring, maar verlies die van jou niet!'

Gouwl deed weer wat hem werd gezegd. Hij had vier pogingen nodig en bij de vierde bleef de oorring zitten. Gouwl kon zich nu aan de wand vasthouden, alsof de ring in de rots was verankerd.

'En nu? Nu bungel ik hier net zo hulpeloos als jij!'

'Hou je goed vast. Ik kom nu naar je toe.' Irathindur liet zijn min of meer veilige houvast los. Hij besefte hoe groot het risico was dat hij nam. Hij had geen ring meer onder zich waarop hij zich door de draaikolk kon bewegen. Hij moest zich aan de kolk overgeven en erop vertrouwen dat hij puur door de centrifugale kracht niet zo snel naar beneden zou vallen. Als hij de andere demon miste, zou hij voorgoed de diepte in verdwijnen.

De draaikolk hapte naar hem als een hongerige wolf. Irathindur werd weggetrokken, veel verder van de rotswand dan hij had verwacht. Hij wilde schreeuwen, maar in plaats van zinloos levenskracht te verbruiken rekte hij zich liever in zijn volle lengte uit om zo bij Gouwl te komen – en hij kreeg met zijn vingertoppen diens ring te pakken. Kreunend trok hij zich aan Gouwl op. Die had intussen het dubbele gewicht te dragen.

'Oehhh,' bromde Gouwl. 'Dit vind ik niet zo'n geweldig plan. En wat nu? Lang hou ik dit niet meer vol!'

'Gewoon stil blijven hangen. Je ziet het zo wel.' Irathindur klom langs Gouwls veelarmige en daardoor handig vertakte lichaam omhoog, terwijl deze bromde: 'Ik zie het níét. Ik heb geen ogen.' Ook hier was boven Gouwl de richel zichtbaar. Irathindur hees zich erop en was nu pas voor het eerst werkelijk aan de tentakels van de draaikolk ontsnapt. Hij nam even de tijd om op adem te komen.

'En wat nu?' Dat schenen Gouwls lievelingswoorden te zijn. 'Laat je me hier nu hangen?'

'Natuurlijk niet. Zonder jou was ik hier niet boven gekomen. Ik geloof dat ontsnappen in je eentje niet lukt. Pak mijn hand, ik trek je omhoog.'

'Hebben we de ringen nog nodig? Ze zijn zwaar.'

'Neem ze maar mee. Als we ze laten vallen, pakken twee andere demonen ze om te kunnen ontsnappen, en dan nog eens twee enzovoort, enzovoort. Ik weet niet veel over de wereld, maar ik weet wel dat er weinig levenskracht is om gebruik van te maken. Hoe meer er van ons in deze wereld rondlopen, hoe minder levenskracht er voor elk van ons is.'

Gouwl leek deze theorie niet helemaal te kunnen volgen, maar hij deed graag wat hem werd gezegd. Dus liet hij zich door Irathindur op de richel helpen en hield hij in twee van zijn armen de beide oorringen van de menselijke koning vast.

Toen ze met z'n tweeën naast elkaar op de richel lagen, kwamen ze even op adem.

'Dat voelt goed,' zei Gouwl, en hij grijnsde met zijn brede roofdierenmuil. 'Nu we los van de draaikolk zijn, voel ik me meteen veel... sterker.'

'Ja. De kolk eist ons voor zich op, onttrekt levenskracht aan ons. Levenskracht is alles. Zonder levenskracht zijn we maar schaduwen.'

'Denk je dat het ons lukt daar omhoog te klimmen?'

'Ik betwijfel of je deze wand kunt beklimmen. Jij kunt hem niet zien, maar ik zie niets anders dan een loodrechte, voornamelijk zelfs gladde wand.'

De brede roofdierenmuil van Gouwl vertrok. 'Maar dan zitten we nog steeds gevangen!'

'Absoluut niet, mijn ongeduldige vriend. We gaan vliegen!'

'Vliegen?'

'Ja. Vliegen.'

'Ik heb geen vleugels. En afgaande op mijn tastharen heb jij ze ook niet.'

'Laat je door de draaikolk niet misleiden. We hadden lichamen nodig om gebruik te kunnen maken van de ringen. Daarom hebben we ook lichamen gevormd, puur instinctief, omdat we vrij wilden zijn, jij en ik. Maar de kolk heeft ons nu niet meer in zijn macht. We kunnen onze lichamen wegdoen en op elk moment weer nieuwe vormen. Laten we naar boven vliegen zodra je genoeg op krachten bent.'

'Ik ben weer op krachten.'

'Nou, kom op dan.'

'Maar de ringen! Zonder lichaam kan ik de ringen niet dragen.'

'Je hebt gelijk. We laten ze op de richel liggen, buiten het bereik van de draaikolk. Misschien zal de kolk ooit in de verre toekomst zo hoog stijgen dat twee andere demonen de ringen kunnen pakken, maar voor ons maakt dat dan niet meer uit. Tegen die tijd zijn we er toch allang vandoor en in veiligheid.'

Ze werden allebei doorschijnend. Hun lichamen vielen niet van hen af als de huid van een slang; de substantie ging gewoon zonder problemen in een onstoffelijke levensvorm over, die bij Irathindur nog steeds gelig en mensachtig was en bij Gouwl nog steeds zwartig, zesarmig en driebenig. Zo vlogen ze met z'n tweeën bij de loodrechte wand omhoog, die hen, omdat ze nu niet groter dan insecten waren, nog veel imposanter toescheen dan een wand van maar veertig meter hoog. Boven aangekomen konden ze hun onstoffelijke vormen weer moeiteloos in vaste lichamen omzetten. Vaste lichamen waren wel handig als je met elkaar wilde praten.

'En wat nu?' vroeg Gouwl. Hij boog over de rand en verloor zich even in de diepte van de demonenpoel, als in een nachtmerrie die hij van zich af had geschud. Doordat hij geen ogen had, maakte hij een vreemde indruk, als een wezen dat even hulpeloos als onafhankelijk was.

Irathindur liep al door het gat in de touwafzetting met de getaande banspreuken. Ofwel de banspreuken hadden allang hun kracht verloren, ofwel de opening die voor kijklustigen in het touw was gemaakt, had het oorspronkelijke doel van de bancirkel tenietgedaan. 'Nu moeten we een lichaam gaan zoeken.'

'Een lichaam gaan zoeken? We hebben toch al een lichaam!' Gouwl volgde Irathindur door de touwafzetting. Niets hield hen op of tegen.

Irathindur schudde zijn hoofd. 'Je hebt nog steeds niet begrepen hoe onze gevangenis precies werkt. In deze wereld is niet genoeg levenskracht voorhanden om ons lang in ons eigen lichaam te kunnen handhaven. Alleen in de kolk is genoeg levenskracht beschikbaar om duizenden demonen eeuwenlang te laten overleven, maar dan aan banden gelegd, geknecht, verslaafd en verzwakt. Als we hier buiten niet al na een paar dagen jammerlijk te gronde willen gaan, moeten we gastlichamen zoeken die ons continu met hun eigen levenskracht voeden.'

'Betekent dat dan dat we van het ene gastlichaam naar het andere moeten overspringen om er de levenskracht telkens weer uit te zuigen?'

'Nee, dat hebben demonen in vroeger tijden wel geprobeerd, maar dat leidde alleen maar tot vervolging en ondergang. Uiteindelijk heeft die aanpak, geloof ik, zelfs tot het ontstaan van de demonenpoel als gevangenis geleid. Het kan ook anders. Eén gastlichaam. Permanente innesteling. Zo'n mens gaat tientallen jaren mee. Pas dan hoef je te wisselen.'

'Maar één mens levert toch vrij weinig levenskracht op?'

'Dat hangt ervan af wat je ermee doet. Luister eens – hoe heet je eigenlijk?'

'Gouwl.'

'Oké, Gouwl. Ik ben Irathindur. Ik stel het volgende voor: we gaan elk onze eigen weg, zodat we niet in elkaars vaarwater komen. Je hebt immers zelf gehoord waar die drie bij de rand het over hadden. Een van hen was een koning, maar behalve die koning zijn er nog andere machtige mensen: baronnen en baronessen, die over het opgedeelde land heersen. Jij neemt een baron en ik een andere. Op die manier kunnen we allebei heerser zijn, maar hoeven we elkaar niet in de weg te zitten wat levenskracht betreft. We nemen gewoon twee baronaten over om ons te vestigen, die niet aan elkaar grenzen. We kunnen zelfs vriendschappelijk met elkaar omgaan en een bondgenootschap sluiten.'

'Dat klinkt niet slecht. Maar ik wil niet gewoon een baron zijn. Nu ik dan toch vrij ben, wil ik koning zijn.'

'Weet je wat dat inhoudt, koning zijn? Grote verantwoordelijkheid. Heel weinig vrije tijd.'

'Maar heel veel levenskracht.'

'Kan zijn. Maar die koning maakte nogal een ziekelijke indruk op me. Hij was ook nog maar een kind.'

'Dat maakt me niet uit. Hij is koning en hij wordt vanzelf groot. Met mij als demon wordt hij oneindig groot.'

'Goed dan, mij maakt het niet uit. De koning interesseert me niet. Ik neem liever een baron.'

'Of een barones.' Gouwl likte verlekkerd langs zijn lippen.

'Of een barones – je hebt mijn gedachten geraden. Maar laten we wel een pact sluiten.'

'Wat voor pact?'

'Laten we nooit vergeten dat geen van ons beiden zonder de hulp van de ander aan de demonenpoel had kunnen ontsnappen. Laten we elkaar beloven dat we nooit oorlog tegen elkaar zullen voeren. We mogen een oorlog tegen andere landen en andere baronaten beginnen, maar wij zijn de enige twee vrije demonen in deze door mensen beheerste wereld. We moeten elkaar niet afvallen.'

'Mij best. Ik wil geen oorlog. Oorlog betekent gedoe. Ik wil rust en wil volop van mijn leven als koning genieten. Na al die eeuwen gevangenschap zal ik eindelijk eens kunnen en doen en laten waar ik zin in heb – en iedereen moet het vuur uit zijn sloffen lopen om mijn wensen te vervullen. Wat zal dat leuk worden! Al mijn zes handen erop dat ik tegen jou absoluut geen oorlog zal beginnen.'

'Aan één hand heb ik wel genoeg, dank je.' De gelige en de zwartige demon drukten elkaar bij de kleine kapel stevig de hand.

Toen namen ze hun onstoffelijke vorm weer aan en vlogen allebei een kant op.

Koning Tenmac III was met zijn escorte nog maar nauwelijks bij de gezellige buitenburcht van het zesde baronaat aangekomen en bevond zich net in een van de gangen, toen de demon Gouwl nogal ruw bij hem binnendrong. Het had Gouwl niet veel moeite gekost de koning te vinden: hij had de oorringen lang genoeg in zijn handen gehad om de drager ervan ook zonder ogen, zelfs tussen honderden andere mensen, aan de hand van zijn levenskrachtspoor te kunnen herkennen. Nu denderde hij bij hem naar binnen en smeet hem daarbij letterlijk omver. De koning viel kwijlend languit en bleef liggen.

Meteen was iedereen in rep en roer.

'De koning heeft een aanval!'

'Aan de kant voor de koning!'

'Het bezoek aan de demonenpoel was toch te veel voor hem!'

'Hij is ingestort! Hij is ingestort!'

'Aan de kant, aan de kant voor de lijfarts van de koning!'

De lijfarts, die zo oud was dat hij bij het lopen moest worden ondersteund en dikke brillenglazen nodig had om iets te zien, verzekerde de bezorgde Tanot Ninrogin dat de koning echt alleen maar rust nodig had om bij te komen van alle vermoeienissen van de dagenlange rit. Ninrogin stelde op zijn beurt Matutin en Benesand gerust, die in naam van de barones tenslotte voor het welzijn van de koning verantwoordelijk waren.

'Mijn god, mijn god, als hij zich bij zijn val maar niet heeft bezeerd!' jammerde Eiber Matutin, en hij bette het zweet van zijn gezicht. 'Er moeten veel meer kleden in de buitenburcht worden neergelegd, aanzienlijk meer kleden, verschillende lagen over elkaar!'

'Net zijn vader,' grijnsde Faur Benesand. 'Die had ook de vallende ziekte – en *floep* vloog hij van het balkon af.'

'Daar maak je geen grappen over! Met zoiets moet je nooit spotten!'

'Natuurlijk niet.' Maar Benesand grijnsde nog steeds toen hij zijn kamer in ging om weer een eenzame nacht lang over de barones te fantaseren.

Barones Meridienn den Dauren sliep inmiddels, prettig in een leren korset geperst en met haar onderlijf strak ingesnoerd, in haar enorme donkerblauwe hemelbed. De demon Irathindur had duidelijk een langere weg naar de hoofdburcht moeten afleggen dan de demon Gouwl naar de buitenburcht, maar door de kracht van een zeer bijzondere hartstocht was Irathindur gewoon sneller. Hij was een van de demonen geweest die in de draaikolk aan Faur Benesands traan hadden gelikt. En die traan had barstensvol gezeten met verleidelijke onrealistische wellustgevoelens voor een zeer speciale vrouw die als een allesoverheersende zon het hele firmament in fel licht en scherpgekante schaduwen hulde. Het licht was koud, de schaduwen waren gloeiend heet. Elke beweging van de zon bezorgde haar pijn en de toeschouwer een gevoel van lust. Het was vreemd en mysterieus. Irathindur had nog nooit zoiets meegemaakt.

Dit gevoel was voor de demon vooral zo opwindend en nieuw omdat hij in feite geen man was. Demonen zijn geslachtloos en planten zich niet voort. Ze groeien en gedijen door banspreuken, vloeken en de zwakheden van mensen; ze worden bezworen, verbannen, als zondebok gebruikt, misbruikt, vereerd en aanbeden. Ze sterven omdat hun levenskracht is opgebruikt, of verdwijnen omdat niemand zich hen herinnert. Maar wat gevoelens betreft kennen ze hoogstens haat, omdat haat ook de drijfveer is van een mens die een demon bezweert – maar nooit genegenheid of zelfs zoiets wanhopigs als begeerte.

Toch had Irathindur door Faur Benesands eigenaardige traan de begeerte leren kennen, en nu hij de barones tijdens haar nachtelijke gewoel binnendrong, leek dit bijna op een geslachtsdaad.

De geslachtsdaad van twee vrouwen.

Van een vrouw en een dier.

Van twee demonen.

TWEEDE
OMWENTELING

De gevangene

Minten Liago kwam weer bij in een vreselijk stinkende, vochtige Kurkja-vokse kerkercel.

De muren, vol barsten, waren met zwarte en witte schimmel overdekt, en het stro, al werd het om de paar dagen ververst, stonk telkens algauw weer naar ranzig zweet. De kerkermeesters probeerden met grote vuren de vochtigheid uit het gewelf te verdrijven, maar het enige wat ze ermee bereikten was dat de muren nog meer kalkwater afscheidden en dat er ook nog eens een scherp riekende roetlaag over alles heen kwam te liggen.

Minten was niet alleen in zijn cel. Er waren nog twee andere gevange-nen in ondergebracht: een valsspeler, Taisser genaamd, die uit het rijke geslacht Sildien stamde, en ene Elell, die omdat hij zijn honger naar alco-hol hier niet kon stillen altijd hatelijk deed en die onophoudelijk bibber-de.

Elell kon 's nachts niet slapen en treiterde dan alles en iedereen. Het liefst maakte hij jacht op kakkerlakken en pissebedden; hij rukte ze stuk voor stuk de poten uit hun lijf en keek dan toe hoe ze hulpeloos op hun buik over de grond rondspartelden. Meer dan eens overwoog Minten Taisser en zichzelf een groot plezier te doen en de spichtige Elell gewoon te wurgen, of hém de benen en armen uit het lijf te rukken en dan toe te kijken hoe hij over de grond rondspartelde. Maar Minten hield niet zo van geweld en bovendien was Elell fysiek gewoon te duidelijk zijn min-dere.

Taisser Sildien leek echter een prima vent te zijn. Hij kletste een beetje veel en hij probeerde Minten voortdurend allerhande trucs te leren met strohalmen, die kaarten, glazen, munten of zelfs vrouwen moesten voorstellen, maar Minten kon zich nooit lang genoeg concentreren om aan het eindeloze gebazel een touw te kunnen vastknopen. Taisser had een smal en gevoelig gezicht, en zijn haar en snor waren witblond. Hoewel hij hier al twee weken in de cel zat, vertoonde zijn kin nauwelijks enige baardgroei. Een deel van zijn waterrantsoen gebruikte hij in alle ernst om zich te wassen. Elell echter was al zo stekelig als een zee-egel. Overal op zijn lichaam staken er zwarte haren uit zijn huid. Hoewel hij nog geen veertig was, had hij nog maar zes tanden in zijn mond. Des te meer spuugde hij als hij aan het schelden was. En schelden deed hij de hele dag.

'Ik vervloek de barones! Ik vervloek de koning! De oude en de nieuwe! Een man hier beneden zonder drank laten verrekken, alleen omdat hij een paar wijkaarsen heeft gepikt! Waar heeft God nou licht voor nodig? Hij zit toch al in een hemel vol met licht een beetje genadig op alles neer te kijken? Ik vervloek jullie allemaal! De mensen weten niets van genade. Dus waarom schaffen ze die oude genadige God van hen niet af, houden ze niet op met doen alsof, en gedragen ze zich niet gewoon zoals ze zijn, als wilde beesten? Elke man wil de vrouw van een ander, dat is gewoon een feit! Maar wanneer ik, een arme schooier, een beetje meer licht in mijn trieste leven wil, dan sluiten ze me op en geven me niets meer te zuipen en kijken ze vol leedvermaak toe hoe ik mijn best moet doen om me te redden! Ik vervloek iedereen! Wat zit je nou stom te kijken?' Dat was zijn favoriete zin om Minten woedend mee te maken. Zelfs als Minten hem niet eens aankeek, maar gewoon wat voor zich uit zat te staren, zei hij: 'Wat zit je nou stom te kijken? Wat zit je nou stom te kijken?'

Na drie dagen werd Minten eindelijk aan een rechter voorgeleid. De rechter zat op een hoge zetel in een vertrek dat naar boven toe smal toeliep, als de spits van een kerktoren.

'Dat ziet er niet best uit,' zei hij, terwijl hij de documenten met betrekking tot Mintens zaak doorkeek. 'De flessentrekkerij is niet het echte probleem, maar wel de gewelddadige aanval op de stadssoldaten. Zo weinig respect tegenover vijf uniformen is simpelweg niet acceptabel. Een van de soldaten heeft nu twee loszittende voortanden. Waarschijnlijk moeten ze worden getrokken. Kun je je er iets bij voorstellen hoe hij eruitziet, zo zonder voortanden? Dit kunnen we niet door de vingers zien. Onmogelijk. Twee uniformen zijn beschadigd. Dat kost geld. Heb je enig idee hoe duur zo'n uniform is? Natuurlijk niet. En de waard van de Troostende Trompet heeft op je harde hoofd een deuk in zijn trompet geslagen. Dat was een aandenken; daar heeft de herberg zijn naam aan te danken. Onbetaalbaar. Moeilijk goed te maken. Nee, ik zie geen enkele mogelijkheid onder de drie jaar.'

'Drie jaar?' reageerde Minten boos. 'Vanwege dat tweeënhalve stuk dat ik niet heb betaald?'

'Nee, laten we zeggen: vier jaar, vanwege gebrek aan begrip en respect voor een rechterlijk vonnis. Of wil je graag vijf jaar? Wilde je nog iets zeggen? Vijf jaar?'

Minten klemde zijn kaken op elkaar om de stortvloed van vloeken en bezwaren die in hem opwelde tegen te houden.

'Geen vijf?' vroeg de rechter, alsof ze op een veiling waren. 'Prima, vier dus. Dan ben je nog altijd jong genoeg om een zinvol leven te beginnen als je hier weer uit komt, jongeman. Die vier jaar kun je mooi gebruiken om na te denken. Over jezelf, de wereld en je plaats daarin.'

Minten was weer zover gekalmeerd dat hij beheerst kon praten. 'Mag ik misschien nog een vraag stellen?'

'Een vraag. Tja, als hij gepast is.'

'Kan ik iets te lezen krijgen in mijn cel? Ik wilde eigenlijk... studeren.'

De rechter keek verbaasd op hem neer. 'Studeren? Nou, nou. En denk je dan dat je het toelatingsexamen had kunnen halen?'

'Waarschijnlijk niet. Maar ik zou die vier jaar hier kunnen gebruiken om te leren lezen, schrijven en rekenen.'

'Dat vind ik lovenswaardig, jongeman, dat klinkt echt heel verstandig. Misschien breng ik je straf toch maar weer terug tot drie jaar. Of wat vind je van het volgende idee? Na drie jaar laten we je het toelatingsexamen doen. Slaag je, dan ben je vrij en mag je gaan studeren. Zak je, dan moet je je vierde jaar nog uitzitten.'

'Dat klinkt goed.' Uiteraard was drie jaar gevangenisstraf voor zo'n gering vergrijp onrechtvaardig. Maar nadat de rechter hem eerst zo meedogenloos had behandeld, was Minten nu daadwerkelijk ontroerd dat hij hem in elk geval de kans wilde geven om te studeren. 'Ik dank u, Edelachtbare.'

'Nou, dat klinkt al een stuk beter. Voer de man af en breng hem schrijfgerei en een boek in zijn cel. Drie jaar is niet veel om van zo'n wilde leeuwenkop een waardig en fatsoenlijk mens te maken. Er is geen dag te verliezen, jongeman.'

Minten maakte een heuse buiging, werd afgevoerd en kreeg als boek een historische verhandeling over het zesde baronaat uitgereikt. Over hoe de grote magiër Orison zijn stad in het midden van dit gigantische schiereiland stichtte, glinsterend en hoog als het Wolkenpijnigergebergte zelf, en over hoe hij vanuit Orison-Stad negen lijnen door het land trok – rode lijnen die tot zo'n tien meter diep in de aarde waren gehouwen, zoals later bij opgravingen bleek –, om zo de negen baronaten te vormen. Over hoe het zesde baronaat de oostelijke helft van de Brokkelige Bergen kreeg toebedeeld, evenals de verantwoordelijkheid voor de lugubere demonenpoel. Over hoe de kststeden Icrivavez, Kurkjavok en Saghi werden gesticht en er handelsbetrekkingen met de andere baronaten werden aangeknoopt. Over hoe er in elk baronaat drie burchten werden gebouwd en zich alleen in het zesde en het derde baronaat de slimme traditie had ontwikkeld vrouwen de adellijke titel te verlenen, terwijl de andere zeven baronaten nog steeds ouderwets in handen van mannen waren. Over hoe het zesde baronaat gedurende eeuwen van vrede en welvaart drie zeer grote gevaren het hoofd moest bieden: een vreselijke stormvloed, die de hele zuidkust van Orison verwoestte, een wervelstorm, die in het vierde, vijfde en zesde baronaat huishield, en een bloedig grensconflict tweeënhalve eeuw geleden met het zevende baronaat. De barbaren uit Coldrin waren nooit tot het zuidelijk gelegen zesde baronaat doorgestoten, en de piraten die vroeger de Groene Zee vanaf de eilanden Rurga en Kelm onveilig maakten, waren er allang niet meer.

In de tweede week dat Minten Liago in zijn cel aan de studie was, had Elell 's nachts, toen Minten nog bij het onrustige licht van de vuren probeerde te lezen en dingen over te schrijven, een rat buitgemaakt. Nauwlettend, met het puntje van zijn tong uit zijn mond, begon de kleine man het nog levende dier zijn poten en staart uit te trekken.

'Wat zit je nou stom te kijken?' snauwde hij Minten toe. 'Wind je je er nu ineens over op, bij een zoogdier, hmm? Bij die insecten heb je niets gezegd! Denk je soms dat insecten geen pijn voelen? Nou, reken maar, je kunt het heel goed zien hoe ze met stuiptrekkend lijf voor de pijn proberen weg te kruipen, maar de pijn gaat altijd mee. Bij een rat is dat net zo. Of stoor je je aan het gekrijs? Is dat het, dat beetje gekrijs? Je moest je schamen als het je net als bij alle andere mensen altijd alleen maar om jezelf gaat! Zolang de grote meneer niet bij zijn lectuur wordt gestoord, mag de kleine Elell doen en laten wat hij wil, maar zodra het lawaaierig wordt en onaangenaam, kijkt hij ineens van zijn geleerde boekje op en kijkt me stom aan! Moet ik iets met zijn stembandjes doen voordat ik hem...?'

Met twee stappen was Minten bij hem, had hij de kleinere man vastgepakt en hem met volle kracht tegen het traliewerk van de cel gekwakt. Eigenlijk was Minten alleen maar van plan geweest Elell eindelijk het zwijgen op te leggen en hem te laten ophouden, maar toen hij het verkrampte bundeltje behaarde kwaadaardigheid eenmaal in zijn handen had, sloeg hij het nog eens twee keer tegen de tralies. Omdat het goed voelde. Merkwaardig goed.

Meteen brak in de cellen ernaast de hel los.

'Rellen!'

'Knokpartij!'

'Ontsnapping! Ontsnapping! Ontsnapping!'

Taisser Sildien hield Minten tegen en sprak kalmerend op hem in. Maar wat er daarna allemaal gebeurde was niet meer te stoppen. Soldaten stroomden de cel binnen, sloegen hen alle drie tegen de muur, fouilleerden hen zeer hardhandig en brachten hen naar de kerkermeester. De kerkermeester was heel groot, had een kaal hoofd en liep voortdurend met ontbloot bovenlijf rond, hoewel – of juist omdat – zijn schouders helemaal vol zaten met de meest walgelijk uitziende etterende puisten.

'Zo, dus jullie drieën hebben nog kracht over, hmm? Ik kan jullie ook naar de bergmijnen sturen, hoor, waar moordenaars en zedenmisdadigers terechtkomen, als jullie je verblijf hier te saai vinden!'

'Maar dat is helemaal niet zo,' begon Taisser Sildien uit te leggen. 'Mijn vriend Minten geniet van zijn studie, ikzelf van de hemelse rust hier beneden, en onze vriend Elell kan 's nachts maar niet in slaap komen, en dan kan het wel eens gebeuren dat hij bij zijn geijsbeer over een van ons struikelt en...' Verder kwam hij niet. De kerkermeester had hem plompverloren een vuist met boksbeugel midden in het gezicht geramd. Met een neus waar het bloed uit droop ging Taisser tegen de vlakte, en hij verroerde zich niet meer.

Minten was volkomen verbijsterd door deze geweldsuitbarsting. Maar hij begreep instinctief waar de kerkermeester op uit was: hém provoceren. De kaalkop zat namelijk nu heel aandachtig naar hém te kijken, alsof hij op een reactie wachtte. Minten besloot in elk geval iets te zeggen. 'Hij kan doodbloeden als hij niet op zijn zij wordt gelegd.'

'O ja? En wie zou hem missen? Zijn voorname vader beslist niet, want die heeft namelijk met zijn telg gebroken toen zoonlief met een handvol drugs in zijn neus was opgepakt in een bordeel waar zeer kwalijke praktijken plaatsvonden. Deze gevoelige blonde jongen is de op een na slimste van jullie drieën. Elell is gewoon een miezerige, zieke smeerlap. Maar die blonde is wel een sluwe schoft. En jij, jij bent de slimste, want jij bent een oproerkraaier. Je kijkt me aan en de minachting straalt uit je ogen. Kerels zoals jij gooien mijn hele keurig geordende kerkerbestaan overhoop. Dat gedoe met die boeken en dat schrijfgerei is nu voorbij. Die rechter is veel te teerhartig.'

Minten, die zijn hele toekomst voor zijn ogen in rook zag opgaan, probeerde het nog eens met: 'Het zal niet weer gebeuren.'

'Nee, dat zal het zeer zeker niet.' Voor ieders ogen drukte de kerkermeester ongegeneerd een etterende puist op zijn schouder uit. 'Omdat je de isoleer in gaat. Je gaat de la in. Een ondiep stenen gat in de muur waar je als een brood in de oven in wordt geschoven. De la is nauwelijks hoger dan je hoofd dik is. Je kunt erin op je rug liggen, maar je kunt je niet op je zij draaien of hoe dan ook merkbaar van houding veranderen. Je kunt alleen maar liggen en nog eens liggen, en oppervlakkig ademhalen. En dat op hard steen. Tot nu toe heeft nog niemand dit drie dagen volgehouden zonder te schreeuwen, te huilen of gek te worden. Jou acht ik tot vijf in staat, dus krijg je tien! Weg met hem!'

Ze trokken al zijn kleren uit en schoven Minten in de la. Het gesteente eromheen was zwart en stonk naar een beerput. Ook de la zelf bestond uit leizwart steen. Mintens hoofd lag het verst naar achteren, en zijn voeten werden het laatst door licht beschenen toen ze hem helemaal de rots in schoven. Het werd volkomen donker. Al na een uur werd het zo warm dat Minten begon te zweten. Hij lag op zijn rug en kon zich inderdaad niet bewegen. Als hij zijn hoofd ook maar iets meer dan een vingerbreed optilde, stootte hij zijn voorhoofd al tegen het plafond. Als hij zijn armen en benen probeerde te spreiden, kwam hij erachter dat de la amper breder was dan een doodskist. Dit wás een doodskist. Een doodskist van steen in een roet afscheidende rots.

Kwam er hoe dan ook wel ergens lucht in, of stikte je hier binnen vanzelf?

Kreeg je iets te eten of was het de bedoeling dat je verhongerde?

Kreeg je iets te drinken of was het de bedoeling dat je het kalkwater van het plafond likte?

Minten zou alles hebben overgehad voor een kussen. Hij lag veel te laag en pijnlijk hard met zijn achterhoofd op de stenen. Ook zijn ruggengraat, zijn achterwerk en schouderbladen begonnen na een tijdje zeer te doen. Normaal gesproken ging je verliggen om je doorbloeding te stimuleren, maar dat lukte hier niet. Minten voelde paniek opkomen, die hij alleen kon bedwingen doordat hij het op de een of andere wonderlijke manier nog amusant vond ook. Hier binnen hoefde hij in elk geval die afgrijselijke Elell en zijn folterspelletjes niet meer te verdragen! Hij moest er niet aan denken dat ze hen hier samen hadden opgesloten! En ook het gebazel van Taisser Sildien zou hij niet missen. Hij bedacht dat hij niet eens wist of Taisser Sildien eigenlijk nog wel leefde. Maar wat kon het hem ook schelen? Zij waren allemaal daar buiten, maar hij lag hier in de la, tien donkere dagen lang; dat was een volkomen andere wereld. Ze hadden hem evengoed in de demonenpoel kunnen gooien.

Tien dagen van stilte.

Het bloed klopte in zijn hoofd. Zijn eigen hartslag maakte zo'n lawaai dat hij er niet van kon slapen.

Slapen was hetzelfde als het bewustzijn verliezen. Toen hij met een loodzwaar gevoel en hoofdpijn wakker werd, had Minten geen idee of hij nu in slaap was gevallen of bewusteloos was geraakt. Het deed er ook niet toe. Alles wat hielp de tijd door te komen was welkom.

De lucht in de la rook algauw naar tranen. Af en toe schoven ze hem van onderaf tot bij zijn handen wat water toe, en brood. Dan viel er even licht over zijn voeten naar binnen, alsof hij door de wolken zweefde, en leek de grond onder hem te bewegen, waardoor hij duizelig en misselijk werd. Allebei, het water en het brood, kon hij dan op de tast bibberig naar zijn mond brengen. Doodgaan zou hij niet. Ze lieten hem niet doodgaan.

Omdat hij niet wist hoe hij zijn behoefte anders moest doen, bevuilde hij zichzelf maar gewoon liggend. Het liet hem koud; tenslotte keek er niemand toe die hem belachelijk kon maken. Gênant werd het pas als ze hem hieruit haalden, maar met een beetje geluk was hij dan bewusteloos en kreeg hij er helemaal niets van mee.

Hij ervoer de stank eerder als iets prettigs dan als iets onprettigs, want zolang er nog iets te ruiken viel, viel er ook nog iets in te ademen. Tegen de pijn wende hij zich zijwaartse bewegingen met zijn schouders en achterwerk aan, zodat hij zo goed en zo kwaad als het ging de breedte van de la optimaal benutte en erin heen en weer schoof om geen doorligplekken te krijgen en weg te kwijnen. De vochtigheid was een groot probleem, maar tegen de jeuk, die hij overal had, kon hij tenminste iets doen: hij kon met zijn lichaam langs het ruwe steen schuren. Hij kreeg het ook voor elkaar zijn onderbeen te buigen en weer te strekken en met zijn armen nogal verbazingwekkende rekoefeningen te doen, maar hij moest wel oppassen dat hij zich niet te veel vermoeide omdat de lucht al zo vaak was in- en uitgeademd en hij bij de minste of geringste inspanning het bewustzijn verloor.

Wat was het bewustzijn toch een teer, vluchtig iets. Een draadje, een veertje in een wervelstorm.

Telkens weer liep hij in gedachten de geschiedenis van het zesde baronaat door. Hij oefende ook met schrijven op steen.

Nog de meeste moeite had hij met de kleuren. Achter zijn oogleden wilde het maar niet rustig worden; hij werd gebombardeerd en overbelast met kleurige explosies, oprukkende puntenlegers, aanstormende groenrood-blauwe ruitpatronen, langstrekkende vonkenregens en allerlei andere abstracte dingen, die er niet echt waren, maar die ook niet verdwenen.

Een keer wilde Minten gaan zingen, om degenen daar buiten in die andere wereld te laten merken dat het hun niet zou lukken hem te breken, maar hij hield zich in omdat hij bang was dat ze het als bewijs zouden zien dat hij gek was geworden.

Uiteindelijk trok men hem uit de la. Het hadden hem helemaal geen tien dagen geleken. Hij kon zich er hoogstens drie of vier herinneren. Waarschijnlijk was hij het grootste deel van de tijd buiten kennis geweest.

De kerkersoldaten wisten inmiddels in wat voor toestand de gevangenen altijd uit de la kwamen, en hadden daaronder een kuip met water neergezet, waar Minten soepeltjes in gleed. Twee soldaten hielden hem overeind, zodat hij niet verdronk. Een derde boende hem met een gezicht vol walging schoon.

Toen Minten, worstelend met het water, panisch zijn ogen opensperde, zag hij achter de man met de borstel een vrouw staan. Omdat hij zich in de la zo intensief met de geschiedenis van het zesde baronaat had beziggehouden, dacht hij eerst dat deze vrouw barones Meridienn den Dauren in hoogsteigen persoon was. Maar dat kon niet kloppen. De barones was mooi en elegant. En deze vrouw hier droeg een soldatenuniform, had een hard, bijna mannelijk gezicht, gespierdere armen dan de meeste mannen, en haar dat zo kort was dat het eruitzag alsof ze een kaal hoofd had met een schaduw erover. Bovendien leek ze nog maar één hand te hebben; onder aan haar linkerarm zat een leer- en metaalachtige constructie vol met messen, haken en ogen.

Bij de stank vertrok ze geen spier, maar ze snoof de geur op alsof ze een uitgelezen wijn proefde. Tegelijkertijd bekeek ze de naakte Minten met een mengeling van tevredenheid en spot aandachtig van top tot teen.

'Dat lijkt me wel wat,' zei ze toen. Haar stem kraakte alsof er een stuk hout werd omgebogen. 'Breng hem in vorm. Ik wil hem binnen zeven dagen tegen Oloc zien uitkomen op het oefenterrein van de binnenburcht. Zorg ervoor dat hij daarnaartoe wordt gebracht. En maak hem duidelijk dat dit de enige kans is die hij krijgt.' Met een ongeduldige beweging wendde ze zich af en ze verliet het vertrek.

Minten verloor haar uit het oog toen een van de bewakers hem onder water hield totdat hij weer buiten bewustzijn raakte.

Het was zo'n teer, vluchtig iets, het bewustzijn.

De barones

Irathindur voelde zich ontzettend goed in het lichaam van de barones. Zo'n lichaam was iets geweldigs, en dit hier al helemaal. Strak, lenig, stevig op de juiste plekken en lekker zacht eveneens op de juiste plekken, met een gelijkmatig, eerder rond dan langwerpig gezicht, een mooie rozig bleke huidskleur, een zeer fraaie neus, prachtig haar en een buitengewoon opwindend scala aan gevoelens, gevoeligheden en gevoelsaandoeningen.

Het enige wat hij storend vond, was de favoriete kleding van de barones, met zijn ongemakkelijke en pijnlijke insnoeringen. Hij zette alle riemen minstens twee gaatjes wijder, maakte alle lussen en koorden aardig wat losser, trok zelfs fleurige stoffen zomerjurken aan en genoot ervan dat hij vrij kon ademhalen, vooral op het balkon van de torenkamer.

Voor de bedienden en onderdanen van Meridienn den Dauren veranderde er nogal wat in die eerste dagen nadat de demon bezit van haar had genomen. De barones werd ineens veel milder, aardiger en opgewekter. Voor iedereen had ze wel een vriendelijk woord. Over een simpele bos bloemen kon ze urenlang verrukt zijn, en ze besnuffelde de bloemen niet alleen uitgebreid, maar streelde ze ook. Dieren reageerden echter wantrouwend en geprikkeld op haar. Zelfs haar lievelingspaard was bang voor haar, maar dat deed de barones gewoon met een lachje af; ze zei dat ze waarschijnlijk anders rook, omdat ze nu ander toiletgerei gebruikte.

En ze gebruikte ook daadwerkelijk allerlei soorten toiletartikelen door elkaar. Ze kon maar niet genoeg krijgen van alle geuroliën, badschuim, aromabladeren, zalfjes, huidcrèmes, geurkaarsen, poeders en badzout. Haar lijfbedienden zeiden dat ze helemaal opleefde en veel jonger leek.

'Of verliefd,' fluisterden de wat meer heldhaftigen onder hen, al kon niemand zich een ontmoeting met een man herinneren die het hart van de strenge barones zo in vuur en vlam had kunnen zetten. De audiënties bij de barones verliepen daarentegen moeizamer. Tot nu toe had ze met harde hand geregeerd. Ze had altijd korte, bondige, weloverwogen bevelen gegeven, en er ook streng op toegezien dat die werden uitgevoerd. Afranselingen met de zweep en de zogenoemde pijnlijke ondervragingen waren in de kelders van de hoofdburcht schering en inslag geweest. Nu werden de gevangenen regelrecht de burcht uit gejaagd. Heel anders dan eerst scheen de barones gevangenschap en pijn absoluut niet meer opwindend te vinden. Zelfs in de van oudsher onrustige havensteden, waar het wemelde van de latent rebelse studenten, liet ze de wetten versoepelen. Wanneer iemand dacht een gevangene te kunnen gebruiken, kon hij hem nu zonder problemen uit de gevangenis halen, zolang hij de verantwoordelijkheid maar voor hem op zich nam. Vroeger was voor dat soort zaken een jaren durend bureaucratisch proces nodig geweest.

De besluitvorming tijdens de audiënties bij de barones verliep steeds moeizamer. Vroeger had ze haar negen coördinatoren amper aan het woord gelaten, zo precies had ze van tevoren geweten wat ze wilde. Nu echter hoorde ze opeens iedereen aandachtig aan en keurde ze zelfs budgetwijzigingen van verschillende coördinatoren goed. Een vrij zachte coördinator als Eiber Matutin, die vroeger altijd blij was geweest als hij korte, ondubbelzinnige bevelen kreeg, kon niets met deze nieuwe situatie. Hij vroeg praktisch nooit het woord, had geen noemenswaardige mening, noch bijzondere ideeën. Een ambitieus coördinator als Faur Benesand wist het nieuwe flexibele machtssysteem van het zesde baronaat echter prima in zijn eigen voordeel te gebruiken. Niet alleen drukte hij voor zichzelf en het onder hem vallende heffingsgebied een paar fundamentele vereenvoudigingen door – bijvoorbeeld een uitbreiding van dertig procent van de tiendenheffingspatrouilles door de ruiterij die hij tot zijn beschikking had, en tegelijkertijd een verlenging van de betalingstermijnen van de in gebreke blijvende boeren –, nee, hij kwam zelfs met een paar interessante ideeën aangaande het leger, dat onder Eiber Matutins verantwoordelijkheid viel, en gaf daarmee subtiel te kennen dat hij buitengewoon geïnteresseerd was in Matutins functie. Natuurlijk verwachtte Faur Benesand niet alleen beroepsmatige voordelen van die initiatieven tijdens de audiënties, maar hij hoopte ook dat de barones nu meer belangstelling voor hem aan den dag zou gaan leggen. Al was Meridienn de laatste tijd dan niet meer zo echt broeierig sensueel en verdorven als eerst en gaf ze helaas ook minder toe aan haar hang naar extravagant strakke kleding, ze straalde nu wel op een meisjesachtige manier die spotte met haar veertig lentes. Maar de barones schonk nauwelijks aandacht aan hem. Ze was veel meer geïnteresseerd in wat haar coördinatoren haar adviseerden en in overweging gaven, en de audiënties duurden daardoor aanzienlijk langer dan eerst.

Sommige van de coördinatoren begonnen te mopperen.

Het volk leerde echter een nieuwe barones kennen. Ze begaf zich niet alleen op een heel ongedwongen en natuurlijke manier onder de mensen op de drukke markten, ze dook zelfs onaangekondigd en zonder grote escorte op bij burger- en boerenbruiloften, begrafenissen en andere plechtigheden. Dit kwam uiteraard voort uit Irathindurs enorme nieuwsgierigheid. Hij wist zo weinig over de mensen dat hij zo veel mogelijk over hen te weten wilde komen, en dan niet uit stoffige boeken, maar door middel van klanken, kleuren en gewaarwordingen. Waarom en met welk doel kusten ze elkaar? Hoe werkte de fysieke liefdesdaad, die vaak met dat kussen samenging? Waarom beloofden mensen elkaar voor de rest van hun leven samen te blijven? Waaraan en hoe stierven ze en hoe gingen de nabestaanden om met de dood van een dierbare? Wat maakte hen blij, hoe vierden ze feest, waarom dronken ze zo graag te veel en bewogen ze zich volgens vaste patronen op muziek? Welke voeding gebruikten ze? Welk soort eten moesten ze vermijden om niet ziek te worden? Welke andere, niet met voeding samenhangende ziekten waren er, en welk doel dienden ze in het grote mysterieuze spel van het leven? Waarom waren de meeste levende wezens in het begin klein en werden ze pas later groter? Waarom was iets 's nachts anders dan overdag? Wat betekende het als een mens bij het lachen zijn gezicht vertrok en bij het huilen tranen uit zijn ogen perste?

Zo'n menselijk lichaam was voor Irathindur iets waarover hij zich maar bleef verbazen. Het lichaam wekte namelijk zijn eigen levenskracht op en was daardoor van de levenskracht die voor de demonen zo onontbeerlijk was, totaal niet afhankelijk. Ervan uitgaande dat je een mensenlichaam genoeg te eten en te drinken gaf, het een paar uur per dag of nacht liet

rusten – wat Irathindur trouwens een absoluut wonder vond: de verkwikkende slaap en zelfs het prettige gevoel van vermoeidheid daarvoor! –, het
niet aan al te grote warmte of kou blootstelde, het min of meer droog en
uit de buurt van giftige kruiden en bessen hield – ervan uitgaande dat je
dat allemaal deed, dan kon zo'n menselijk lichaam zeker zestig, zeventig
of zelfs tachtig jaar mee. Het lichaam van de barones was dan wel niet
echt meer kakelvers – het had misschien nog dertig, veertig jaar te gaan –,
maar toch kon hij er in die tijd nog meer dan genoeg uit halen voordat
hij naar een volgend gastlichaam moest overspringen. De zesarmige
Gouwl had het waarschijnlijk zelfs nog beter getroffen – het lichaam van
de koning was nog geen twintig jaar oud, en Gouwl kon het nog vijftig
tot zestig jaar bewonen zonder dat hij verder hoefde te trekken.

Toch kón Irathindur altijd verder trekken, mocht hij dat willen. Ouder
worden scheen iets te zijn waar de meeste mensen maar weinig goeds in
zagen. Voor het geval het hem in een oud lichaam te moeilijk werd, kon
hij het altijd voor een jonger exemplaar inwisselen. Ondertussen kon de
demon zich maar niet aan het idee onttrekken dat ouder worden alleen
maar in zo'n slecht daglicht stond omdat het de onvermijdelijke voorbode
van de dood was. Als de mensen niet bang voor de dood hoefden te zijn,
was ouder worden ook geen verschrikking meer.

Nadat Irathindur zich zo knus in het lichaam van de barones had ge-
installeerd en was begonnen allerlei interessante dingen van het leven te
onderzoeken, rees voor hem natuurlijk ook de vraag hoe het met zijn eigen zinnelijke en lichamelijke ervaringen zat. Zaken als ouder worden,
ziekte, kou, dansen, alcoholroes, muziek en de smaak van kruiden spraken
bijna of helemaal voor zich, maar met een aantal aspecten van het menselijk bestaan had hij toch iets meer moeite. Verliefd zijn, lusten botvieren
en de ups en downs van een intermenselijke relatie, bijvoorbeeld.

Nu wist Irathindur natuurlijk wel dat er onder de negen coördinatoren
eentje was die enorm geïnteresseerd was in de barones. Tenslotte was het
Faur Benesands geplengde traan in de demonenpoel geweest die Irathindur nu juist naar de barones had geleid. Bijna dagelijks kwam hij deze Benesand nu tegen, die alle baronaatsheffingen beheerde en ook op het gebied van legeraangelegenheden zat te rommelen, omdat de daarvoor
verantwoordelijke en met hem bevriende coördinator zich nogal op de
vlakte hield. Helaas vond Irathindur Benesand absoluut niet aantrekke-

lijk. Zijn belachelijk lange haar en zijn zelfingenomen, blikkerende grijns werkten bepaald niet in het voordeel van de jonge en mateloos ambitieuze coördinator. Ook bewoog hij zich raar en overdreven gekunsteld. Ook kon Irathindur de herinnering aan het vreemde, haarloze insect dat Benesand in zijn traan had laten verschijnen maar niet van zich af zetten. Nee, deze verwaande kwast was hoogstens als politiek klankbord te verdragen. Benesands traan was nuttig geweest, maar Irathindur besloot dat hij zijn lichaam niet aan deze man zou geven. Misschien ook wel omdat hij wist dat het vuur van de hartstocht daardoor nog meer in de man zou oplaaien.

Irathindur speurde het geheugen van de barones af – waaruit hij ook al voor alle namen, soorten relaties, plaatsen en vaste activiteiten van zijn nieuwe hofleven had geput – naar haar vroegere uitspattingen, en stuitte daarbij op nogal bizarre bezigheden. Op haar wekelijkse paardenritten werden haar lusten bevredigd door voetknechten. Door goedgebouwde soldaten als ze op legerinspectie was. Door de een of andere verlopen matroos in een achterkamertje van een havencafé. Barones den Dauren had zich in haar vroegere leven ook nog aan heel andere soorten wellust overgegeven. Ze had vol genot bij pijnlijke ondervragingen en heftige afranselingen met de zweep toegekeken. Haar eigen lichaam met strakke, zweterige kleding gepijnigd, onder het paardrijden overdag, maar soms ook de hele nacht.

Irathindur probeerde dit alles binnen een maand uitgebreid uit, maar bleef tamelijk verveeld. Dat van die ondervragingen en afranselingen stuitte hem zelfs tegen de borst, en hij liet beide zonder meer verbieden. Maar de gewoonte om erotische kleding te dragen – niet alleen tot Faur Benesands smekerige genoegen trouwens – pakte hij wel weer op.

Bovendien begon Irathindur te experimenteren.

Met een vrouw. Met verscheidene vrouwen. Met een lelijke man. Met een paar mannen tegelijk. Met mooie mannen en vrouwen samen, die zich als één grote kluwen van lichamen bijna tot in het oneindige overgaven aan vleselijk genot.

Hierin vond Irathindur eindelijk iets van blijvende bevrediging, want omdat er zo veel mensenlichamen bij betrokken waren, was het aantal mogelijkheden zo groot dat er van verveling geen enkele sprake kon zijn.

Zo had het kunnen doorgaan.

Overdag begaf de barones zich goedgehumeurd onder het volk, dat haar duidelijk gunstiger gezind was dan eerst, of beraadde ze zich urenlang met haar coördinatoren over het sociaal en economisch welzijn van het zesde baronaat. 's Nachts klonken er vanaf de hoofdtoren af en toe flarden gesteun, gelach en wellustig geschreeuw op van de vele orgiën die daar werden gehouden.

Zo had het kunnen doorgaan.

Als Irathindur geen last van die gruwelijke buien en aanvallen had gekregen.

De koning

Gouwl deed zijn ogen open.

Dat was iets heel bijzonders, want Gouwl had nog nooit ogen gehad.

Hij deed zijn ogen open en keek.

Op zo veel was hij niet voorbereid geweest. Kleuren. Contouren. Details. Ruimtelijke figuren. De oneindigheid van een blik – zelfs als je vanuit een raam keek, kon je daar buiten tot aan de hemel zien.

'Hij doet zijn ogen open!'

'De koning is bijgekomen!'

'Geef de koning de ruimte! Aan de kant! Aan de kant!'

Hij moest zijn ogen weer dichtdoen. Zijn hoofd dreigde te exploderen door zo veel indrukken tegelijk.

'Hij is nog doodmoe!'

'Geef hem de tijd! Geef hem de ruimte!'

Toen probeerde hij het nog eens. Hij deed zijn nieuwe lichtblauwe ogen open en glimlachte onbeholpen naar de mensen om hem heen. Bezorgde gezichten, die hem nieuw en vreemd voorkwamen. Ze hadden allemaal een neus, ogen en oren – merkwaardige attributen die je bij demonen maar zelden zag. In het geheugen van koning Tenmac III vond hij verbanden. Namen bij de gezichten. Verhalen bij de namen. Zo worstelde hij voort. Maar gemakkelijk was het niet om zes armen en drie benen in een jongenslichaam onder te brengen, dat ook nog eens ogen had, waarmee je zelfs de eindeloos verre steden aan de nachtelijke hemel kon zien fonkelen.

Hij had twee weken nodig om überhaupt uit zijn bed te kunnen komen. Gedurende die periode werd hij in een koets met speciale bekleding vanbinnen en met zes witte paarden ervoor van de buitenburcht van het zesde baronaat naar de hoofdstad overgebracht, waar zijn eigen burcht stond. Met bewondering keek Gouwl naar de ronde, nergens kantige, nergens echt rechthoekige vormen van de koningsburcht, die eruitzag alsof hij niet eens muren had, maar als een wolk vanzelf was ontstaan. De burcht had de kleur van deeg, en toen Gouwl de muren aanraakte, verbaasde hij zich er bijna over dat ze niet meegaven, maar heel solide waren.

Zijn bedienden, en vooral zijn persoonlijk adviseur, Tanot Ninrogin, hadden er alle begrip voor dat hij zijn vertrouwde omgeving met de ogen van een vreemde bekeek.

'U bent nog zo jong, Uwe Majesteit. Het komt door de demonenpoel, hè? Het is te vermoeiend voor u geweest.'

'Ja,' glimlachte Gouwl. 'Het komt door... de demonenpoel.'

Hij wilde alles weten over het land dat hij nu regeerde. Algauw lag zijn deken bezaaid met kaarten, documenten, reisverslagen en losbladige dagboeken.

Orison was een gigantisch schiereiland. Het was acht dagen rijden van het noorden naar het zuiden, zes dagen rijden van oost naar west in het noorden, en maar een dag rijden van oost naar west in de smallere zuidelijke punt. De stad waarin de koningsburcht stond, heette net als het land Orison en lag precies in het midden daarvan. Van hieruit had de grote stichter Orison, de laatste van de oude magiërs, die ook de demonen naar de demonenpoel had verbannen, dwars door velden, weiden, rivieren en rotsen heen de negen lijnen getrokken die de negen baronaten van elkaar scheidden. In elk van de negen baronaten waren drie burchten: een binnenburcht, op ongeveer een dag rijden van Orison-Stad, een hoofdburcht in het midden van elk taartpuntvormig baronaat, en een buitenburcht tussen de hoofdburcht en de kust respectievelijk het Wolkenpijnigergebergte, dat het land in het noorden begrensde. Aan de andere kant van dit gebergte lag het kale en onheilspellende rijk Coldrin, waarin op het moment een koning, Turer genaamd, heerste. Verder was het land Orison uitsluitend door zee omgeven, door een eindeloos groene zee, waarin alleen de eilanden Kelm en Rurga ten zuiden van Orison bekend waren.

Alle baronaatshoofden dienden de koning trouw en beheerden, elk van hen bijgestaan door negen coördinatoren, al het land, alle bossen, de drie grote rivieren de Fenfel, de Erifel en de Eigefel, en droegen zorg voor de vele duizenden dorps-, stads- en burchtbewoners, boeren, handelaren en soldaten. Elk baronaat was bezaaid met kleinere nederzettingen, maar grotere steden waren er alleen langs de kust. Over deze kuststeden, twintig in totaal, liep ook het grootste deel van de handel die tussen de baronaten plaatsvond.

De negen baronaten waren vanaf het noordwesten naar het noordoosten en vervolgens van het zuidoosten tot en met het zuidwesten doorgenummerd.

Het eerste baronaat deelde met het negende baronaat de grootste van alle havensteden, Akja, en beschikte bovendien nog over de havenstad Eugels. Daarnaast bevond zich op het grondgebied van het eerste baronaat de schilderachtige Merenvallei, waarin meer dan driehonderd kleine meren fonkelden.

Het tweede en het derde waren de enige baronaten zonder kust. Ze lagen beide in het noorden en werden overschaduwd door het met eeuwige sneeuw gekroonde Wolkenpijnigergebergte. Deze twee baronaten leefden in constante angst voor een inval uit Coldrin, al had de geschiedenis allang geleerd dat Coldrin liever met schepen het Wolkenpijnigergebergte omzeilde dan meteen al met een vermoeiende tocht door de bergen zijn positie te verzwakken. Het tweede en het derde baronaat hadden relatief gezien schraal land. Weliswaar stroomde de rivier de Fenfel hierdoorheen, maar de grond was stenig en minder vruchtbaar dan in het zuiden. Als tegenwicht voor de schrale landbouw en het ontbreken van scheepvaart hadden de beide noordelijke baronaten voortreffelijke ambachtskunst en grote schrijvers en musici voortgebracht.

Het vierde baronaat was het meest welvarende van de negen, en waarschijnlijk daarom ook het meest roerige. Op het grondgebied van het vierde baronaat lagen niet alleen de Witercarzbergen, waar kostbare kristallen werden gedolven, maar in dit betrekkelijk overzichtelijke gebergte ontsprongen ook de drie rivieren van Orison. Het vierde baronaat had meer kuststeden dan welk ander baronaat ook, namelijk vijf: Ferretwery, Zarezted, Zetud, Keur en Werezwet. En het was ook het enige baronaat dat daarnaast, in strijd met alle koninklijke decreten, nog een grote stad in het binnenland had gesticht: de machtige stad Witercarz, aan de rand van het gelijknamige gebergte, die de kristalhandel organiseerde. De baron van dit baronaat, Helingerd den Kaatens, was een stokoude en arrogante aristocraat die Tenmac II nog een heel klein beetje respect had betoond, maar zijn zoon Tenmac III kennelijk niet eens voor vol aanzag.

Het vijfde baronaat bezat de kuststeden Kirred, Cerru en Tjetdrias, en was verder niet van belang.

In het zesde baronaat heerste de als meedogenloos bekendstaande barones Meridienn den Dauren. In dit baronaat bevond zich de onheilspellende afgrond waarnaar de oude magiër de demonen had verbannen – en misschien was dat er ook wel de reden van dat de leiders van dit baronaat door de eeuwen heen altijd een bijzondere onverbiddelijkheid en strengheid tegenover de bevolking aan den dag hadden gelegd. Tot het grondgebied van het zesde baronaat werden de drie havensteden Saghi, Kurkjavok en Icrivavez gerekend, evenals de oostelijke helft van de Brokkelige Bergen, waarin ook de demonenpoel lag.

De westelijke helft van dit gebergte met zijn vele kloven hoorde bij het zevende baronaat, dat vier havensteden telde: Aztreb, Vakez, Cilsdokh en Feja. Verder had het niets opvallends of noemenswaardigs.

In het achtste baronaat was slechts één havenstad, Ekuerc, maar daarnaast was er ook het zogenoemde Treurwoud, waarschijnlijk de laatste plek in Orison waar nog magische krachten heersten. Het Treurwoud kon de meest vrolijke wandelaar tot zelfmoord drijven, heette het; wat er ook de reden van was dat men meestal met een grote boog om dit gebied heen trok.

Met het negende baronaat was de cirkel ten slotte rond. Hier heetten de havensteden Ulw en Ziwwerz, en werd de zuidelijke helft van de havenstad Akja met instemming van het eerste baronaat tot het grondgebied van het negende baronaat gerekend, en de noordelijke helft tot dat van het eerste.

Tot zover de bijzonderheden van Gouwls nieuwe rijk. Negen bestuursdistricten. Tweeëntwintig steden. En dan nog achtentwintig prachtige burchten. Overwegend zacht en warm weer, met korte winters en veel frisse zeewind. Dat leek toch niet slecht? Zo viel hier prima te leven.

Wat Gouwl evenwel verbaasde en bezighield was dat er helemaal geen magie in Orison was. Er schenen niet eens meer draken, vliegende reptielen of andere fabelachtige wezens te bestaan. Paarden, ossen, geiten, schapen, honden, varkens en katten waren de enige dieren waar de mensen van Orison dagelijks mee omgingen.

Hoe was dat mogelijk?

Demonen waren door en door magische schepsels. Eeuwen geleden was de hele wereld nog vol magie geweest. Vuurspuwende draken hadden de hemel verduisterd. Eenhoorns hadden flitsende vonken van hun hoeven en hoorns laten spatten. Menselijke magiërs hadden met metershoge monsters gevochten. Demonen hadden op zoek naar buit en vermaak in ware volksverhuizingen door het land en over zee gezworven. Uit de hemel had het as geregend en uit de aarde had het gebrul van magma geklonken. Nu was dat allemaal verleden tijd.

De demonen waren niet dood, maar verdoemd en verbannen naar die afschuwelijke maalstroom waaruit alleen Irathindur en hij hadden weten te ontsnappen. De draken en monsters waren tot stof vergaan. En de menselijke magiërs? Waarom waren er geen menselijke magiërs meer? Was Orison werkelijk de laatste geweest?

'Ik wil... graag op reis,' zei Gouwl met de zwakke stem van Tenmac III. 'Ik wil graag een bezoek aan het Treurwoud en het rijk Coldrin brengen, om te weten waar ik aan toe ben.'

Dat klonk Tanot Ninrogin zeer bekend in de oren. Al snel na zijn kroning had de jonge koning aangekondigd dat hij uitgebreid door zijn rijk wilde trekken om een goed en rechtvaardig heerser te kunnen zijn. Hij had de Merenvallei al bezocht en een paar van de oostelijke havensteden. Daarna ook de kristalstad Witercarz. Maar na de demonenpoel in het zesde baronaat, met alle opwinding vandien, was al dit gereis waarschijnlijk te veel voor het jeugdige lichaam van de koning geworden.

'Het Treurwoud heet erg gevaarlijk te zijn,' opperde Ninrogin. 'En naar Coldrin hebt u immers al afgezanten gestuurd, die weer contact met de koning daar moeten leggen. Ik zie geen enkele reden waarom u zich aan de vermoeienissen van zo'n reis zou blootstellen voordat de afgezanten met nieuws over de stand van zaken daar terugkomen.'

'Maar ben ik nu de koning of niet?'

'Natuurlijk bent u de koning. En u kunt doen en laten wat u wilt. Maar u hebt wel de plicht om op krachten te blijven. Ik denk niet dat het volk binnen zo'n korte tijd nog eens een wisseling van de wacht op de troon aankan. Vooral omdat u nog geen nakomelingen hebt en de troon dan naar een andere bloedlijn overgaat.'

'Ah, ik begrijp het. Nou ja, je hebt waarschijnlijk gelijk. Ik heb ook wel de tijd. Is er eigenlijk nog nieuws uit het baronaat van de mooie barones?'

'Het zesde? Nee, wat zou er voor nieuws moeten zijn?'

'O, niets. Niets, niets.'

'Waarom vraagt u dat?' hield de adviseur aan. 'En waarom noemt u haar de mooie barones? Hebt u soms... plannen, omdat ik daarnet zei dat u nog geen nakomelingen had? Barones den Dauren mag dan charmant zijn, maar ze is wel een beetje te oud en te humeurig voor u, vindt u ook niet? We kunnen vast wel ergens een knap vijftienjarig adellijk dochtertje vinden, waarschijnlijk zelfs hier aan het hof.'

'Dat heeft nóg minder haast dan mijn reizen. Ik heb de tijd.'

'Zeker, zeker. Meer tijd dan welke voorganger op de troon ook. U bent de jongste koning aller tijden.'

'Ja, ik ben de koning aller tijden.' Gouwl lachte om zijn geslaagde grap en stuurde een peinzend kijkende adviseur weg om een kruik lekker fris appelsap voor hem te halen.

Weer snelde de koning naar het raam, en keek en keek en keek. Het raam gaf uitzicht op het eerste en het tweede baronaat. In de nevelige verte was vaag het onbeschrijflijk hoge Wolkenpijnigergebergte te onderscheiden.

Weer dacht hij na over ogen.

Hoe kon je met ogen het belangrijke van het onbelangrijke onderscheiden? Dat wat heel ver weg was en echt niets met jou te maken kon hebben, was net zo aanwezig als dat wat heel dichtbij was. Vaak was dat wat heel dichtbij was zelfs onduidelijk, terwijl dat wat ver weg was je blik trok en vasthield.

Gouwl miste zijn oude tastharen. Geuren, trillingen en geluiden waren veel nuttiger om je te oriënteren dan de verwarrende stroom van gezichtsindrukken. De tastharen reageerden op datgene waarop je moest reageren. Maar hoe moest je op iets reageren dat een paar dagen rijden verderop lag?

Omdat je kon zien wat nog dagen ver weg was, was zien net zoiets als in de toekomst kijken.

Dus was zien ook een soort magie.

Misschien waren de mensen helemaal niet zo zonder magie als Gouwl eerst had gedacht. Misschien was de magie gewoon los van het sprookjesachtige van draken en vuurbergen komen te staan en was het nu iets alledaags geworden, iets waar elke boer heel natuurlijk gebruik van maakte zonder er verder over na te denken. Misschien was dat het geheim.

Of tenminste een van de geheimen.

Godsdienst was er nog altijd wel in het land Orison. En godsdienst was in wezen even onverklaarbaar als magie.

De mensen geloofden in een wezen dat ze 'God' noemden, dat niemand van hen ooit had gezien maar dat desondanks alles kon scheppen en alwetend was. Ter ere van dit wezen hadden ze overal in het land kerken, kapellen en kloosters gebouwd. Ze zongen, baden en dansten zelfs voor deze God. Wanneer Gouwl erover na probeerde te denken hoe de demonen eigenlijk op de wereld waren gekomen, kon hij zich niets anders meer herinneren dan een enorme explosie, vonkenregens, zwavelstank, rondvliegende brokken aarde en hoog opstijgende as die de hemel verduisterde. Het was niet uit te sluiten dat een wezen dat 'God' heette daar de hand in had gehad. Maar gezien had Gouwl deze God ook nooit.

Hij vond het in ieder geval hoogst interessant dat de mensen, die hun magie allang waren verloren, toch in iets ontastbaars geloofden. Was dit een manier om zich de magie te herinneren? Of hadden de mensen een of ander ontastbaar iets nodig om te kunnen overleven, zoals ook de demonen niet konden bestaan zonder de levenskracht die in de natuur nog maar spaarzaam voorhanden was?

Misschien, dacht Gouwl bij zichzelf, leken mensen en demonen wel meer op elkaar dan ze beiden meenden.

Toch duurden dit soort momenten van bespiegeling nooit zo lang.

Tenslotte was hij koning. Hij was vrij. Hij kon eeuwig leven. Zelfs zijn gastlichaam was nog jong. Orison was groot. Er was veel te zien dat hij nog nooit eerder had gezien.

DERDE
OMWENTELING

De vuistvechter

Minten Liago werd gewassen, in eenvoudige kleren gestoken, gevoed, ge-kapt – waarbij men hem zijn bakkebaarden en halflange haar afschoor –, met een aantal wondzalven behandeld en vervolgens in een door ossen getrokken getraliede wagen naar de binnenburcht vervoerd. De reis duur-de vijf dagen, en in die vijf dagen vertelde niemand hem wat dit nu eigen-lijk allemaal te betekenen had.

Uiteraard had hij er zo zijn ideeën over. Hij had al in de havensteden over de zogeheten 'Binnenkring' gehoord, een voortvloeisel van een zeer officieus akkoord tussen de negen baronaten om met boeiende vechtspe-len het wachten op een oorlog tegen Coldrin wat aangenamer te maken. Er waren een ranglijst en een aantal favorietenlijsten. Er bestond zelfs een officieuze Orisonse meestertitel in vuistvechten. De bedoeling van het he-le spektakel was om het leger niet te laten indutten, de legerinstructeurs en welgestelde burchtbewoners een beetje opwinding in hun leven van alledag te bezorgen en de binnenburchten van inkomsten te voorzien; de toeschouwers moesten voor de wedstrijden die in de onderaardse cata-comben werden gehouden namelijk flink betalen, en velen van hen reis-den om die reden ook speciaal van de ene binnenburcht naar de andere.

Een dronken man, die door Minten een paar maanden geleden in Kurk-javok stevig op zijn brutale mond was geslagen, had Minten naderhand gevraagd waarom hij niet meedeed in de Binnenkring, om er een flinke duit aan te verdienen. Maar Minten had er nog nooit van gehoord dat een van de vechters rijk was geworden. En het leek alsof dat vermoeden nu werd bewaarheid: de vechters waren soldaten of werden gerekruteerd in gevangenissen. Degenen uit de gevangenissen vochten niet uit vrije wil, en zonder enige beloning. Wanneer ze hadden afgedaan, hoorde niemand ooit meer iets van hen, want naar een strafgevangene kraaide geen haan.

In de binnenburcht kreeg hij twee dagen lang van een oude vuistvechter op een stoffig, naar alcohol geurend binnenplein les in de basisprincipes van het ongewapende gevecht. Er was sowieso geen tijd meer om Mintens lichaam voldoende voor te bereiden op wat er ging komen, dus kreeg hij ongeveer zeventig wijze raadgevingen, waarvan hij er zo'n twintig kon onthouden.

Toen kwam hij ook de vrouw met de ene hand weer tegen.

'Vannacht gaat er het volgende gebeuren,' zei ze met een kraakstem, nadat ze zo dicht bij Minten was komen staan dat hij zich lichamelijk wel door haar geïntimideerd moest voelen. 'Je vecht tegen ene blaaskaak, Oloc, die zichzelf als de komende meester ziet. Je slaat hem tegen de grond. Daar heb je zestien ronden de tijd voor. In ieder geval wil ik dat hij uiteindelijk niet meer op zijn benen kan staan. Ik heb stukken op je ingezet, dus stel me niet teleur. Zonder mij lag je nog steeds in de la te sudderen.'

'Hoeveel dagen heb ik daar dan in gelegen?'

Voor het eerst glimlachte ze naar hem. 'Zeven. Een nieuw record. Daarom hebben ze me ook geroepen. Ik denk niet dat je het die drie dagen nog had volgehouden.'

'Ik denk het wel.'

Haar glimlach verdween. 'Bewijs het me maar. Versla Oloc.'

Minten knikte langzaam. Hij wilde wel liever student zijn dan vuistvechter, maar als ze hem voor de keus stelden om weer te moeten toekijken hoe Elell in Kurkjavok poten uittrok of om in een van de burchten halflegale vuistgevechten te gaan voeren, dan leek dat met die burchten hem toch heel wat interessanter. En als die eenhandige vrouw stukken met hem kon verdienen, leverde het hem misschien ook nog iets op. Een paar boeken en wat schrijfgerei om te oefenen en te leren zou ze hem toch moeilijk kunnen weigeren.

Het gevecht stond gepland om twaalf uur 's nachts.

De kruisvormige crypte werd verlicht door meer dan zestig fakkels, die minstens zo veel rook produceerden als licht. Het gejoel van Olocs aanhangers echode door het hele vertrek. Zijn tegenstander stond al boven in de ring toen Minten naar binnen werd gebracht. Oloc was eerder een os die op twee benen liep dan een mens. Zijn nek was zo dik als een dijbeen, zijn wenkbrauwen waren door de vele stoten dun en gezwollen, zijn oren waren bloemkoolachtige gezwellen.

'O-loc! O-loc! O-loc! O-loc!'

Minten werd maar bescheiden voorgesteld. 'De uitdager van vandaag' heette het alleen, of: 'veelbelovend tegenstander van vandaag'.

Het gevecht begon ermee dat iemand een stenen kruik op een aambeeld stuksloeg. De lucht was door alle fakkelrook amper in te ademen en had de kleur van doorschijnende nachthemden. Minten probeerde of hij tussen de toeschouwers om hem heen of op de banken, die wat verder naar boven stonden, de eenhandige vrouw kon ontdekken, maar het lukte hem niet.

Oloc kwam al op hem af stormen.

Het was niet bijster moeilijk de os te ontwijken. De boom van een vent bewoog zich gewoon veel te traag om echt een gevaar voor Minten op te leveren. In de eerste ronde ontweek Minten hem en plaatste maar een paar treffers, die hemzelf meer pijn deden dan zijn tegenstander. Ze vochten zonder handschoenen, alleen met wat bandages om hun vingerknokkels.

In de tweede ronde liet Minten een paar stoten op zijn dekking komen en hij kwam er daardoor achter dat het beter was zich net als in de eerste ronde helemaal niet te laten raken. De stoten op zijn dekking deden hem ontzettend pijn.

Het publiek begon te mopperen en te fluiten. Ze scholden Minten uit voor lafaard, en met een 'Vloer hem!' vuurden ze hun held Oloc aan, die telkens wanneer zijn tegenstander hem handig ontweek een nogal dom figuur sloeg.

In de pauze voor de derde ronde besefte Minten dat hij zo geen zestien ronden kon doorgaan. Op een gegeven moment zou een zwaaistoot doel treffen en het licht voor hem uitblazen, misschien wel voorgoed. Hij moest tot de aanval overgaan. Het kon niet anders.

Weer werd er een kruik stukgeslagen. De meute joelde. Minten liep naar voren en week pas op het laatste moment uit. Twee of drie zwaaistoten van Oloc waren er volledig naast. Je hoorde ze door de lucht suizen.

Toen sloeg Minten toe. Achter Olocs rechteroor, dat door zijn zwaaibeweging nog onbeschermd was. Oloc reageerde niet. Sloeg terug. Minten dook weg. Olocs stoot ging ernaast, deze keer naar links. Minten sloeg toe, op Olocs linkeroor. Oloc reageerde niet. Wilde weer toeslaan. Maar ditmaal was Minten sneller en deed hij iets volkomen onverwachts: hij ramde zijn vuist midden in Olocs gezicht, terwijl Oloc nog steeds bedaard en geheel in zijn eigen tempo uithaalde. *Pats.* Er voer een siddering door het publiek, alsof het door een speer was getroffen. Minten maakte gebruik van dit moment, waarin Oloc enigszins vertraagd met zijn vuist uithaalde. *Pats. Pats.* Links. Rechts. Telkens weer in zijn gezicht. Met elke treffer werd Olocs uithaalbeweging trager, wat Minten weer tijd gaf voor nog een stoot. Het was alsof Minten een seconde tot een uur kon rekken, een tunnel door de tijd kon drijven.

Pats. Pats. Pats. Pats. Pats. Pats. Pats. Pats.

Na de vijfde treffer was Oloc al bewusteloos, terwijl hij nog overeind stond, maar er waren er nog eens drie voor nodig voordat zijn knieën eindelijk knikten. De kolos viel neer als een kalvende gletsjer. *Bwwwatsss.*

Er volgde een stilte. Toen een oorverdovend geschreeuw.

'Wat is dit nou?' 'Oplichterij!' 'Hoe heet die kerel? Wie is dat?' 'Jinua, wat moet dit voorstellen? Is dit doorgestoken kaart?'

Minten kon de eenhandige vrouw nu zien. Ze stond op van een van de achterste banken.

'Dit, dames en heren, was geen doorgestoken kaart,' zei ze met snijdende stem. 'Dit was Minten Liago uit Kurkjavok. Ik heb hem uit de gevangenis daar gehaald omdat hij een paar stadssoldaten had afgerost, vijf in totaal. Ik denk dat we nog wel van hem zullen horen. Bijvoorbeeld volgende week in het negende baronaat. En nu vraag ik iedereen die vanavond tegen me heeft gewed zijn schulden te vereffenen. U weet het: wie rechts van me staat, heeft niets te vrezen, maar links,' – ze schudde met haar indrukwekkende grijpinstrument vol messen – 'voor links zal het pijnlijk worden, en daar kan ik echt niets aan doen.'

De mensen lachten en betaalden met een vriendelijk gezicht. Ze kenden en waardeerden elkaar. De naam van de eenhandige vrouw was, zoals Minten hierbij opving, Jinua Ruun.

Nadat ze haar geld had geïnd, kwam Jinua Ruun goedgehumeurd naar hem toe. 'Zo'n slome halvegare als die Oloc had ik al op mijn twaalfde kunnen afmaken,' grijnsde ze. 'Zijn andere tegenstanders knepen 'm altijd te veel voor hem. Jij hebt je angst tenminste omgezet in een effectieve aanval. En ze hebben je, zoals ik zie, ook een normaal kapsel gegeven. Je ziet er bijna uit als een mens.'

'Saghi,' antwoordde Minten alleen.

'Hmm?'

'Niet Minten Liago uit Kurkjavok, maar Minten Liago uit Saghi.'

'Ah! Nou ja, ik vind het best. En, wat zeg je ervan, Minten Liago uit Saghi? Wil je je straf liever in Kurkjavok in de cel of in de la uitzitten, of reis je voor mij van burcht naar burcht en vermaak je je?'

'Dus dit is het dan? Moet ik dit nog vier jaar lang doen?'

'Drie jaar, vertelde de rechter me. Dan mag je je toelatingsexamen voor je studie doen. Als je dat haalt, ben je vrij. Als je zakt, moet je nog een vierde jaar voor me vechten.'

'Hmm. En krijg ik tijd om met lezen en schrijven te oefenen?'

'Ja, natuurlijk. Je zult je goed op de gevechten moeten voorbereiden, anders ga je er gauw aan, maar verder kun je doen en laten wat je wilt. Binnen bepaalde grenzen, welteverstaan, want ik ben verantwoordelijk voor je. Geen alcohol. Geen vrouwen. Geen vechtpartijen buiten de ring. Overtreed je een van die regels, dan betekent dat: terug in de la.'

'Drie jaar lang geen vrouwen?'

'Net als in de gevangenis, jongen. Maar als je het echt niet meer uithoudt, dan kan ik je wel een handje helpen, hoor. Hiermee.' Ze hield hem haar linkerhand voor: haken, ogen en messen.

Nu grijnsden ze allebei en ze gaven elkaar de rechterhand.

Minten Liago werd inderdaad Jinua Ruuns minnaar.

Ze was weliswaar tien jaar ouder dan hij en zo gespierd en sterk dat ze hem elk moment kon optillen en hem tegen een muur gewoon kon nemen, maar de relatie tussen hen ontwikkelde zich verbazingwekkend goed. Praktisch en met weinig woorden. Als ze al praatten, staken ze meestal de draak met anderen. Verder gaf ze hem de kans allerlei waardevolle boeken te bestuderen en voerde ze hem als aan een lange lijn van binnenburcht naar binnenburcht, waar hij het ene gevecht na het andere leverde. Vanbuiten zagen de burchten er allemaal anders uit; ze hadden hoekige of ronde vormen, of ze waren donker of licht, maar als je eenmaal tot hun binnenste was doorgedrongen leken ze allemaal ontzettend op elkaar.

Het bleek al snel dat Oloc de gevaarlijkste van alle tegenstanders was geweest. De anderen mochten dan sneller zijn, maar geen van hen had die verpletterende stootkracht. En geen van hen kon zo veel treffers aan voordat hij eindelijk neerviel. Minten won binnen drie maanden acht gevechten, waarvan zeven vroegtijdig door een knockdown, en het achtste omdat zijn tegenstander hem uit frustratie had getrapt en daardoor gediskwalificeerd was.

Oloc drong evenwel aan op een revanche. 'Ik ben overrompeld,' vertelde hij overal. 'Dat gebeurt me niet nog eens.'

Jinua gaf Minten de raad de uitdaging uit de weg te gaan, maar erg lang zou dat niet meer lukken. Ieder voor zich werkten Minten en Oloc zich op de ranglijsten, die door onafhankelijke wedstrijdwaarnemers werden bijgehouden, naar boven. Vroeg of laat zou moeten worden beslist wie van hen de houder van de Orisonse kampioenstitel, een boom van een kerel die Guanquer heette, zou mogen uitdagen.

'Geniet maar van je mooie leventje als kampioenskandidaat, zolang het kan,' zei Jinua tegen Minten. 'Eerlijk gezegd betwijfel ik of je Oloc nog een keer zult kunnen verslaan. Hij mag dan zo dom als een ezel zijn, maar hij heeft door zijn nederlaag vast wel zijn lesje geleerd.'

'En Guanquer? Ben ik goed genoeg om Guanquer te verslaan?'

'Nee.'

Jinua draaide niet graag om de hete brij heen. Ze was vroeger legerinstructeur onder koning Tenmac II geweest. Op een dag had een onervaren rekruut, die niet had begrepen dat je in oefengevechten botte wapens gebruikte, met een zwaard haar linkerarm doorgehakt. Als ze niet op het laatste moment nog snel die arm had opgeheven, had het zwaard waarschijnlijk haar hoofd doorkliefd.

Over dit verlies was ze nooit heen gekomen. Om haar hand in een oorlog te verliezen, daar kon ze absoluut mee leven; maar om haar hand te verliezen in een land waar al tientallen jaren geen conflicten meer waren, om haar hand te verliezen omdat een of ander groentje te onnozel en te impulsief was geweest om zich het juiste werktuig te laten geven – dat was wel zo'n beetje het meest gênante wat je maar kon bedenken. Jinua had ontslag genomen en gebruikte inmiddels haar kwaliteiten als instructeur om de Binnenkring van nieuw en geschikt jong mannelijk gevechts-materiaal te voorzien, dat ze uit de goot en de gevangenissen van Orison haalde. Haar advies 'Geniet ervan, zolang het kan' gaf haar ervaringen in het leven weer. Door een enkele onverwachte misser van een enkele on-berekenbare tegenstander kon ineens alles voorbij zijn. Intussen was zelfs de koning dodelijk verongelukt, en zat er op de troon een huilerig, lispe-lend ventje.

Weken later, toen Minten net zijn elfde achtereenvolgende overwinning had behaald, zei Jinua: 'Misschien maak je toch een kans om aan Guan-quer te ontkomen. Hij is zeven jaar ouder dan jij. Op een dag zal hij te oud zijn om te vechten. Hij trekt zich terug, en als jij dan helemaal boven aan op de ranglijst staat, word je automatisch de nieuwe titelhouder. Het probleem is alleen: je houdt er over een kleine drie jaar al mee op en gaat studeren. Tot die tijd zal Guanquer ongeslagen blijven. Misschien moest je voor jezelf maar eens beslissen wat je nu eigenlijk precies wilt.'

Minten glimlachte bitter. 'Het doet er niet toe wat ik wil. Als ik Oloc zo laf blijf ontwijken, ben ik het niet waard om op de ranglijsten te staan.'

'Nu denk je weer te zwart-wit. Ik zeg het je voor de honderdste keer: de ranglijsten zijn groot genoeg voor jullie allebei. Laat Oloc gewoon zijn ding doen, dan doe jij het jouwe. Jullie paden hebben elkaar al gekruist, en je hebt gewonnen. Dat moet voldoende zijn.'

Dat kan niet voldoende zijn, wilde Minten zeggen, maar hij hield het voor zich. Jinua kon het ook zo wel van zijn gezicht aflezen, en ze hadden allebei het gevoel dat hun tijd samen in de Binnenkring afhing van iets wat al had plaatsgevonden en moest worden herhaald.

Als bij een kringloop, een maalstroom, een draaikolk, waarbij nog meer handen, nog meer kroegrekeningen en nog meer toelatingsexamens de inzet moesten worden, zodat het eindeloze ronddraaien dus eindelijk een doel zou hebben.

De koningin

In Faur Benesands hart veranderden begeerte en aanbidding langzaam maar zeker in haat.

Als hij de barones nooit mocht hebben – als iedereen de barones mocht hebben, behalve hij –, als de barones zich wellustig kreunend aan iedereen aanbood, alleen niet aan hem, dan kon hij zich net zo goed van kant maken, kon hij de barones net zo goed van kant maken, kon hij die hele vervloekte hoofdburcht net zo goed tot aan de grond toe afbranden en daarbij luid het lied van de liefde zingen.

In zijn eenzame nachten ging Benesand zich intussen aan de meest originele folterfantasieën te buiten. Hoe hij de mooie vrouw langzaam maar zeker in stukken hakte en in kokende olie gooide. Hoe ze hem smeekte en hem alles wilde geven, en ook gaf, maar hij haar spotlachend bleef martelen en haar met peper, zout en kruiden bestrooide totdat hij zichzelf van vermoeidheid niet meer kon verroeren.

Om zijn steeds sterker wordende haat af te reageren, pakte de heffings-coördinator de wanbetalers onder het volk in die weken harder aan dan ooit. Vooral mooie boerendochters onderwierp hij vol vuur aan pijnlijke ondervragingen – uiteraard ver van de hoofdburcht, zodat de barones er niets over hoorde. Daarbij overkwam het hem herhaaldelijk dat hij in alle opwinding 'barones' of 'mijn meesteres' tegen de arme, uitgeputte meisjes schreeuwde, maar zijn mannen besloten daar maar over te zwijgen. Onder het volk broeide echter ontevredenheid over de nieuwe, onrechtvaardige behandeling, en twee van de andere coördinatoren, namelijk de coördinator van kerkelijke aangelegenheden en de handelscoördinator, bespeurden deze ontevredenheid ook.

Misschien had de barones, toen men haar hierover vertelde, met haar nieuwe optimistische en evenwichtige aard dit alles netjes en tactvol kunnen afhandelen, als Irathindur niet net op dat moment geteisterd was geweest door ernstige persoonlijke problemen. Op een nacht kreeg hij tijdens een bijzonder opwindende orgie opeens een vreselijke aanval. Alle lichamen leken voor hem achteruit te deinzen, niet alleen tot aan de muren van het vertrek, maar zelfs tot aan de grenzen van tijd en ruimte. Irathindur voelde zich in eenzaamheid wegzakken en begon met de stem van de barones panisch te schreeuwen. Hij schokte en sputterde, verloor eerste alle vaste grond onder zijn voeten, daarna zijn bewustzijn en kwam pas weer bij nadat ze hem naar het donkerblauwe hemelbed van de barones hadden gebracht. Hij had uren nodig om zich weer te herinneren dat hij een ontsnapte demon was in het lichaam van barones den Dauren, en beslist niet andersom.

Wat was er gebeurd?

Hetzelfde deed zich de volgende dag opnieuw voor. Deze keer was hij helemaal alleen toen de wereld zich van hem terugtrok en hij in een diep gapend gat tuimelde, waarin het even later begon te wervelen. De demonenpoel! De demonenpoel haalde hem naar huis!

Hoe was dit mogelijk? Wat betekende dit?

Deze keer kwam hij sneller bij, maar een gevoel van grote zwakte en matheid kon hij niet meer kwijtraken, zodat hij alle orgiën en baronaatsafspraken voor de volgende dagen afzegde.

Misschien kwam het door de buitensporige intergeslachtelijke activiteiten. Misschien was hij gewoon te ver gegaan, had hij te veel van het niet meer zo jonge lichaam van de barones gevergd.

Nee. Hij had wel een vermoeden van wat er aan de hand was, en hij was bang om over dit vermoeden met al zijn consequenties echt goed na te denken.

De levenskracht in hem begon op te raken, te flakkeren. De levenskracht die alle demonen nodig hadden om in leven te blijven. Die hield de maalstroom van de demonenpoel in stand, zorgde ervoor dat hij voortdurend in beweging bleef, maar hier buiten, in de vrije natuur, was er niet veel meer van over. Resten ervan zaten nog in elke steen en drupten 's morgens vroeg als dauw van alle bladeren en stengels, maar het was weinig, o zo weinig.

Genoeg misschien om een enkele ontsnapte demon in leven te houden, maar niet genoeg voor twee.

Irathindur huiverde. Vanaf het begin was hij er bang voor geweest dat zoiets zou gebeuren. Daarom had hij zich ook aan Faur Benesands traan vastgehouden; hij had gehoopt extra levenskracht te kunnen putten uit de hartstocht die erin besloten lag, en die in het begeerde lichaam van de barones te kunnen opslaan. Daarom had hij ook de hoofdburcht van het zesde baronaat uitgekozen, die veel dichter bij de demonenpoel lag dan Orison-Stad, waar Gouwl nu verblijf hield. Maar tevergeefs. Het hielp niets. Ook het mensenlichaam dat hij nu bewoonde, leverde op den duur veel te weinig levenskracht op om een demon tevreden te kunnen stellen. Gouwl en hij moesten de levenskracht van het hele land onder elkaar delen, en dat was te weinig om hier te kunnen overleven. Toen Irathindur daarna zijn derde en vierde aanval kreeg en hij er door magische lichaams-uittredingen achter probeerde te komen hoe het zat met de honger die aan hem rukte en in hem woedde, constateerde hij dat Gouwl meer van de schaarse levenskracht wist af te tappen dan hij. De afstand tot de demonenpoel speelde dus geen enkele rol. Wat wel een rol speelde, was dat Gouwl koning was, en Irathindur alleen de titel van barones droeg.

Vervloekt! Irathindur had zich achteraf wel voor zijn hoofd kunnen slaan. Hij had gedacht dat het slim van hem was geweest om de barones van het baronaat waaronder de demonenpoel viel als gastlichaam uit te zoeken. Maar Gouwl was met zijn simpele en directe manier van doen zelfs nog slimmer geweest. Nu ik dan toch vrij ben, wil ik koning zijn, had hij gezegd. De sluwe vos!

Waarschijnlijk had Gouwl er niet eens speciaal bij nagedacht. Waarschijnlijk had hij inderdaad heel kinderlijk gewoon koning willen zijn. Maar het eindresultaat was wel dat Irathindur alleen maar de restjes kreeg, terwijl Gouwl zich aan de hele stroom levenskracht vorstelijk te goed deed. Irathindur had zich lelijk misrekend.

Wat kon hij doen?

Hij was er tamelijk zeker van dat de aanwezige levenskracht voor één demon genoeg was. Het was niet gelukt in hun eentje uit de demonenpoel te ontsnappen, maar nu moest de ene ontsnapte de andere dus van kant maken om te kunnen overleven. Dit was het allerlaatste veiligheidsmechanisme van de grote magiër Orison.

Toch mocht Irathindur het niet op een gevecht laten aankomen. Alle demonen waren even sterk, maar misschien was Gouwl, omdat hij als koning meer levenskracht kreeg, iets sterker dan Irathindur. Bovendien hadden ze elkaar beloofd dat ze geen oorlog tegen elkaar zouden beginnen.

Maar een leuke bescheiden aanslag dan? De nietsvermoedende, voldane koning op zijn kindertroontje om zeep helpen om in het vervolg de levenskracht van de wereld alleen uit de moederborst te kunnen zuigen?

Dat was misschien uit te voeren. Maar hoe?

Hij zou hem als gastvrouw van haar baronaat kunnen uitnodigen om mee naar de demonenpoel te gaan. Dan even een zetje en – adieu, Gouwl! De groeten aan de andere gevangenen!

Nee. Ten eerste: welke reden zou Gouwl hebben om nog een keer naar de demonenpoel te willen? En ten tweede: de barones zou naderhand als koningsmoordenaar bekendstaan en terechtgesteld worden. Hoewel dat er eigenlijk niet toe deed. Gastlichamen waren er zo veel als zandkorrels bij de zee. En trouwens: kon een handige idioot als die Faur Benesand de koningsmoord niet begaan? Voor de belofte van één liefdesnacht zou die waarschijnlijk immers alles wel willen doen.

Irathindur begon er serieus over te piekeren. Maar midden in zijn gepieker werd hij al verrast door aanval nummer vijf. Naderhand had hij er moeite mee zich te herinneren waar hij met zijn gedachten had gezeten. Het probleem was ook veel te acuut voor een ingewikkeld plan; de aanvallen deden zich nu dagelijks voor.

Resoluut ging Irathindur over tot een heel andere maatregel: de barones riep de baronaatsraad bijeen en benoemde zichzelf tot koningin.

Iedereen was sprakeloos, op de wetenschapscoördinator na, die meende te kunnen aanvoeren dat zoiets niet zomaar mogelijk was, aangezien er toch altijd maar één koning kon zijn die erfrechtelijk aanspraak op de troon maakte enzovoort...

'Allemaal gezwam!' viel de pas benoemde koningin Meridienn den Dauren hem nors in de rede. 'Zijn we een land dat tienduizenden mensen een thuis biedt of niet? Ben ik een heerseres of niet? Vanaf nu heet het zesde baronaat ook niet meer het zesde baronaat, maar... Irathindurië.'

'Irathindurië?' vroeg de strooplikkende festiviteitencoördinator. 'Waarom niet "Daurenië" of "Meridienna"? Dat is immers veel gemakkelijker te onthouden!'

'Wie de naam Irathindurië niet kan onthouden, wordt het land uit gezet,' voegde de koningin er op koele toon aan toe. 'De grenzen moeten direct worden vastgelegd. Verder verandert er niets. We blijven loyaal aan Orison, maar zijn onafhankelijk. Dat houdt in dat we zelf belastingen en tol kunnen heffen en niet meer het grootste deel ervan aan de koning hoeven af te staan. En dat houdt weer in dat het volk minder hoeft te betalen en dus echt een reden heeft om te juichen. Lukt het je dat te regelen, heffingscoördinator?'

'Maar natuurlijk, meesteres.' Benesand hoefde tenminste in plaats van aan 'barones' niet aan 'koningin' te wennen. Hij had altijd al hoger gegrepen.

'Goed. Nog vragen?'

'Hoe zit het met de godsdienst?' vroeg de coördinator van kerkelijke aangelegenheden bezorgd.

'Die blijft hetzelfde.'

'En hoe gaat het verder met de burchten?' vroeg de betreffende coördinator. 'Krijgt de hoofdburcht de status van hoofdstad en verandert hij van naam?'

'Niet nodig. "Hoofdburcht" is voldoende. We betonen de andere baronaten onze verbondenheid door hun structuren in grote lijnen te handhaven.'

'Komt er ook een feest ter ere van de gelegenheid?' vroeg de festiviteitencoördinator voorzichtig.

'Zeker weten. Het grootste feest dat dit land ooit heeft gezien!'

'Maar... Maar hoe zit het dan met de koning?' waagde Eiber Matutin, de legercoördinator, met zijn geforceerd luide stem te vragen. 'Zal er geen... oorlog komen als we ons zomaar afsplitsen?'

Voor het eerst glimlachte de koningin. 'Nee, coördinator, er kán helemaal geen oorlog komen. De koning en ik hebben daarover namelijk een overeenkomst gesloten.'

Alle coördinatoren keken elkaar vragend aan, maar geen van hen durfde nog verder bij de koningin aan te dringen.

Dus werd er besloten en gehandeld.

Er werd feestgevierd. De ontevredenheid onder het volk over Faur Benesands begane wandaden werd door de festiviteiten min of meer gesust. Er was officieel toestemming gegeven om de machthebbers in kluchten na te spelen, en het gepeupel maakte daar gretig gebruik van. Menig coördinatorspeler werd met zijn broek omlaag door blauwe papieren burchtdecors gejaagd en met gier overgoten. Een Benesand-dubbelganger was ongelukkig verliefd op een zaag. Een Matutin-parodist brulde met luide stem militaire commando's, en telkens twee keer, zodat het in het leger één grote chaos werd. De mensen in het publiek joelden en trappelden enthousiast met hun voeten. Een niet al te aantrekkelijke jonge dame stelde zich tijdens een vrolijke bijeenkomst vrijwillig kandidaat voor de volgende pijnlijke ondervraging door de knappe heffingscoördinator, maar dit recht uit het hart komende aanbod werd vierkant van de hand gewezen. De mensen dansten in kleine of in heel grote groepen, gooiden blauwe papiersnippers door de lucht en scandeerden de vreemde naam 'Irathindurië' op alle mogelijke manieren. De beide rode grenslijnen van de magiër Orison werden met roodachtige bakstenen tot ongeveer een meter verhoogd, en op de wegen erlangs werden grenskantoren geplaatst. Afgezanten stelden Orison-Stad op de hoogte. Al na een paar dagen kwam er een boodschapper met felicitaties uit het vierde baronaat aangereden: baron Helingerd den Kaatens had al geruime tijd over een dergelijke stap zitten nadenken en was nu van plan het voorbeeld van koningin Meridienn ɪ te volgen.

De koningin glimlachte. Het verval van Orison was begonnen, en het leek een hoogst interessante aangelegenheid te worden, waarbij hij veel over de mensen en hun aard zou kunnen leren.

Bovendien had ze nu inderdaad minder last van aanvallen. Ze bleven wel niet volledig uit, maar Gouwl en hij konden nu in gelijke mate uit de bron van levenskracht van de wereld putten, en de problemen die Irathindur nog steeds ondervond zou Gouwl binnenkort ook krijgen.

Het gevaar was voorlopig geweken, en er was geen druppel bloed vergoten.

Alleen onder het volk heerste weer onrust toen alle opwinding van het eindeloze gefeest in een enorme kater was omgeslagen. Was de barones gek geworden? Eerst had ze na tientallen jaren ijzeren hardheid ineens vriendelijke en kwetsbare buien gekregen – en nu maakte ze zich plotseling van het in negenen gedeelde land Orison los en zette ze zich zelfs een onrechtmatige kroon op het hoofd? Waarom zaaide ze onvrede in een vreedzaam land? En trouwens, was haar lievelingskleur niet altijd blauw geweest? Nu verscheen ze steeds vaker in geel- en goudtinten.

Beneden in het zuiden, in de havenstad Kurkjavok, hield een geleerde die Serach heette een gedenkwaardige toespraak, waarin onder meer de woorden vielen: 'Het lijkt bijna alsof een demon de teugels van de regering in ons land in handen heeft genomen. Misschien is het allemaal niet slechter dan eerst. Maar wie kan er nu beoordelen of een mens beter regeert dan een demon?'

En Faur Benesand?

Nu de barones eenmaal koningin was, leek ze op de hiërarchische ladder voorgoed onbereikbaar voor hem te zijn geworden. Hij hield het in Irathindurië niet meer uit.

Hij wilde helemaal niet weten of er 's nachts in de koninklijke vertrekken ook weer gesteund, gezucht en gekonkelfoesd werd. Hij wilde helemaal niet weten of de barones, nu ze eenmaal koningin was, ook een grotere behoefte aan dom mannelijk vlees zou krijgen, zonder dat ze ooit oog had voor hem en zijn gesmeek.

Hij kastijdde zich door een onderbroek met scherpe spijkers aan de binnenkant te maken.

En hij herinnerde zich dat Tanot Ninrogin, de eerbiedwaardige adviseur van de enige rechtmatige koning, een paar weken geleden, staande aan de rand van de demonenpoel, een en al begrip voor hem, Faur Benesand uit Icrivavez, en zijn situatie was geweest. Dat kan ik begrijpen, had Ninrogin toen knikkend gezegd. En is de hoofdburcht van het zesde baronaat dan dat hoge doel, of drijft het je nog verder landinwaarts, naar Orison-Stad?

Nadat hij zijn paard had bestegen, haalde Benesand de volgesnoten zakdoek van de barones, die hij altijd bij zich droeg, met een triomfantelijk gezicht uit zijn borstzak.

'Van een barones heb ik kunnen houden, maar voor een koningin kan ik alleen maar verachting voelen.'

Dus gooide hij de zakdoek vol korsten weg en reed, erbarmelijk huilend, naar Orison-Stad.

Hij huilde niet alleen daarom, maar ook omdat de broek met spijkers onder het rijden pas echt goed merkbaar effect had.

De koning

'Nou ja zeg, is de barones soms gek geworden? Waarom zaait ze onvrede in een vreedzaam land?' De adviseur van de koning, Tanot Ninrogin, was bozer dan ooit en liep opgewonden in de troonzaal van Orison-Stad heen en weer. 'En trouwens: koningin! Wat moet dat voorstellen? Je kunt je toch niet zomaar koningin noemen, zonder van koninklijken bloede te zijn? Dat is toch niet alleen maar een woord; dat is een adellijke titel, die je erft!'

'Ooit moet er toch iemand zijn geweest die zichzelf als eerste koning heeft genoemd,' antwoordde Tenmac III zachtjes. 'Diegene kan niet als koning zijn geboren.'

'Wat wilt u daarmee zeggen?'

'Dat "koning" tenslotte niet meer dan een woord is. In mijn geval betekent het alleen dat ik van een reeks koningen afstam en daardoor meer recht heb dan ieder ander in Orison om me koning te noemen. Maar ook Turer uit Coldrin noemt zich koning, en wie weet hoe hij daartoe gekomen is.'

'Majesteit!' Tanot Ninrogin viel bijna smekend voor de koning, die op de troon zat, op zijn knieën. 'Hoezeer het me ook tegen de borst stuit voor een gewelddadig conflict te pleiten – maar de barones moet op haar plaats worden gezet! Ze bezoedelt uw koninklijke waardigheid en steekt de draak met de titel door te doen alsof hij zomaar door iedereen kan worden gebruikt! Ze ondermijnt hiermee de eenheid van Orison, die eeuwenlang voor vrede heeft gezorgd en ons ook sterk maakte tegen eventuele bedreigingen uit het nevelrijk Coldrin.'

'Eeuwenlang vrede? Heeft mijn vader niet vijfentwintig jaar geleden nog een bloedige strijd tegen het tweede baronaat gevoerd?'

'Ja, ik was erbij. Ik heb gevochten in die "strijd", zoals u het noemt. Het was een vreselijk gebeuren, dat tien dagen duurde en het gevolg was van een paar misverstanden tussen uw vader en de baron van het tweede baronaat over een mogelijke verdediging tegen Coldrin. De baron had het gevoel dat zijn baronaat als buffer werd misbruikt, dat het werd opgeofferd als gevechtszone tussen de Coldrinese horden en Orison-Stad. Uw vader slaagde er niet in de baron ervan te overtuigen dat hij vastbesloten was alle noordelijke baronaten bescherming te bieden. Maar na tien dagen waren beide partijen het vechten moe en werden er betere afspraken tussen hen gemaakt. Wat ik hiermee wil zeggen, Uwe Majesteit – de baron van het tweede baronaat gedroeg zich toen niet krankzinnig of arrogant zoals de barones nu, maar had in principe heel terechte zorgen en wensen, en alleen de manier waarop het conflict daarna tot gevechten escaleerde was uiterst ongelukkig. Maar hier hebben we met een openlijke afsplitsing te maken! De barones eigent zich uw titel toe, een titel die alleen u toekomt! Dat is ronduit beledigend, brutaal, respectloos – ja, ze maakt u gewoon belachelijk – en het vraagt zeker om strafmaatregelen.'

'Ik ga geen oorlog tegen het zesde baronaat voeren,' zei Gouwl met een vastbeslotenheid die ongebruikelijk was voor de jonge koning.

'Maar het is niet meer het zesde baronaat. Het noemt zich nu Irathindurië, wat die idiote naam ook moge betekenen.'

'Ik ga geen oorlog voeren tegen barones den Dauren, zelfs niet als ze zich koningin noemt, of wat ook.'

'Het hoeft niet per se een oorlog te zijn. Laten we haar ontvoeren en haar met een papieren kroon op haar hoofd in Orison-Stad aan de schandpaal nagelen. Die vernedering zal les genoeg voor haar zijn. Er hoeft geen bloed van onschuldige mensen te vloeien.'

'We gaan niets van dat alles doen.'

'En... En... wat gaat er dan gebeuren?'

'We wachten af. Hoe haar volk reageert. Hoe de andere baronaten reageren. Tweehonderdvijftig jaar geleden is er al eens een bloedig grensconflict geweest tussen het zesde en het zevende baronaat. Als het zesde baronaat de grenzen nu versterkt en ze de zijne noemt, zou ik me heel goed kunnen voorstellen dat er in het zevende baronaat oude gevoeligheden weer naar boven komen.'

'Ik begrijp waar u naartoe wilt. Maar is het niet gevaarlijk de dingen gewoon op hun beloop te laten? Conflicten tussen de baronaten brengen de eenheid van Orison misschien nog wel meer in gevaar dan wanneer de koning met ijzeren hand een omhooggevallen barones onschadelijk maakt.'

Gouwl leunde achterover. Hij had hoofdpijn. Sinds Irathindur zich tot koningin had opgeworpen, werd Gouwl regelmatig door hoofdpijn gekweld. Daar maakte hij zich eigenlijk veel meer zorgen over dan over de eenheid van Orison. 'Wat in eeuwen stevig is opgebouwd zal heus niet allemaal zomaar uiteenvallen,' zwakte hij het af. 'En nu wil ik graag mijn oorspronkelijke plan oppakken en eindelijk aan mijn reis naar het Treurwoud beginnen.'

'Mijn koning, vindt u het echt een goed idee om de troon onbezet te laten – net nu een krankzinnige vrouw op uw troon uit is?'

'Ze komt niet aan mijn troon. Ze gaat geen oorlog tegen me beginnen.'

'Hoe kunt u daar zo zeker van zijn?'

Gouwl glimlachte. 'Dat weet ik gewoon. Laten we het daar maar bij laten. Ik wil graag naar het Treurwoud! Gaat u mee of blijft u hier het fort bewaken?'

'Ik zou graag vanuit Orison-Stad de ontwikkelingen in het zesde baronaat in het oog houden, maar ik vrees voor uw veiligheid in het Treurwoud.'

'U hoeft niet bang te zijn, er kan me daar niets gebeuren. Ga mee. Misschien kunt u nog iets leren.'

Tanot Ninrogin stond perplex. Was dit dezelfde, vaak zo zwakjes overkomende knaap die hij bij zijn kroning nog had moeten begeleiden en helpen? Kon een mens simpelweg doordat hij een kroon droeg zo snel zelfbewuster en zelfverzekerder worden? Nee. Het lag niet aan de kroon. Anders zou barones den Dauren door haar onnozele greep naar het eigen koningschap toch ook een nobeler mens zijn geworden. Nee, het lag aan de rechtmatigheid van de kroon. En aan het bloed van Tenmac II en Tenmac I dat door de aderen van Tenmac III vloeide.

Misschien had deze jongen zelfs gelijk, en zou Tanot Ninrogin inderdaad iets leren in het woud dat mensen tot zelfmoord dreef.

Hun reis voerde via de binnenburcht en de hoofdburcht van het achtste baronaat door schraal akker- en heuvelland naar het met sagen omsponnen Treurwoud.

In het kleine maar donkere woud, dat vol met kromgegroeide en door korstmos overwoekerde bomen stond, hing een eigenaardig scherpe geur en de lucht was er zo dik dat je hem met de zon op de achtergrond kon zien glinsteren en flakkeren. De bomen hadden vreemde kleuren: blauwachtig, sommige naar paars neigend en andere onnatuurlijk bruin met een frisse glans, of zelfs rozekleurig, of min of meer rood, alsof het hier eerder om ingewanden ging dan om planten. Alles maakte een weelderige en sappige indruk in zijn haast agressieve vruchtbaarheid.

In dit bijzondere woud, dat door mensen zo veel mogelijk werd gemeden, liep Gouwl geen enkel gevaar, want hij was een demon. Tanot Ninrogin werd echter al aan de zoom van het woud door een enorm verdriet overweldigd. Hij zag zich in zijn jeugd in dienst van koning Tenmac ii, een jeugd die in het teken van gedril en verplichtingen had gestaan. Hij zag de tiendaagse oorlog tegen het tweede baronaat, een nauwelijks te bevatten ontlading van haat en geweld in een land dat anders zo vreedzaam was. Omdát het anders zo vreedzaam was, had Tanot achteraf telkens weer tegen zichzelf gezegd, omdat het zo lang rustig was gebleven, hadden de mensen zo veel opgekropt dat het er wel op zo'n gruwelijke manier uit moest komen. Hij zag de zoon van de koning opgroeien – huilerig, onhandig, met dunne gekromde benen als van een hooiwagen onder zijn magere lijf, en met matte ogen, vragend en smekend. Tenmac ii had tegen hem, Tanot, zijn trouwe lijfwacht en adviseur gezegd: 'Zelden is iemand zo ongeschikt voor zo'n zware last als deze troon geweest. Neem hem onder je hoede, beloof me dat. Maak een man van hem, en zo niet een man, dan in elk geval iemand met ruggengraat.' Tanot had de zwakke jongen inderdaad onder zijn hoede genomen – het misbaksel, zoals de koning zijn zoon zo vaak had genoemd. En toen het ongeluk. Het afschuwelijke, zinloze ongeluk. Een bediende morste tijdens een toernooi vettige braadjus op het balkon. De koning, opgewonden over het toernooigebeuren, staat op en wil snel ergens naartoe lopen, glijdt uit over de jus, valt over de balustrade – en zijn nek knakt als een broze tak. Het misbaksel wordt gekroond, op zestienjarige leeftijd, en besluit allereerst het allemaal anders te gaan doen dan zijn vader. Zelden was iemand zo ongeschikt voor de kroningsceremonie als deze Tenmac iii, zelden werden er in zo'n korte tijd zo veel protocollaire fouten gemaakt als op deze vernederende dag. Maar Tanot Ninrogin, vroegtijdig grijs geworden van de zorgen om het land, de stad en de troon van Orison, hield inmiddels van deze schutterige knaap; hij hield van hem zoals hij respect voor diens vader had, want achter de bleekblauwe ogen van de jongen schuilde een zachte, poëtische ziel, die medeleven kende waar anderen alleen maar minachting voelden. En nu, in het Treurwoud met zijn agressieve kleuren, zag hij dat de jonge koning veranderd was, verpletterd, verscheurd door krachten die híj nooit had weten te beheersen. Hij voelde zich hulpeloos, hoorde al zijn raadgevingen veranderen in zinloos gelal, zag de kroon in het zand van een of ander strand rollen, en hij huilde en kon gewoon niet meer tot bedaren komen. De koning bracht hem terug, het bos uit, naar waar hun escorte wachtte. De koning behandelde hem nu vaderlijk, en de oude adviseur snikte en jammerde als een klein kind.

Toen ging Gouwl in zijn eentje diep het bos in en spreidde zijn armen uit.

Hier was hij dus te vinden.

De levenskracht.

Terwijl er overal in de rest van het land nog maar zo weinig van voorhanden was dat je dagenlang kon oogsten, maaien, persen, verzamelen, zeven, malen, uitzoeken, uitpersen en opvangen, zonder ook maar het rantsoen voor een halve dag van een vrije demon bij elkaar te kunnen schrapen, was de levenskracht hier, in het Treurwoud van het achtste baronaat, onaangetast gebleven. Hier droop hij als speeksel van de bomen, huisde hij in grote hoeveelheden in elke bloem, barstte hij uit elk moeras en zinderde hij in alle korstmossen. Zolang Gouwl deze plek regelmatig bezocht, zou hij nooit honger hoeven lijden. Hij moest er alleen voor zorgen dat Irathindur hier niet in de buurt kwam en hem zijn voorraad afhandig maakte, maar dat was vast wel te regelen, want Irathindur sloeg op het ogenblik een volkomen andere, krankzinnig lijkende weg in: hij bouwde een muur om zich heen en scheidde zich af van de rest van het land.

Gouwl had genoeg gezien. De mensen konden niet met deze levenskracht omgaan. Ze begrepen hem niet, en daarom bracht de levenskracht nachtmerries en angst bij hen teweeg. Maar voor een demon als hij was dit woud een rijkelijk gevulde tafel met allang verloren gewaande lekkernijen. Voldaan en vol goede moed reed hij met zijn vertrouwelingen terug naar de hoofdburcht van het achtste baronaat.

Daar wachtte hun verbazingwekkend en verontrustend nieuws: in Orison-Stad werd op dat moment gevochten! En het waren niet, zoals Tanot Ninrogin aanvankelijk vermoedde, troepen uit het afvallige Irathindurië die de hoofdstad aanvielen – nee, het was baron Helingerd den Kaatens uit het vierde baronaat, samen met zijn kristalgepantserde eliteleger.

De koning en zijn escorte haastten zich onmiddellijk terug naar de stad, naar de belegerde troon; ze reden dag en nacht door. Door een verrassingsaanval uit te voeren konden ze van buiten door de belegeringsring heen breken en kwamen ze dampend van het zweet en nog walmend van de brandende fakkels Orison-Stad binnen. Ze troffen de stad ontreddered, gehavend en zwart van het roet aan, maar nog steeds intact en met ongebroken geest. Twee zware aanvallen van het leger van het vierde baronaat waren al afgeweerd. Een man die eigenlijk niet eens tot de legerstaf van de stad Orison behoorde, had zich hierbij zeer verdienstelijk gemaakt: Faur Benesand, de heffingscoördinator van de vroegere barones den Dauren. Hij kwam bij Orison-Stad aan toen de belegering begon, brak er, zoals de koning nu, doorheen, maar dan in zijn eentje, waarschuwde en mobiliseerde iedereen en vocht mee in de frontlinie, met een lach op zijn gezicht en soms een traan van oprecht verdriet bij de aanblik van een dergelijke broederstrijd, zoals de mannen het noemden; hij vocht en streed alsof zijn eigen leven er totaal niets toe deed, of eigenlijk alsof hij dat leven met zo veel mogelijk bloedvergieten wenste te vergooien.

In werkelijkheid was het allemaal iets minder roemrijk toegegaan. Faur Benesand was, toen hij naar de hoofdstad had willen doorrijden, van achteren op de belegerende, tot onderhandelen bereide troepen van het vierde baronaat gestuit. Hij had daarmee het leger eerst aan het schrikken gebracht, maar doordat hij vervolgens naar de stad doorreed en de troepen van het vierde baronaat hem per abuis voor een van de hunnen aanzagen, had hij zodoende de eerste aanval op de stad eigenhandig uitgelokt. Daarna, eenmaal in de stad aangekomen, had hij zich, half gek van slaaptekort en verdriet, door zelfkastijding, onbevredigde lust en een gevoel van hopeloosheid omdat de koning vanwege een of andere onzinnige reis niet aanwezig was, van een kanteel van de hoge stadsmuur midden tussen de aanstormende vijanden geworpen – die zijn val braken om zelf geen verwondingen op te lopen –, en daarmee had hij bij de belegerden een plotseling hoeragerroep losgemaakt. Vervolgens had hij – nog steeds verward en met razend veel pijn – de heldendood op het slagveld gezocht, en hij had wel gemerkt dat de meeste van zijn tegenstanders door zijn kennelijke onverschrokkenheid waarschijnlijk dachten dat hij een onoverwinnelijk strijder was en vol angst voor hem achteruitdeinsden, totdat hij uiteindelijk uitgeput en ongedeerd naar de jubelende stad moest terugkeren.

De volgende dag, bij de tweede, meer doordachte aanval van de belegeraars, had Benesand zijn onderlijf zo stevig met nagels, rijsporen en zoutkristallen ingesnoerd dat hij bloedend en brakend op een weergang in elkaar zakte net toen de eerste aanvallers over de muur klommen. Als een gewonde oorlogsheld brachten ze hem onmiddellijk naar het lazaret. De aanval op de muren werd afgeslagen; de woede over Benesands zware en aan zijn onderlijf uiterst gemene verwondingen had bij de succesvolle tegenaanval zeker een rol gespeeld. Toen de artsen Benesands wonden zagen en de oorzaken ervan herkenden, maakten ze alleen de cryptische opmerking: 'Deze man heeft het zwaard van de ontrouw vernietigd om des te vastberadener het zwaard van de koningstrouw te kunnen opnemen!' De stadscoördinator voor kerkelijke aangelegenheden gaf ogenblikkelijk opdracht tot een heiligverklaring in de tweede graad, die echter door de algehele gespannen situatie nog niet had kunnen plaatsvinden.

De officiële versie luidde dat Faur Benesand onder zeer moeilijke omstandigheden uit Irathindurië was gevlucht om Orison-Stad voor de ophanden zijnde overval door baron den Kaatens te waarschuwen. Om die reden en vanwege zijn dapperheid op het slagveld werd hij door koning Tenmac iii met maar liefst twee orden onderscheiden, tot kroonridder benoemd en in de militaire staf van adviseurs opgenomen. Maar van al die eerbewijzen merkte Faur Benesand ondertussen helemaal niets, want hij lag nog steeds bewusteloos in het lazaret, waar hij door zachte handen werd verpleegd.

De koning stond op een van de vestingtorens naar de glinsterende, kristalgepantserde belegeringstroepen te kijken. De vestingtorens, en trouwens ook de hoge muren van Orison-Stad, waren relicten uit de tijd dat het land nog niet was bevrijd en er vanuit deze enige stad ridders op uittrokken om de barbaren, demonen en andere bovennatuurlijke wezens die het nog wilde land bevolkten te verdrijven of te vernietigen. In de eeuwen van vrede waren er telkens weer stemmen opgegaan om de muren en torens te slechten om de eenheid met het omliggende land te benadrukken, maar de heersende koningen hadden elke keer besloten dit niet te doen. Nu bleek maar weer eens hoe wijs wantrouwen was.

'Het leger van die baron heeft veel te weinig mensen om de stad echt goed en blijvend af te sluiten. Wat is hun bedoeling nu eigenlijk?' vroeg de koning aan zijn adviseur.

'Ze kunnen maar één ding in hun schild voeren,' mompelde Tanot Ninrogin. 'Ze wachten op versterking.'

'Versterking uit Irathindurië?'

'Ligt dat niet voor de hand?'

'Nee.' Weer lachte de jonge koning zijn raadselachtige glimlach. 'De zelfbenoemde koningin zal niet ingrijpen, dat weet ik zeker. Ik stel dus voor dat we de beste muren van onze stad gewoon het werk voor ons laten doen. Laat ze nog maar vier, vijf, zes keer een aanval wagen en daarbij telkens weer met hun hoofd tegen de muur knallen en mannen verliezen. We reageren er gewoon op en houden stand. En uiteindelijk doen we hun het aanbod alleen maar de officieren te straffen, en de rest van de troepen mag dan weer naar het vierde baronaat terug en de boeren helpen de oogst binnen te halen.'

Voor de zoveelste keer in de afgelopen weken keek Ninrogin zijn koning onderzoekend aan. Wat dit werkelijk nog de jongen die hij op de kroningsceremonie had moeten voorbereiden? Die gehuild en gegild had als er een spin in zijn kamer zat? Tenmac III was niet harder geworden, maar wel duidelijk zelfverzekerder sinds hij de kroon droeg.

Samen keken ze neer op het legerkamp van de eerzuchtige en rijke baron van het vierde baronaat. Van hieruit leken de ridders wel kevers. Kevers die onder een steen zouden wegkruipen als er maar genoeg fel daglicht op ze viel.

VIERDE
OMWENTELING

De lijfwacht

De beslissende dag naderde.

Terwijl er al met zwaardgekletter om Orison-Stad werd gevochten, vond in de binnenburcht van het tweede baronaat de revanche tussen Minten Liago en Oloc plaats.

De catacombe was propvol. Onder het publiek bevonden zich zelfs officieren en adviseurs van het vierde baronaat die ingewikkelde smoezen hadden bedacht om hier vandaag aanwezig te kunnen zijn, terwijl hun troepen de weerbare hoofdstad belegerden.

'Ga er niet van uit dat je nog eens zo van hem zult winnen als bij jullie eerste ontmoeting,' herhaalde Jinua Ruun intussen al voor de twintigste keer. Minten luisterde al niet meer toen ze met haar rechterhand zijn schouders masseerde en het koele metaal van haar linkerhand teder over zijn ruggengraat omlaag liet glijden. Minten zat met zijn ogen dicht over de uitkomst van het gevecht te mijmeren. Zelfs als hij vanavond verloor, was dat altijd nog beter dan de onoverwinnelijke uit te hangen zonder het te zijn. Maar als hij won, bestonden er voor hem in de Binnenkring geen grenzen meer.

De menigte brulde alsof er al een knokpartij gaande was. En er was inderdaad een soort voorprogramma: favorieten van de lijst sloegen op elkaar in, wezenloos, wanhopig, in het wilde weg.

Daarna werden de twee hoofddeelnemers binnengeroepen. Minten huppelde dansend de weg tot aan de ring. Oloc zag er duidelijk slanker uit dan bij hun vorige ontmoeting. Toen had hij, doordat hij zijn lichaam had laten verslonzen, een dikke pens gehad, maar nu was zijn buik alweer bijna in vorm.

De twee mannen stelden zich tegenover elkaar op, zonder elkaar aan te kijken.

De aarden kruik brak.

Minten viel als een razende aan.

Hij had er lang over nagedacht wat hij vanavond moest doen. Hij geloofde Jinua: alleen met ontwijken en door Oloc uit te putten zou het hem niet nog een keer lukken. Oloc was vast sneller geworden, misschien ook wel uitgekiender in het uitdelen van zijn swings. Hij had ongetwijfeld ook aan zijn dekking gewerkt, vooral voor een gevecht tegen een man als Minten, die vergeleken bij andere tegenstanders nogal hard kon slaan. Het enige wat Minten vandaag kon doen en waar Oloc gegarandeerd niet op rekende, was alle voorzichtigheid laten varen en zonder aarzeling aanvallen.

Toeslaan, toeslaan, toeslaan, totdat een van hen tweeën niet meer overeind stond. Het publiek zou zo misschien maar een enkele ronde te zien krijgen, maar dat zou een ronde worden om nooit te vergeten.

Minten sloeg en ging als een dolleman tekeer. Zijn vuisten troffen doel, maar hadden amper effect. Oloc sloeg terug. Minten merkte dat hij het helemaal zonder dekking niet lang zou kunnen volhouden. Hij probeerde dan ook zo veel mogelijk in dekking te blijven, zwaaide met zijn bovenlichaam verder vanuit zijn heupen en maakte nog wat schudbewegingen met zijn hoofd. *Klets. Klets. Pats. Klets.* Zijn slagen kletterden als hagel neer. Lichaamstreffers om hem de adem te benemen. Hoofdtreffers om hem murw te maken. Oloc liep inderdaad achteruit in de ring. Alleen dat al was een groot succes, want zo'n kolos als Oloc liet zich normaal gesproken niet een kant op drijven. Het publiek hield het niet meer op de banken. De mensen sprongen door elkaar, duwden elkaar weg om beter te kunnen zien, deden de stoten na en moedigden de vechtenden met een hoop herrie aan. Minten had geen tijd om Jinua's harde gezicht te zoeken. Hij ging tekeer alsof er een berg tegen de grond moest. Oloc was tot passiviteit veroordeeld. Op een gegeven moment werd er weer een aarden kruik stukgeslagen.

Vervloekt! Het was hem niet gelukt Oloc in de eerste ronde te overmeesteren, hem razendsnel tegen de vlakte te slaan. Nu zou het er hard aan toegaan, heel hard. Minten was door de honderden klappen die hij had uitgedeeld al veel vermoeider dan Oloc, die amper iets had kunnen ondernemen. Jinua dook naast Minten op, duwde hem een natte spons in zijn gezicht. Toen Minten naar het water keek dat over zijn borst naar beneden liep, vielen hem de roodachtige slierten op.

'Bloed ik? Waar?' vroeg hij onduidelijk.

'Niets ernstigs. Jullie zijn op een gegeven moment met de hoofden tegen elkaar geknald. Je ene wenkbrauw is opengesprongen, dat heb je niet eens gemerkt. Trek je er niets van aan. Als je nog een ronde zo doorgaat, heb je hem.'

'Ik doe mijn best.'

'Hup. Laat hem niet op adem komen.'

De aarden kruik voor de tweede ronde. Weer stormde Minten op Oloc af. Weer had Oloc daar niet op gerekend; hij had nu tenminste een rustiger ronde verwacht. Minten vuurde een regen van klappen op hem af. De meeste op zijn dekking. Sommige ook ernaast. Maar de meeste waren raak. Veel treffers op zijn ribben. Af en toe op zijn oren. Twee keer zelfs, als kleine hoogtepunten midden in de hagelstorm, vol in Olocs gezicht. Minten zweette en kreunde. Zijn armen deden pijn, alsof er duizenden kilo's zware gewichten aan hingen. Oloc wilde zich verdedigen, wilde terugslaan, maar telkens wanneer hij aanstalten daartoe maakte, werd hij drie keer geraakt. Treffers in het ritme van een hamerende specht. Olocs gezicht begon er vreselijk uit te zien. Minten schreeuwde inwendig tegen zichzelf: misschien lukt het, misschien lukt het; als ik maar niet voor die tijd neerga omdat mijn hart even blijft stilstaan of zo. De menigte schreeuwde en jankte als wolven of hyena's. Bloed vloeide rijkelijk. Voornamelijk Mintens bloed, maar ook Oloc bloedde uiteindelijk uit zijn neus.

Deze keer liet de aarden kruik voor de tweede pauze bijna eindeloos op zich wachten. Minten sloeg alleen nog maar mechanisch toe, zonder zijn tegenstander nog als tegenstander te zien. Hij bewerkte Oloc met zijn vuisten als een zandzak. De tweebenige os begon bij elke ademhaling te jammeren. Minten sloeg zonder te zien of te voelen. Misschien had hij de aarden kruik gewoon niet gehoord. Nee, dan was er wel iemand gekomen om hem bij Oloc vandaan te trekken.

Eindelijk het brekende geluid, dat dwars door alle lawaai sneed. Minten wankelde op een of andere manier naar Jinua, die hem halverwege tegemoet kwam.

'Het lukt me niet,' snoof hij. 'Hij gaat gewoon niet neer.'

'Je raakt hem niet goed genoeg. De hoeveelheid stoten is prima, maar de precisie ontbreekt. Maar dan nog, Minten, hoor je me? Oloc is er geweest! Hij huilt al, hij weet niet eens meer wat hij moet doen! De mensen lachen hem uit, drijven de spot met hem! Nog één ronde, nog maar één ronde zoals je het tot nu toe hebt gedaan, en dan heb je hem!'

'Nog... zo'n ronde... lukt me niet meer.'

'Je moet, Minten. Je moet!'

De strijd ging verder. Minten in de aanval. Oloc met zijn rug tegen de touwen. Half achterovergebogen over de touwen. Het touw stond bijna zo gespannen als de pees van een boog. En toen, met een luide kreet van opperste frustratie, sloeg Oloc terug. Hij brak gewoon door de slagenregen heen en stootte Minten met zijn vuist bijna het hoofd van zijn romp. Minten vloog naar achteren en knalde tegen de vlakte. Maar ook Oloc viel. Bijna een halve ronde lang kropen ze als twee kleine kinderen door de ring. Toen kwamen ze weer overeind – Minten met behulp van de touwen, waaraan hij zich omhoogtrok, Oloc op eigen kracht. 'Blijf liggen!' hoorde Minten Jinua door het publiek heen schreeuwen. Maar hij wilde niet blijven liggen. Eén voltreffer maar. Hij gaf het niet op.

Hij ging weer in de aanval. Oloc had nog niet echt een besef van tijd of plaats. De toeschouwers vochten ook openlijk met elkaar. Een zitbank vloog, herhaaldelijk om zijn lengteas pirouettes draaiend, door de lucht. De twee vechters in de ring beukten nu op elkaar in zonder nog enige moeite te doen zich te verdedigen. Daar hadden ze allebei de tijd en de kracht niet voor. Telkens weer midden in hun gezichten, totdat het één grote brij was waar eerst nog contouren en gelaatstrekken waren geweest. Minten hield het nu alleen nog maar vol omdat hij in Oloc iets anders zag dan deze Oloc, tegen wie hij helemaal niets had. Hij zag Elell, de dierenbeul. Hij zag de vijf stadssoldaten voor zich, en vooral degene die hem telkens maar weer had getrapt, als een schurftige hond. Hij zag de strenge examinatoren bij de toelatingstest, rijke dikdoeners die meer op gieren leken dan op mensen, hoe ze volkomen onverschillig op hem neerkeken. En uiteindelijk zag hij zichzelf voor zich: Minten, de kleine brutale vechtersbaas die als jongen in de straten van Saghi altijd al kattenkwaad in de zin had gehad. Hij sloeg zichzelf, moest zijn ik overwinnen om dit gevecht te kunnen doorstaan.

Het gevecht eindigde toen Oloc Mintens tanden stuksloeg. Jinua kwam tussenbeide en schermde Minten, bij wie een fontein van bloed naar buiten spoot, met haar lichaam voor Oloc af. Oloc stak zijn bloedende vuist in de lucht, stootte een kermend geluid uit dat een overwinningskreet had moeten worden, en viel toen onder de touwen door met een klap op de toeschouwersbanken. Toen Jinua omkeek, lag Minten eveneens op de grond. Ze ging naar hem toe om voor hem te zorgen, legde zijn hoofd en tong goed, zodat hij niet zou stikken of in zijn eigen bloed zou verdrinken.

Het rumoer om hen heen was onbeschrijflijk. Maar of de mensen nu van opwinding stonden te juichen of raasden van woede, ze zagen er allemaal hetzelfde uit.

'Wie heeft er nou gewonnen?' mompelde Minten bijna onverstaanbaar toen hij een uur later weer bijkwam. Zijn hele gezicht en zijn handen zaten in het verband; zijn mond was gehecht en volgepropt met korstige watten.

'Oloc,' antwoordde Jinua. 'Hij is wel uit de ring gevallen, alleen niet door het effect van jouw stoten, maar doordat hij over je bloed is uitgegleden, zoals de oude koning over de braadjus.' Ze schudde haar hoofd, dacht even na en gooide er toen uit wat ze op haar hart had. 'Je bent als eerste neergegaan omdat hij je bijna de hersens had ingeslagen, stomme idioot dat je bent! Hoe kun je nou met een man als Oloc een lijf-aan-lijfgevecht aangaan en zijn klappen incasseren zonder hem ook maar enigszins te ontwijken? Wilde je ertussenuit knijpen, Minten? Wilde je soms dood? Het is een godswonder dat je nog leeft, dat je nog kunt praten, dat je nog weet wie je bent! Wéét je trouwens nog wie je bent? Weet je trouwens nog wie ík ben?'

'Maar... natuurlijk.' Minten kon zichzelf nauwelijks verstaan, zo onduidelijk sprak hij.

Jinua keerde hem haar rug toe. 'Laten we maken dat we hier wegkomen. Ik heb mijn buik vol van dit gedoe. In de hoofdstad wordt er gevochten. Ze hebben me daar nodig, mijn ervaring.'

'Wie vecht tegen wie?'

'De baron van het vierde baronaat tegen de koning. En de barones van het zesde heeft haar baronaat tot een onafhankelijk rijk uitgeroepen. Het is niet moeilijk te raden wat er zo meteen gaat gebeuren. De baron van het tweede baronaat zal die van het vierde te hulp schieten, want het tweede koestert sinds de tiendaagse oorlog van vijfentwintig jaar geleden nog een wrok tegen Orison-Stad. Ik weet hoe het werkt. Ik kom ervandaan.'

'Uit het... tweede baronaat?'

'Ja. Tijdens de tiendaagse oorlog was ik nog een kind. En ik heb gezien wat mijn eigen landgenoten daar met gevangengenomen mensen van de koning uitspookten. Het was onverdraaglijk. Ik ben overgelopen en werkte vanaf dat moment voor Tenmac II. In mijn geboorteland sta ik als verraadster te boek.'

'Maar... er heerste toch altijd... vrede?'

'Vrede is als een laagje verf: flinterdun. Daaronder kan er van alles broeien, splinteren en rotten. En voordat je het weet vliegt alles je om de oren. Dat werd vijfentwintig jaar geleden wel duidelijk. Dat zal ook nu niet anders zijn.'

'En... wat ben je van plan?'

We kunnen niet naar Orison-Stad doorbreken. Ik ben bang dat de blokkade met de dag sterker wordt. Ik maak me zorgen om het derde baronaat, dat tussen het tweede en het vierde in ligt. Het derde heeft geen schijn van kans als het tweede en vierde baronaat besluiten het onder de voet te lopen en de troepen ervan bij hun eigen legers in te lijven. Laten we naar het derde baronaat gaan en onze hulp aanbieden. Het ligt hier tenslotte niet ver vandaan. Ik zal mijn oude rang van officier weer aannemen, en jij wordt mijn lijfwacht.'

Minten zou graag in lachen zijn uitgebarsten, maar hij kreeg zijn gehechte lippen niet ver genoeg van elkaar. Bovendien deed het vreselijk pijn. 'Mooie lijfwacht,' mompelde hij moeilijk verstaanbaar. 'Moet je me nou zien. Jíj bent míjn lijfwacht, niet andersom.'

'Maakt toch niet uit? Het kan trouwens ook niet anders. Officieel heb je nog altijd bijna drie jaar straf uit te zitten, óf in de gevangenis, óf onder mijn hoede. Dus moet ik je wel meenemen. En omdat ik je die stompzinnige soldatendril wil besparen en er ook helemaal geen tijd meer voor dat soort onzin is, benoem ik je meteen maar tot mijn persoonlijke lijfwacht.'

'En de Binnenkring dan? Zetten we... daar gewoon een punt achter?'

'Dat is niet belangrijk, Minten. De mensen zullen toch niets anders meer dan nog een gevecht tussen jou en Oloc willen zien, omdat het vorige zo heerlijk spectaculair was. Jullie hebben je allebei fraai in een akelige positie gemanoeuvreerd. En op een dag maken jullie elkaar af in de ring. Zover was het al bijna.'

Minten wist niets meer te zeggen. Hij liet zijn hoofd achteroverzakken. Hij voelde zich inderdaad alsof hij een lawine rotsblokken over zich heen had gekregen.

Dus reden ze met een wagen van de Binnenkring naar het derde baronaat. Minten, die er griezelig uitzag omdat zijn gezicht nog steeds in het verband zat, zorgde voor angst en geroddel onder de andere reizigers. Jinua grijnsde.

En ze had het goed gezien: het derde baronaat was al in rep en roer. Baron Helingerd den Kaatens van het vierde baronaat had de binnenburcht van het derde baronaat hoogstpersoonlijk aangevallen en in een mum van tijd ingenomen. Waarschijnlijk was hij zich tijdens de belegering van de hoofdstad gaan vervelen en had hij zichzelf dit kleine uitstapje gegund. De tenger gebouwde barones van het derde baronaat was nu bang dat er vanuit het zuiden of ook het oosten een aanval op haar hoofdburcht zou worden uitgevoerd. Jinua, die omdat ze bekend was van de Binnenkring ogenblikkelijk en met dankbaarheid in de groep van officieren werd opgenomen, vertelde haar dat ze evenzeer met een aanval vanuit het westen, namelijk uit het tweede baronaat, rekening moest houden. De moed zonk de barones in de schoenen.

'Wat moet ik nou toch doen?' vroeg ze wanhopig. 'Alsof Coldrin in het noorden al niet bedreigend genoeg is – nu zijn we ook nog van alle andere kanten door vijanden omgeven! En we hebben niet eens een kust, zodat we met schepen een veilig heenkomen op Rurga of Kelm kunnen zoeken! We zitten in de val!'

'Eén uitweg is er nog, barones,' bromde Jinua.

'Een uitweg? Welke dan?'

'Coldrin.'

'Coldrin?' De stem van de barones sloeg over. 'Coldrin is geen uitweg, maar een zwaard van Damocles dat ons altijd boven het hoofd hangt!'

'Bekijkt u het eens vanuit het oogpunt van de Coldrinezen. In hun strijd tegen jullie en tegen de hoofdstad verwaarlozen het tweede en het vierde baronaat hun rugdekking. Als we de koning van Coldrin nu eens op het idee van een uitgebreide plundertocht door die twee baronaten brachten, zal hij dat toch moeilijk kunnen weerstaan. En een aanval uit het noorden op het tweede en het vierde baronaat zal de hoofdstad aanmerkelijk ontlasten, en daarmee ook jullie, want dan kan de koning jullie steunen in plaats van belegerd en vastgepind te zijn.'

'Dat is geniaal!' riep de coördinator van de berggrenzen enthousiast uit. 'We moeten er onmiddellijk afgezanten heen sturen.'

'Maar hoe,' opperde de oude coördinator van de burchten, 'moeten we Coldrin vervolgens in toom houden als Orison intern verdeeld is? Wat zou koning Turer van Coldrin ervan moeten weerhouden om ook ons baronaat en zelfs de hoofdstad in te lijven?'

'Dat zullen wíj doen!' stelde de jonge legercoördinator trots. 'Wij, met de hulp van onze koning. Bovendien hebben de Coldrinezen tenslotte ook nog enige tegenstand van het tweede en vierde baronaat te verwachten. Het zal niet meevallen voor Coldrin. Met een beetje geluk, hulp van het noodlot en God brengen al onze tegenstanders elkaar mooi wat schade toe en staan wij daarna sterker dan ooit!'

'Tja, dan, in dat geval...' stamelde de barones, en ze haakte nog eens in op wat de coördinator van de berggrenzen had gezegd, 'moeten we er maar zo snel mogelijk afgezanten heen sturen.'

'Nee,' waagde Jinua het haar tegen te spreken. 'Laat u mij dat maar afhandelen. Mij en mijn lijfwacht.' Ze wees naar de werkelijk angstaanjagend uitziende Minten. 'Onze jonge koning heeft maanden geleden al afgezanten naar Coldrin gestuurd, en geen van hen is teruggekomen. Koning Turer van Coldrin staat waarschijnlijk uiterst wantrouwig tegenover alles wat officieel uit Orison komt. Maar wanneer twee vage figuren als wij hem gewoon een plan voorleggen over hoe hij en wij een rijke buit kunnen binnenhalen, zal hij zich er toch op z'n minst van willen overtuigen of dat ook haalbaar is.'

'Goed dan,' zei de barones zachtjes, nadat ze vragend om zich heen had gekeken en voornamelijk instemmende blikken van de mensen op de audiëntie had gekregen. 'Probeer het, Jinua Ruun. Met onze en Gods zegen weliswaar, maar zonder officiële opdracht.'

Jinua knikte en maakte een diepe buiging. 'We vertrekken nu meteen.'

De barones stelde hun twee rijpaarden en een pakezel zonder enig brandmerk van het baronaat ter beschikking, en bovendien een gids die hen via veilige passen door de machtige bergen moest loodsen. Verder kregen ze alle drie nog een zwaard, een ruiterboog, heel wat proviand, warme dekens en winterkleding voor in het hooggebergte mee.

Tijdens de rit naar het noorden zat Minten de hele tijd aan zijn verband te pulken, dat jeukte en schuurde, maar Jinua gaf hem de raad: 'Laat het er allemaal op zitten. Maak hoogstens je gebarsten en gehechte lippen een beetje vrij. Hoe angstaanjagender je eruitziet, des te beter het voor ons in Coldrin is.'

Minten was niet erg enthousiast. 'Hoeveel tanden ben ik kwijtgeraakt?'

'Kun je dat niet voelen met je tong?'

'Ik voel helemaal niets meer. Alles is gevoelloos of doet vreselijk zeer.' Het woord 'vreselijk' klonk ongeveer als 'fweseluk'. Praten kostte hem ontzettend veel moeite.

'Zeven, acht. Misschien negen of tien. Het hangt ervan af hoeveel je er daarvoor had; ik heb er nooit op gelet.'

Minten hield somber zijn mond. Oloc had dus een tandeloze oude man van hem gemaakt. Zijn loopbaan in de Binnenkring was sowieso ten einde geweest.

De gids was nog zwijgzamer dan Minten. Een volle week lang loodste hij Jinua en haar lijfwacht bijna zonder een woord te zeggen door de adembenemende bergen, die tot zo'n vierduizend meter boven de waterspiegel oprezen en die voor een derde – het bovenste deel – met sneeuw waren bedekt en daardoor in de felle zon fonkelden als gigantische diamanten.

Ze moesten gammele hangbruggen bedwingen en zich schrap zetten tegen verraderlijke valwinden, die sneeuw van de hellingen meesleurden en hen praktisch tegen de grond smeten; ze moesten een sneeuwveld oversteken dat zo'n fel licht verspreidde dat ze zonder de oogbeschermers, die hun gids van hout had gemaakt, blind waren geworden; ze moesten zich door snelstromende, diep uitgesleten beken worstelen en over even diepe gletsjerspleten zien heen te komen; ze kregen prachtige bergadelaars te zien, waarvan de spanwijdte enorm moest zijn, en er viel altijd wel een of andere moeilijke, steile klim of afdaling te maken, of dankzij de heldere, koude berglucht menig majestueus panorama te bewonderen. Aan het eind van de week hadden ze het Wolkenpijnigergebergte bijna achter zich gelaten toen er opeens een zwerm pijlen over hen heen vloog en er een kleine veertig figuren op grote, ruige, langhoornige gemzen uit verschillende richtingen op hen af kwamen rijden, waarbij de sneeuw in het rond stoof.

Zwijgend, zoals hij bijna de hele tijd had gedaan, sloeg de gids simpelweg op de vlucht. Hij keerde snel zijn paard en galoppeerde de veiligheid van de bergen weer in. Pijlen suisden om hem heen en misten zowel hem als zijn rijdier; het leek alsof het niet eens de bedoeling was dat ze hem raakten, maar hem alleen verjoegen.

Maar Jinua's paard werd wel geraakt en zakte onder haar in elkaar. Het kwam niet bij Minten op om op de vlucht te slaan. Jinua noemde hem haar lijfwacht, en tot nu toe had hij nog niets gedaan om die titel te verdienen.

Op dat moment begon er een merkwaardig gevecht. De bijna veertig aanvallers – gekleed in vachten en wildleer, met bontmutsen op hun hoofd en hun gezichten in sjaals gewikkeld – hielden op met schieten, ook al hadden ze hun tegenstanders daarmee zonder verdere problemen op afstand kunnen doden. In plaats daarvan trokken ze gekleurde, met belletjes bezette houten stokken uit hun zadelkoker en reden telkens weer naar Jinua en Minten toe om hun elke keer een enkele klap met de rinkelende stokken te geven. Dit raadselachtige optreden gaf Minten de kans vier van de aanvallers een voor een uit hun zadel te sleuren. Net toen hij een vijfde met zijn zwaard naar de andere wereld wilde helpen, hield Jinua hem tegen. 'Niet doen. Ze willen ons niet doden. Het is meer een spel. Het gaat er geloof ik om dat we het góéd spelen.'

Minten vertrouwde sinds lange tijd op Jinua Ruuns instincten, en dus speelde hij mee. Jinua was eveneens goed in vorm. Ze weerde de stokken met haar metalen hand af, klemde ze daarbij met een haak vast en rukte ze op die manier uit de handen van hun eigenaren. Zo maakte ze acht stokken buit. Maar op zeker moment raakte een aanvaller haar hard op haar achterhoofd. Ze struikelde en werd nog eens geraakt. Hoewel Minten haar met zijn rug tegen verdere klappen afschermde, kon ze niet meer verder vechten. De ijle lucht in de bergen had de hele week al te veel van haar gevergd; ze was te uitgeput om nog op te staan.

Dus vocht Minten in zijn eentje verder. Hij overmeesterde nog eens veertien aanvallers door hen regelrecht uit hun zadel te rukken. Twee keer trok hij zelfs een gems mee om. Maar de resterende tien bokkenrijders kwamen ten slotte zo snel met z'n allen op hem af dat hij zich gewonnen moest geven. Hij boog zich over de liggende Jinua heen en schermde haar tegen klappen af, maar verweerde zich niet meer. Voordat hij bewusteloos raakte, weerklonk er onder de ruiters een commando, en ze lieten hem verder met rust.

Toen hij voorzichtig zijn hoofd even optilde, zag hij een van de ruiters op hem af komen. De man was volledig in het zwart en donkerblauw gekleed. Zijn laarzen, zijn broekspijpen, zijn sjaal en zelfs zijn muts waren met franje versierd.

De ruiter steeg vlak voor Minten af en bekeek hem nauwkeurig.

'Je gezicht,' zei hij toen met een keelstem, en hij wees naar Jinua's metalen hand. 'Zij dat gedaan?'

'Ja,' zei Minten, en hij ontblootte bij het glimlachen zijn gebit – althans wat er nog van over was. 'Als ik haar niet had leren kennen, was dat me nooit gebeurd.'

'Ik begrijpt,' zei de ruiter knikkend. 'Zij je vrouw?'

'Als het haar uitkomt wel.'

De ruiter liet nu ook zijn gezicht zien door zijn sjaal naar beneden te trekken. Het was het gezicht van iemand van rond de veertig; het was donker, met amandelvormige ogen, vertoonde scherpe trekken en een sluwe uitdrukking. 'Jullie uit Orison, maar anders dan Orison.' Als hij 'Orison' zei, klonk het als 'Odizon'. 'Ik Hiserio heet. Ik nu rijd naar míjn vrouw, de heerlijke Heserpade. Als je volgt kan en ziet heerlijke vrouw, dan volgt. Als niet, dan doodgaat in de sneeuw.'

Hiserio liep naar zijn gemsbok terug, sprong met een zwaai in het zadel, gaf met een keelstem de andere ruiters, die inmiddels niet alleen hun weinige gewonden in veiligheid hadden gebracht, maar ook allang Mintens paard en de muilezel hadden buitgemaakt en meegenomen, een bevel en reed samen met hen weg, maar langzaam, uitnodigend, trippelend – bijna stapvoets.

Minten had geen tijd om lang na te denken. Hij gooide Jinua over zijn schouder, controleerde voor de zekerheid nog even of Jinua's paard inderdaad dood was en volgde de ruiters.

De koningin

'Matutin! Matuuutiiin! Waar zit je nu weer, kleine vette kikker dat je bent!'

'Hier ben ik, barones – ik bedoel natuurlijk: koningin! Koningin! Maaajesteit!'

Af en toe liet Irathindur de aard van de vroegere barones gewoon de vrije teugel. Als hij net een van die aanvallen had gehad, die, al kwamen ze steeds terug, niet meer zo heel heftig waren, maar toch nog akelig genoeg, en die met hoofd-, buik- en maagpijn en verwarrende twijfels over zijn identiteit en lot vergezeld gingen, dan liet hij zich enigszins gaan, leunde hij achterover in haar lichaam en liet het razen en tieren totdat hij zich weer beter voelde.

De dikke legercoördinator, Eiber Matutin, zweette als in een stoombad, maar ging in de houding staan, trok zijn buik in en antwoordde met de onnatuurlijk luide stem waarmee hij altijd sprak om zijn angst te verdoezelen. Irathindur kon zijn angst ruiken als een enorme bos bloemen.

'Baron Helingerd den Kaatens heeft het derde baronaat aangevallen. Wist je daarvan?'

'Koning, Uwe Majesteit.'

'"Koning, Uwe Majesteit?" Wat is dat voor manier van antwoorden?'

'Hij... Hij... Hij heeft zichzelf tot koning uitgeroepen, Uwe Majesteit. De baron. Tot koning. Laten kronen. Is me zo-even verteld.'

'Ach nee. Kijk eens aan.' Irathindur boog zich in het lichaam van de barones weer geïnteresseerd naar voren. De kwaadheid van Meridienn I was op slag verdwenen en een zelfvoldaan glimlachje speelde om haar onopgemaakte lippen. De demon dacht: er zijn nu dus drie koningen in het land. Maar het maakt mij niet uit. Helingerd is geen demon, hij deelt niet mee in de levenskracht zoals Gouwl en ik. Hij is geen concurrentie. Laat hem maar doen wat hij wil. Hardop zei hij tegen Eiber Matutin: 'Klopt het nu dat koning Helingerd I het derde baronaat heeft aangevallen, of klopt het niet?'

'Ik geloof dat het klopt.'

'Goed, goed. Ik vind het een heel slim plan van hem. Hij houdt Tenmac in een gouden kooi gevangen en lijft extra troepen in. Het tweede baronaat heeft ook al te kennen gegeven te willen meedoen aan de revolutie. Dus is het hele noordoosten binnenkort van ons.'

'Dat is van Helingerd den Kaatens, als ik zo vrij mag zijn het te zeggen, majesteit.'

'Ja, daar heb ik ook al over nagedacht. Nu hij zichzelf gewoon tot koning heeft gebombardeerd, hoeft hij eigenlijk, zoals een paar weken geleden nog wel, geen moeite meer te doen om bij mij in de gunst of in mijn bed te komen. Waarschijnlijk zit een adder zich hier ten koste van mij te goed te doen. Dus zal ik nu twee dingen tegelijkertijd aanpakken: ik zal afgezanten naar het tweede baronaat sturen die ervoor moeten zorgen dat, mocht het tweede baronaat zich tegen Tenmac III keren, het uitdrukkelijk aan de kant van Irathindurië staat. En ik wil het vijfde baronaat inlijven. Dat zal dan jouw taak zijn.'

'Taak? Inlijven? Ik?'

'Ja, logisch. Je bent toch mijn hoogste generaal. De kleine koning Helingerd breidt uit naar het westen, en wij gaan naar het noorden uitbreiden en het gat tot aan zijn grondgebied sluiten. Je moet met hevige tegenstand rekening houden. Het vijfde baronaat heeft tijd genoeg gehad om te kunnen bedenken dat het, vanwege zijn ligging tussen Irathindurië en – hoe zullen we het noemen? – "Helingerdia", binnenkort het strijdtoneel van machten wordt. Dus moeten we voorbereid zijn en daar een sterke positie hebben. Ik wil dat je de vloot inzet en de steden Tjetdrias, Cerru en Kirred zo snel mogelijk inneemt. Van daaruit werk je je dan landinwaarts, zodat het vijfde baronaat ook de gelegenheid krijgt tijdig contact met me te zoeken en zich over te geven. Het is belangrijk dat je snel bent, snel resultaten boekt. Anders ruikt Helingerd lont en trekt hij vanuit het noorden over land het vijfde baronaat binnen om het voor onze neus weg te kapen.'

'Majesteit...' Eiber Matutin zwaaide als een populier in de wind.

'Je gaat hier toch niet onderuit, hè?' vroeg Irathindur op scherpe toon. Matutin ging meteen weer stram in de houding staan. 'Zeker niet, Uwe Heiligheid. Uwe Hoogheid, bedoelde ik.'

'Goed dan. Alles is duidelijk. Binnen vijf dagen verwacht ik resultaten. Als we het vijfde baronaat eenmaal bij Irathindurië hebben gevoegd, zijn we weer even groot als Helingerd, en dan komt het tweede er ook nog eens bij en hebben we Helingerd in de tang. Kun je in dit plan een logische fout ontdekken?'

'Nee, majesteit. Geen enkele.'

'Opschieten dan, Matutin. O, en nog iets – val beslist geen troepen van Tenmac III aan! Ik heb die jonge dwaas mijn woord gegeven dat ik geen oorlog tegen hem zal voeren, en ik ben van plan me daar ook aan te houden. Je voert oorlog tegen het vijfde baronaat, en als het moet ook tegen Helingerd, maar mocht je op Tenmacs mannen stuiten, laat ze dan ongehinderd naar Orison-Stad terugkeren. Neem hun ook geen voorraden af, die ze daar eventueel naartoe willen brengen. Zelfs dat zou al een soort oorlogsdaad zijn. We doen in het geval van Tenmac III en Orison-Stad gewoon alsof ze niet bestaan. Heb je dat begrepen?'

'Jazeker, majesteit, jazeker. Maar... heb ik u goed begrepen? Als ik op... Helingerd den Kaatens' troepen stuit in het vijfde baronaat, moet ik die dan echt aanvallen?'

'Als die schurk te brutaal wordt, wordt hij aangepakt. Ik laat het aan jou over hoe hard. Je kunt hen ook met hun broek omlaag naar Helingerd terugsturen, als een lesje dat hem zal heugen. Dat winterkoninkje zou ons nog wel eens van pas kunnen komen.'

'Ik snap het. Ik heb het begrepen.'

De koningin had zich al afgewend en haar legercoördinator met een autoritair gebaar weggewuifd, toen haar toch nog iets te binnen schoot. 'Je was toch met die halvegare Benesand bevriend? Heb je enig idee waarom hij gedeserteerd is?'

Terwijl hij al aanstalten maakte om weg te lopen verstijfde Matutin, zodat hij nu op één been bleef staan. 'Daar... Daar... Daar heeft hij me niets over verteld, Uwe Heiligheid.'

'Maar is het je wel opgevallen dat hij weg is?' vroeg ze op een toon waar de spot vanaf droop.

'Jaja, jaja, maar waarheen? Waarvoor? Leeft hij nog? Gaat hij de oorlog uit de weg? Is hij uit Irathindurië vertrokken of heeft hij zich hier ergens met een struise boerenmeid verstopt? Ik weet het niet, mij is niets verteld!'

'Jammer. Ik zou graag weten wat al dat addergebroed uitspookt. Maar laat maar! Wat kan het ons ook schelen? Resultaten, Matutin, resultaten aan het front!'

Matutin rende weg om nog op tijd de wc te kunnen halen.

Tot zijn grote verbazing merkte Eiber Matutin dat de oorlog een levend wezen was. Hij hoefde het niet eens de hele tijd aan te sporen of in de gaten te houden. Als het honger had, kwam het in actie en vrat. En zijn eetlust was onverzadigbaar.

Dus beperkte Matutin zich tot beteugelen. De vrouwen en mannen van het Irathindurische leger – Meridienn den Dauren had al als barones meer vrouwen dan mannen in haar leger gehad; de mannen moesten zich tenslotte op het land en bij het bouwen van huizen nuttig maken – marcheerden weg en Eiber Matutin hoefde er alleen maar voor te zorgen dat ze na een gevecht dat ze hadden gewonnen niet over de schreef gingen en aan het plunderen sloegen. Al binnen drie dagen had Matutin met de tien grote schepen van de koningin en de voltallige bemanning ervan de drie havensteden van het vijfde baronaat ingenomen. Er had maar één noemenswaardig zeegevecht plaatsgevonden, en dat hadden zijn zeeofficieren met een minimum aan verliezen voor hun rekening genomen. Verder was het vijfde baronaat door deze aanval vanuit zee precies zo overrompeld geweest als de koningin had verwacht.

Matutin zelf stapte de stad Cerru, de middelste van de drie havens van het vijfde baronaat, binnen toen zijn troepen al bezig waren landinwaarts naar de buitenburcht op te rukken. De bezettingseenheid in Cerru bestond uit maar een kleine twintig soldaten. De opperschout had Cerru bereidwillig, om gevechtsschade te voorkomen, in handen van de 'goedgezinde en genadige' koningin Meridienn I gegeven en zijn eigen stadssoldaten bij het landinwaarts trekkende leger ingedeeld. Er mochten geen misverstanden over bestaan: in principe sloot het vijfde baronaat zich uit vrije wil bij het vrije land Irathindurië aan. Alleen wist de baron van het vijfde baronaat in zijn hoofdburcht daar nog niets van.

Dus reisde Eiber Matutin, nadat hij te gast was geweest op een welkomstfeest, ettelijke handen had geschud en zelfs een klein kind dat iemand hem voorhield had gekust, en nadat een mooie jonge vrouw hem zelfs 'haar bevrijder' had genoemd en de opperschout hem de gouden sleutel van de stad had overhandigd, in een deftige koets zijn oprukkende leger achterna. De buitenburcht gaf zich even bereidwillig over als Cerru en wierp zich regelrecht in de armen van de belegeraars, als een jonkvrouw die sprong om aan een vuurzee te ontsnappen.

Echt onaangenaam werd het pas bij de hoofdburcht. De baron bood hardnekkig tegenstand en vocht voor zijn baronaat, dat eigenlijk al verloren was, als een leeuwenmoeder voor haar jongen.

Hier kreeg Matutin voor het eerst afgehakte ledematen en gruwelijke, gapende hoofd- en gezichtswonden te zien. Achter een van de officierstenten moest hij zelfs overgeven, omdat er in het kamp voortdurend de stank van amputaties hing; dus verplaatste hij de commandotent ogenblikkelijk naar achter de eigen linies.

Hier in de hoofdburcht moest Matutin ook voor het eerst in zijn leven een motiverende toespraak voor zijn troepen houden. Hij sprak de gedenkwaardige woorden: '... moet ook deze vijand uiteindelijk toch inzien, zoals alle andere vijanden van de baro... de koningin al eerder hebben moeten inzien, dat de koningin eigenlijk helemaal geen vijanden heeft of hoeft te hebben, omdat ze geen oorlog wil. Niemand wil oorlog. Helemaal niemand heeft belang bij een oorlog. We mogen koning Helingerd, die eigenlijk alleen maar baron is en die zijn grondgebied wil uitbreiden, niet zomaar zijn gang laten gaan, en daarom komen we in actie.'

De troepen waren na deze toespraak verward en vormden afzonderlijke discussiegroepen, totdat de officieren er met een paar kreten voor zorgden dat de gelederen zich weer sloten.

Twee dagen later was het hele gedoe voorbij. De hoofdburcht gaf zich over nadat hij door brandende pijlen in een gigantische rokende ruïne was veranderd en de baron van het vijfde baronaat uiteindelijk in zijn gesmolten pronkharnas krijsend was gestorven. Eiber Matutin bekeek met een zakdoek voor zijn gezicht de nog smeulende overblijfselen en legde officieel beslag op de puinhoop.

De rest van de veldtocht was louter een formaliteit. De binnenburcht zond afgezanten uit om te laten weten dat ze zich overgaven. Het vijfde baronaat was in zijn geheel veroverd en maakte nu deel uit van het opeens dubbel zo grote rijk Irathindurië. Er deed zelfs een gerucht over een 'her-eniging' de ronde, want eeuwen geleden, voordat de grote magiër Orison de negen rode lijnen als grenzen door het land had getrokken, was alles immers ooit één geweest: een groot barbaars rijk.

Eiber Matutin had zich weliswaar niet helemaal aan het tijdschema ge-houden dat de koningin hem had opgelegd, maar kon toch als gevierde overwinnaar naar de koninklijke hoofdburcht terugkeren. Eigenlijk was het zelfs wel handig dat de andere hoofdburcht was afgebrand, zei hij bij zichzelf; zo kon er ook geen verwarring meer ontstaan.

In stilte en in zijn avondgebeden dankte Matutin God met tranen in zijn ogen dat hij tijdens de hele veldtocht helemaal geen troepen van ko-ning Helingerd en ook niet van koning Tenmac III was tegengekomen.

Hij moest er niet aan denken wat een ingewikkelde en slepende toe-stand dat zou zijn geworden.

De keizer

Tanot Ninrogin vatte de actuele stand van zaken samen. 'Irathindurië heeft het vijfde baronaat overvallen en ingenomen. Ze zijn daarbij opvallend wreed te werk gegaan en hebben de hoofdburcht, die tot het laatste moment tegenstand bood, met zijn baron erin gewoonweg platgebrand. Tegelijkertijd is het de zelfbenoemde koning Helingerd gelukt het derde baronaat onder zijn heerschappij te brengen. De barones van het derde baronaat heeft zich overgegeven zonder verzet te bieden, om te voorkomen dat haar volk eronder zou lijden, maar heeft voor haar capitulatie nog wel een afgezant naar ons toe gestuurd met de enigszins raadselachtige boodschap dat ze "nog iets achter de hand" had. Het tweede baronaat is inmiddels door Irathindurië met het verzoek benaderd zich aan te sluiten, maar heeft aangegeven als bondgenoot wel evenveel rechten te willen hebben. Nog steeds is het ons niet geheel duidelijk of Irathindurië en het baronaat dat waarschijnlijk al Helingerdia wordt genoemd, onder één hoedje spelen of dat ze elkaars concurrenten zijn. Aangezien de beide rijken zich echter tegen ons hebben gekeerd, kun je inmiddels wel van een tweedeling van Orison spreken. Tegenover ons staan het tweede, derde, vierde, vijfde en zesde baronaat – het hele oosten van het land dus.' Tanot Ninrogins wijsvinger flitste over een uitgespreide landkaart heen en weer. 'We weten dat alleen nog het eerste, negende, achtste en zevende baronaat loyaal aan ons zijn – de hele westelijke helft dus. Vier baronaten van ons staan dus tegenover vijf baronaten van hen, maar aangezien wij Orison-Stad nog in handen hebben, staat het eigenlijk vijf tegen vijf, en we hebben – dankzij Orison-Stad – nog altijd het grootste en ook het best uitgeruste leger.'

'Afgezien van Helingerd en zijn kristalridders dan,' verbeterde koning Tenmac III hem glimlachend.

'Afgezien van hen, natuurlijk. Maar zij staan wel al weken voor onze muren en boeken geen vooruitgang. Ze hebben feitelijk geen invloed.'

'Dus als ik het allemaal goed begrijp,' formuleerde de jonge koning het voorzichtig, 'is het bondgenootschap van de rebellen nogal wankel. Helingerd en Meridienn zijn regelrechte rivalen. Twee zelfbenoemde vorsten – dat kan op den duur niet goed gaan. Het tweede baronaat heeft zich dan wel bij de revolutie aangesloten, maar wil eigenlijk bij geen van beide vorsten horen. Een logische conclusie is niet moeilijk te trekken. In elk geval zal het erop neerkomen dat of Helingerd, of Meridienn zich vroeg of laat op het tweede baronaat zal storten, want een derde onafhankelijke macht kunnen twee zelfbenoemde vorsten eigenlijk niet in hun midden tolereren. Bovendien' – Tenmac III zuchtte – 'verwacht ik zeker opstandigheid, ongehoorzaamheid en onrust in het derde en het vijfde baronaat. In het vijfde heeft het volkomen ongepaste platbranden van de hoofdburcht gegarandeerd grote delen van de bevolking tegen het extreem meedogenloze Irathindurië in het harnas gejaagd, en het derde schijnt, zoals de barones ons liet weten, de strijd nog niet eens volledig te hebben opgegeven en die in het geheim wellicht te willen voortzetten. Kortom, de rebellie is zo broos en breekbaar als een beschuit.'

'Dat mag dan zo zijn,' antwoordde de adviseur bezorgd, 'maar ik maak me er ook een beetje ongerust over hoe stabiel ons eigen verbond is. Het zevende baronaat zal ons trouw blijven, want de vijandigheid tussen het zevende en het voormalige zesde stamt nog uit een bloedig grensconflict van tweehonderdvijftig jaar geleden, dat nooit helemaal vergeten en vergeven is. Maar hoe zit het met het eerste baronaat, dat nu direct aan het grondgebied van de rebellen grenst? En als het eerste begint te wankelen of overstag gaat, zal ook het negende baronaat beginnen te wankelen en overstag gaan, want het eerste en het negende zijn niet alleen maar door de gezamenlijke havenstad Akja broederlijk met elkaar verbonden, en ze zullen zich ook nooit tegen elkaar keren.'

'Des te beter voor ons. De steun van het negende zal het eerste de kracht geven om zijn grenzen goed te beschermen.'

'Maar dan nog – neem me alstublieft niet kwalijk, majesteit, dat ik zo'n oude pessimist ben, maar noch het eerste, noch het negende, noch het

achtste, noch het zevende heeft ingegrepen toen de troepen van Helingerdia onze stad omsingelden. Ze dulden dit zolang de belegering zich niet te
ver in de richting van hun binnenburchten uitbreidt. Ik geloof dat er aan
een krachtige daad nu echt behoefte is. We zitten hier vast en de belegeringsring, die Helingerdia steeds meer heeft uitgebreid en die nu ook nog
eens door troepen is versterkt die er vanuit het veroverde derde baronaat
bij zijn gekomen, kunnen we niet doorbreken. De enige plek waar op dit
moment in Orison dingen in beweging zijn, is bij de partijen die een verbond tegen ons zijn aangegaan. En beweging oefent altijd nog meer aan-
trekkingskracht uit dan nietsdoen. De mensen voelen zich onzeker. Als iedereen zichzelf tegenwoordig zomaar tot koning kan uitroepen, zonder
dat de echte koning de omhooggevallen kroondrager de kroon van het
hoofd slaat, wat stelt de titel "koning" dan eigenlijk nog voor? Waarschijnlijk voelen de mensen in de baronaten die ons nog trouw zijn zich veel
meer tot de doortastendheid en besluitvaardigheid van de omhooggevallen kroondragers aangetrokken dan tot uw oneindige mildheid en tactische geduld.'

'Wat wil je dus voorstellen?'

'Kroon uzelf tot keizer! De rang van koning is in dit land zo langzaamaan aan inflatie onderhevig. Maar er kan maar één keizer zijn!'

'In de hele geschiedenis van Orison is er nog nooit een keizer geweest.
Dat zijn legendes uit andere rijken.'

'Ja, maar er zijn in de geschiedenis ook nog nooit drie koningen geweest, van wie er maar eentje de rechtmatige koning was. U moet een
daad stellen, majesteit! Als Meridienn en Helingerd durven te schitteren,
moet u gewoon helderder stralen dan die twee samen!'

'Ik weet het niet,' zei Gouwl weinig enthousiast. 'Je hebt heel terecht
opgemerkt dat het begrip "koning" aan inflatie onderhevig is geworden.
Maar wat stelt het begrip "keizer" voor als je jezelf zomaar zo kunt beti-
telen?'

'Majesteit!' Tanot Ninrogin pakte de koning bij zijn schouders vast en
dwong deze hem recht in de ogen te kijken. 'De keizerstitel benadrukt dat
u de machtigste van het land bent! Dat is niet uit de lucht gegrepen of
willekeurig besloten. Het is een kwestie van overerving! En opdat de mensen dat niet vergeten, opdat ze duidelijk zien dat er een wezenlijk verschil
is tussen "de koningen" en "de koning", moet u uzelf tot keizer uitroepen!'

Ik denk dat er niets anders op zit.'

Waarom ook eigenlijk niet, dacht Gouwl even later bij zichzelf. Wat kunnen mij die titels en eerbetuigingen van de mensen nou schelen? Ik ben een demon! Het is misschien zelfs wel leuk om tegen alles wat mensen heilig is aan te schoppen of het zelfs volledig onderuit te halen. Waarom zal ik ook niet gewoon... keizer zijn? En later dan misschien zelfs... een god?

De ceremonie was een en al pracht en praal.

De beste siersmid van de hoofdstad had een nieuw soort kroon vervaardigd, de beste pelswerkers een nieuw soort staatsiekleed, en de beste ridders hadden voor de kroon edelstenen uit de knop van hun zwaard afgestaan. Voor het staatsiekleed hadden de laatste sabeldieren het leven gelaten.

In een zegewagen reed keizer Tenmac door de straten van de belegerde stad en het volk juichte hem toe alsof hun beloofde verlosser was verschenen.

Zelfs voor de poorten buiten nam zo nu en dan een oudere soldaat onder de belegeraars zijn muts af als hij over de kantelen een glimp van de keizerlijke glorie opving – maar alleen totdat deze of gene officier het merkte. Dan ging de soldaat met de muts weer zitten, en zijn wang was roodgloeiend van een draai om zijn oren. Verraderlijk gedrag werd niet getolereerd in het rebellenleger van Helingerdia.

'Zozo,' zei de kleine koning Helingerd met een boosaardige glimlach. 'Keizer noemt de knaap zichzelf nu dus! Alsof ik dat niet ook zou kunnen!' Hij sloeg met zijn vuist op het lage tafeltje, zodat er een paar kroezen omvielen. 'Alsof ik dat niet ook zou kunnen, verdomd nog aan toe! Verdomd nog aan toe!'

VIJFDE
OMWENTELING

De plunderaar

Minten redde het niet op eigen kracht de gemsrijders te volgen.

Hoewel ze zo langzaam reden dat het bijna belachelijk was, raakte hij steeds verder achterop. De gemzen met hun vier poten hadden een speciale manier om door de diepe sneeuw te lopen. Minten, met zijn twee benen en een niet bepaald lichte vrouw over zijn schouder, zakte steeds dieper in de sneeuw weg en kwam maar moeilijk vooruit.

Op zeker moment verloor hij de ruiters uit het oog. Minten meende hen als puntjes nog altijd aan de horizon te kunnen zien, maar het waren zijn door de sneeuw verblinde ogen die hem parten speelden.

Toch kon hij de ruiters volgen, want hun sporen waren duidelijk zichtbaar. Zolang alles niet met een verse laag sneeuw zou worden bedekt, had hij nog altijd een kans het kamp van de bergbewoners te bereiken.

Ze hadden hem door zijn lastdier mee te nemen alleen wel van al zijn proviand beroofd. Hij kon sneeuw eten als hij dorst had, maar tegen de honger en als opkikker had hij niets. Ook begon hij steeds meer last van de ijle lucht te krijgen, zoals Jinua al eerder. Wanneer hij had ingeademd, had hij vaak niet het gevoel lucht te hebben binnengekregen. Dan sloeg de paniek toe, die hij alleen door gejaagd gehijg weer kon beteugelen.

Toen hij ten slotte niet meer verder kon, draaide Jinua de rollen gewoon om. 'Ik heb nu lang genoeg kunnen uitrusten,' zei ze buiten adem. 'Kom hier, mijn grote vriend.' Ze nam hem meteen op haar rug. En zo wisselden ze elkaar af, totdat ze na een dag en een nacht, het spoor van de gemzen volgend, daadwerkelijk het kamp bereikten.

Vijftig nomadententen, opgesierd met geweien en veren. Vastgebonden rijgemzen. En betrekkelijk kleine bewoners, gekleed in huiden en dikke stoffen, die de nieuwkomers tegemoet liepen, hen in een van de tenten hielpen en hun te eten en te drinken gaven.

Na een halfuur stapte Hiserio de tent binnen; hij had zijn vrouw, de heerlijke Heserpade, meteen meegebracht.

Minten kon nu niet direct zeggen dat hij Heserpade er zo geweldig vond uitzien. Haar gezicht, met de hoge jukbeenderen en borstelige wenkbrauwen, was eerder onopvallend, maar het straalde wel een enorme trots uit. Ze bewoog zich heel gracieus, maar gaf daarbij absoluut niet het idee indruk te willen maken. Zoals Minten en Jinua in de loop van het gesprek duidelijk werd, heersten Heserpade en Hiserio samen over deze ongeveer duizend leden tellende stam. Van een regeringsvorm waarbij een man en een vrouw samen de scepter zwaaiden, had Minten nog nooit eerder gehoord, maar toen Hiserio hem met een knipoog te kennen gaf dat het eigenlijk in elk gezin zo ging, vond Minten dat heel plausibel overkomen, en hij vroeg zich af waarom niemand anders het zo deed.

'We willen graag naar jullie koning, koning Turer,' zei Jinua, nadat ze complimenten over elkaars moed en doorzettingsvermogen hadden uitgewisseld.

Heserpade liet een brede grijns zien. 'Ik jullie dat afraad.'

'Waarom?'

'Omdat jullie koning net paar maand geleden boodschappers stuurt door ons gebied naar onze koning. Wij de boodschappers erdoor laat. Veel lawaai, groot escorte, niet zo onbelangrijk als jullie, wij niet wil last. Dus ze gaat in nevel. Koning Turer ze ontvangt. Dan ze eet.'

Minten en Jinua wachtten rustig totdat Heserpade verder zou vertellen. Toen ze dat niet deed en alleen maar grijnsde, drong het pas tot Jinua door.

'"Dan ze eet"? Wil je daarmee zeggen: toen heeft de koning hen opgegeten?'

Heserpade knikte grijnzend. 'En met hun haren hij daarna de vleesresten uit zijn tanden pulkt. Koning Turer een wilde man, een grote man. Als jullie wilt naar hem gaat, gaat. Als jullie allemaal in Orison dood zijn wilt, jullie kan komen in lange rijen over bergen. Koning Turer blij is, jullie allemaal eet.'

'Daarom zijn de afgezanten van de koning dus nooit teruggekomen,' fluisterde Jinua Minten toe. Hij werd opeens niet goed, en zette de schaal met het eten eerst maar gauw weg. Hiserio, die het merkte, verzekerde hem: 'Wij niet mensen eet. Dat hazenvlees.' Maar Minten bedankte desalniettemin.

Hij wisselde een blik met Jinua. Omdat Minten zo onduidelijk praatte, moest Jinua het woord voor hem doen. 'Hoeveel gemskrijgers hebben jullie?' vroeg ze.

'Twintig handen. Waarom?'

'Omdat we jullie koning misschien niet eens nodig hebben. Hoe zit het tussen jullie en hem? Zijn jullie heel trouw en verplicht hem te gehoorzamen?'

'Hij ons laat met rust. Wij niet houdt van nevel. Hij niet houdt van hoog ademen. We kunt goed met hem.'

'Goed – wat zouden jullie ervan vinden om een rijke buit in het land Orison binnen te halen en dan zonder te worden lastiggevallen weer naar huis terug te kunnen?'

Het gesprek dat volgde, verliep moeizaam. Heserpade en Hiserio begrepen niet alles wat Jinua zei, en dat Minten haar dan onduidelijk mompelend moest aanvullen, maakte het er ook niet beter op. Maar uiteindelijk begrepen de twee bergbewoners toch dat Jinua hun voorstelde met honderd gemskrijgers het tweede en het vierde baronaat binnen te vallen om daar te plunderen, de boel plat te branden en er in elke denkbare zin ongelooflijk veel plezier en glorie als krijgers uit te slaan. 'Jullie mogen ook gerust met jullie kleurige stokken de mensen te lijf gaan,' besloot Jinua. 'We zijn uit op zo weinig mogelijk bloedvergieten en op zo veel mogelijk verwarring, buit en spektakel.'

'Wij soms maakt buit,' zei Heserpade opeens heel ernstig. 'Met Orisons zoals jullie, die te ver komt. Of Orison-dorpen dicht bij bergen. Maar we gaat nooit verder erin. Wie ons zegt dat jullie niet val zet voor ons voor straf?'

'Je hebt gelijk, Heserpade,' bond Jinua in. 'Misschien liegen we wel. Misschien willen we bijvoorbeeld de dood van de koninklijke afgezanten wel wreken. Maar ik garandeer jullie, Heserpade en Hiserio: zodra jullie zien hoe we meedoen als jullie dorpen en burchten aanvallen, hebben jullie geen twijfels meer.'

'Waarom?' vroeg Hiserio. 'Waarom jullie wilt eigen land aanvallen? Wij dat nooit zou doen.'

'Omdat ons land in oorlog is met zichzelf. Het tweede en het vierde baronaat zijn nu vijanden van de koning.' Dat de koning intussen keizer was geworden hadden Jinua en Minten tijdens hun missie nog niet te horen kunnen krijgen. 'Daarom zullen we het eerste en het derde baronaat ontzien. We gaan doelgericht te werk. Minten en ik zullen jullie de doelen aanwijzen. Maar jullie mogen vechten en plunderen hoe en zo veel jullie maar willen. En als we dan zeggen: "Het is genoeg", moeten jullie zonder te morren naar jullie bergen teruggaan. Dat is dan onze afspraak. Er zitten geen adders onder het gras en het is geen valstrik. Jullie zijn ons van nut, dat geven we ruiterlijk toe. Maar wij zijn jullie evengoed van nut wanneer jullie rijker wilden worden dan ooit.'

'Rijkheid,' zei Heserpade, die het juiste woord – 'rijkdom' –niet kende. 'Wat wij daarmee moet? Wij drijft met niemand handel. Wij leeft op onszelf.'

'Maar,' opperde Hiserio, 'de vele stokkerven die we onze voorouders kan geven. Meer dan onze vaders en moeders! Meer eer! Beter leven voor kinderen!'

'Wij beraad,' zei Heserpade, waarna ze met z'n tweeën de tent uit gingen, en Minten, die doordat zijn oren nog gedeeltelijk in het verband zaten het verkeerd had verstaan, werd daarom door Jinua gerustgesteld dat Heserpade niet 'wij braad' had gezegd.

De stam die zichzelf – vrij vertaald – de Wolkenstrijkers noemde, begon aan een meerdaagse beraadslagingsronde waarbij de twee hoofden, Heserpade en Hiserio, van tent naar tent gingen en met elk van de oudere en wijze stamleden een gesprek hadden. Zoiets als een grote vergadering vond niet plaats, want die zou er volgens algemene opvatting alleen maar toe leiden dat iedereen door elkaar praatte. Als ze argumenten wilden uitwisselen en bespreken, was het beter elkaar onder hoogstens twaalf ogen te ontmoeten.

In de tussentijd kreeg Minten van een jong vrouwelijk stamlid, dat ondanks zijn gruwelijk verbonden gezicht, of misschien juist wel daarom, een oogje op hem had laten vallen, een interessant aanbod. Haar broer was een paar jaar geleden tijdens een gevecht met een pandabeer ook nogal wat tanden kwijtgeraakt. Ter vervanging hadden ze de tanden van de beer in zijn tandvlees genaaid, nadat ze die van tevoren zorgvuldig voor een menselijke mond op maat hadden geslepen. De stam had nog genoeg tanden van de pandabeer over om zo'n ingreep ook aan Minten voor te stellen.

'Het klinkt alsof dat innaaien vreselijk pijn zal gaan doen,' probeerde Minten te zeggen, maar toen zijn 'vreselijk' er weer als 'fweseluk' uit kwam en er duidelijk meer speeksel tussen zijn lippen vandaan spoot dan in het bijzijn van de jonge vrouw gepast was, nam hij het aanbod ogenblikkelijk aan.

Ze gaven hem een groen drankje met alcohol te drinken en een fijngestampte brij van zwarte bessen en scherpgetande bladeren te kauwen, totdat hij in het deel van zijn gezicht onder zijn neus helemaal niets meer voelde – een toestand die hij als zeer prettig ervoer, aangezien hij sinds zijn gevecht met Oloc bijna constant pijn in zijn mond had gehad.

Twee oude vrouwen zorgden voor hem, terwijl twee jonge mannen de berentanden pasklaar vijlden. De vrouwen sneden bloeduitstortingen in zijn tandvlees open en lieten ze leeglopen, haalden etter van zijn tanden, trokken nog meer tanden die loszaten of vroeg of laat zouden beginnen te rotten voorzichtig met touwtjes uit zijn mond, en naaiden uiteindelijk tijdens een uren durende behandeling in totaal vijf berentanden in zijn bovenkaak en vier in zijn onderkaak. Minten verbaasde zich erover hoeveel bloed hij daarbij verloor – het gutste gewoon over zijn onderlip –, maar dankzij de verdoving registreerde hij het alleen maar geamuseerd en vanaf een afstand. Ten slotte wisten de oude vrouwen ook het bloeden te stelpen. De volgende morgen mocht Minten Liago zichzelf voor het eerst sinds zijn afschuwelijke revanchepartij tegen Oloc in de spiegel bekijken.

Hij herkende zichzelf niet meer. Zijn vroegere imposante leeuwenmanen en zijn bakkebaarden hadden ze in de gevangenis al afgeschoren, en Jinua had er tijdens zijn loopbaan als vuistvechter steeds voor gezorgd dat hij een kaal hoofd hield, waardoor hij er – vond ze – serieus bleef uitzien. De zwellingen en misvormingen die Olocs klappen hadden veroorzaakt, waren althans enigszins afgenomen of geheeld. Zijn neus daarentegen, die Oloc twee keer had gebroken, zou altijd plat en breed blijven. Maar nog het meest frappant waren nu zijn tanden. Minten had weer een onberispelijk gebit, maar zijn tanden waren langer dan eerst, waardoor zijn mond smaller en zijn gezicht langwerpiger leek. De man die hem hier in de spiegel aankeek, was een vreemdmondige, ongeschoren, platneuzige kaalkop. Hij was jaren ouder geworden, zo leek het, binnen eigenlijk maar een paar maanden.

Minten zat een tijdje naar zichzelf te staren en probeerde toen een glimlach. Het was de glimlach van een beer. Die beviel hem wel.

Praten was alleen een ander verhaal. Dankzij zijn onberispelijke gebit kon Minten weliswaar weer praten zonder daarbij te spugen, maar sommige woorden rolden nu moeizaam in zijn mond rond, alsof ze tussen zijn tanden bleven plakken. Maar dat was niet zo erg. Waarschijnlijk was het een kwestie van wennen.

Minten was de jonge vrouw dankbaar, dus bedroog hij Jinua twee keer met haar. Toen hij Jinua later zijn nieuwe gezicht liet zien, mompelde hij alleen: 'Ik wil mijn bakkebaarden terug.'

'Doe wat je wilt,' antwoordde Jinua mompelend.

Vreemd genoeg was het besluit van de stam van de Wolkenstrijkers nu ook genomen. Zoals bleek was Mintens gebitsbehandeling een test geweest. Iemand die in staat was de Wolkenstrijkers zo veel vertrouwen te schenken dat hij daadwerkelijk berentanden in zijn mond liet naaien – iets wat geen Wolkenstrijker ooit had gedurfd –, was hun vertrouwen absoluut waard. Bovendien beviel het de stam wel dat Minten en Jinua een man en een vrouw waren, die samen beslissingen namen.

Minten, die eigenlijk woedend op de jonge vrouw had moeten zijn omdat ze over haar broer, wiens bijtgereedschap volkomen normaal was, had gelogen, sliep desalniettemin een derde keer met haar en kwam nog net op tijd aan toen de honderd krijgers op hun grote gemzen op het punt stonden uit te rukken. Heserpade en Hiserio zouden meerijden en de veldtocht aanvoeren, terwijl Jinua en Minten meer als Orison-kundige gidsen dan als bevelhebbers zouden optreden. Aangezien de bergbewoners allemaal een beetje kleiner van stuk waren dan de mensen van het laagland, was zelfs de grootste rijgems te klein voor Jinua en Minten. Dus kreeg Jinua Mintens rijpaard, terwijl Minten zich met de pakezel tevreden moest stellen.

Zo reed het gezelschap door de bergen de dalen in.

Toen er honderd ruiters op grote gemzen voor het eerst als een breed, ongeordend front op een van de meest noordelijke dorpen van het tweede baronaat af stormden, was de verbijstering onder de dorpsbewoners in één woord overweldigend.

'Coldrin!' brulden ze. 'Coldrin komt eraan!'

Binnen een mum van tijd hadden Heserpade, Hiserio, Jinua, Minten en de ruiters het dorp onder controle. Drie inwoners waren onder de voet gereden en een jonge vrouw was in de schacht van een put gesprongen om verkrachting te ontlopen; verdere verliezen waren er niet. Jinua greep de als verblind ronddwalende dorpsschout in zijn kraag. 'Ga naar de baron en vertel hem dat Coldrins voorhoede hier is,' snauwde ze hem toe. De man plengde bittere tranen en vertrok nota bene blootsvoets in zuidelijke richting.

'Echt verbazingwekkend,' stelde Jinua vast, 'hoeveel macht angst geeft.'

De Wolkenstrijkers wilden feestvieren en hun spel met de kleurige stokken spelen. Jinua liet hen de rest van de dag en nacht hun gang gaan, en joeg hen daarna weer voort.

Minten, die ondertussen een fatsoenlijk paard had buitgemaakt, reed toen ze het volgende dorp aanvielen in de voorste rij mee. Ze veroverden het als in een roes. De mensen stoven uiteen als wanneer een jakhals zich op een kudde runderen stortte. Deze keer was er wel enige tegenstand, maar nog steeds raakte geen van de gemsrijders ernstig gewond.

Bij het derde dorp braken er heviger gevechten uit. Veertien gemsrijders sneuvelden en achtentwintig dorpbewoners moesten hun verzet met de dood bekopen. De meesten van hen werden onder de voet gereden, vielen van daken van huizen of kwamen om in een brand, die men niet meer onder controle had kunnen houden. Heserpade en Hiserio uitten voor het eerst hun twijfels. Ze hadden nu al zo veel buit verzameld dat ze er onder het rijden ernstig door werden gehinderd. 'Wij terug,' zei Heserpade. 'Buit brengt terug naar stam! Dan komt weer!'

'Wat een onzin,' bracht Jinua ertegen in. 'Zo'n kans om op te rukken krijgen we nooit weer. Als ze eenmaal de troepen die Orison-Stad belegeren naar het noorden sturen om hun achterland te verdedigen, komen we nooit meer vooruit. Maar nu hebben we nog de unieke kans om tot de buitenburcht door te stoten! Zo veel eer voor jullie voorouders dat al jullie stokken een en al kleur zullen worden!'

Minten verbaasde zich over Jinua. Ze had hem verteld dat ze oorspronkelijk uit dit – het tweede – baronaat kwam en hier als verraadster werd beschouwd, omdat ze zich na de gruwelen van de tiendaagse oorlog bij het huis van Tenmac had aangesloten. Maar waarom haatte ze haar eigen mensen zo erg dat ze beslist een van hun burchten wilde aanvallen?

'Hoe met de buit?' vroeg Hiserio. 'Hij maakt ons langzaam.'

Jinua wuifde het weg. 'Laat hem dan hier. Verstop hem. Op de terugweg halen we hem weer op.'

'Zouden we niet liever nog een paar dorpen in het vierde baronaat aanvallen, in plaats van te lang in het tweede te blijven hangen en onze tijd te verdoen?' opperde Minten.

'Dat kunnen we toch altijd nog doen, nadat we weer naar de bergen terug zijn gegaan,' bracht Jinua hiertegen in. 'Snap je het dan niet, Minten? We zijn zo goed als onoverwinnelijk, omdat we snel zijn en de bergen als bondgenoten hebben! Voor elke andere roversbende zouden de bergen een barrière vormen, maar niet voor ons. We kunnen hier weggaan en een paar dagen later weer onverwacht in het vierde baronaat opduiken.'

'En wanneer hebben we genoeg, Jinua? Wanneer is de opdracht van de barones van het derde baronaat volbracht?'

'Als we zát zijn, Minten. Als we allemaal zát zijn, of als er niemand van ons meer over is.'

De keizerin

Irathindurs aanvallen namen weer in hevigheid toe. Eén keer liet koningin Meridienn in het bijzijn van de samengekomen coördinatoren oncontroleerbaar stuiptrekkend haar water lopen. Zelfs Irathindur, die een demon was en geen welopgevoede dame, vond dit buitengewoon gênant.

Een andere aanval was minder vernederend, omdat niemand er iets van merkte, maar twee volle uren lang dwaalde de koningin in haar slaapvertrek rond en kon ze de uitgang niet vinden. Bijna was ze uit haar hoge raam gevallen, omdat ze dacht dat dat de deur was. Huilend en schokkend over haar hele lijf bereikte ze uiteindelijk toch nog de deur.

Irathindur dacht erover dit zwakke lichaam op te geven, maar hij wist dat die zwakheid iets van hemzelf was, niet van de koningin. Hij zou die zwakheid meenemen, naar elk ander nieuw lichaam.

'Die vervloekte Helingerd den Kaatens ook,' spuwde hij 's nachts in gesprekken met zichzelf zijn gal. 'Die moet zich ook overal mee bemoeien. Gouwl heeft zichzelf nu tot keizer uitgeroepen, omdat Helingerd hem zo in het nauw dreef. En doordat hij nu keizer is en ik alleen maar koningin, trekt Gouwl nu weer meer levenskracht naar zich toe dan ik. Het is om gek van te worden! Gouwl heeft ongetwijfeld geen enkele last van aanvallen. Ik moet keizerin worden! Ik moet nu absoluut ook keizerin worden! Zelfs al wordt het dan alleen nog maar een grotere klucht. Welke keus heb ik nog?'

Met elke dag die verstreek groeide haar haat jegens Helingerd den Kaatens. De laatste berichten uit het noorden luidden dat de Coldrinezen over het Wolkenpijnigerbergte waren getrokken om Orison binnen te vallen. 'Ook dát is Helingerds schuld!' tierde de koningin tijdens een coördinatorenbijeenkomst, die nu natuurlijk niet meer 'baronaatsaudiëntie' werd genoemd, maar eigenlijk wel precies hetzelfde was. 'Als we ons Irathindurië hier in het zuiden groot hadden gemaakt, zou niemand in Coldrin er ook maar iets van hebben gehoord! Maar nee hoor – die krankzinnige baron van het vierde met zijn vijf havensteden, zijn bergstad en zijn kristalmijnen had weer eens niet genoeg en moest zo nodig zelf voor koning spelen! Daardoor heeft hij het evenwicht in het noorden verstoord en Coldrin gewoon een vrijbrief gegeven voor een plunderveldtocht! We moeten hem onschadelijk maken, die kleine, achterlijke gek!'

'Doordat het vijfde baronaat nu van ons is, staan we al aan zijn grenzen, majesteit,' merkte de festiviteitencoördinator slijmerig op. 'Dus dan zouden we hem direct kunnen aanvallen.'

'Dat... Dat zou ik u willen afraden,' zei Eiber Matutin, de legercoördinator, met een stem die meer trilde dan hem lief was. Na wat hij tijdens de veldtocht tegen het vijfde baronaat had gezien en geroken, had hij genoeg van oorlog voeren, eens en voor altijd genoeg. 'Als we... Als we aan een zeer zwaar gevecht in het noordoosten beginnen – en de kristalridders van Helingerd zullen lang niet zo gemakkelijk te overrompelen zijn als de onvoorbereide troepen van het vijfde baronaat, en hun vloot is ook groter dan die van ons – dan, dan... Nu ben ik de draad van mijn verhaal kwijt...'

'Dan zullen de Coldrinezen ons land komen binnenvallen als demonen op een bruiloft,' maakte de wetenschapscoördinator grimmig de zin af. 'We mogen ons land niet dusdanig in een burgeroorlog verwikkelen. Legercoördinator Matutin heeft daar volkomen gelijk in.'

'Maar,' opperde de festiviteitencoördinator met opgeheven wijsvinger, 'we zouden ook de door ons veroverde troepen van het vijfde baronaat op Helingerds troepen af kunnen sturen. Op die manier zouden we geen grote verliezen lijden, en met een beetje geluk doorbreekt dan ook nog eens de keizer de belegering van zijn stad en valt hij Helingerd in de rug aan...'

'De keizer! De keizer! Ik hoor steeds maar: de keizer! Maken jullie me hier een beetje belachelijk?' brulde Irathindur buiten zinnen. 'Ik kan ook keizerin zijn. Zo!' Hij knipte met zijn slanke vrouwenvingers. 'Nu ben ik keizerin! Ik heb daar geen kroon, geen mantel en geen feestelijke optocht voor nodig! Ik ben keizerin omdat ik dat wil, en ieder van jullie die me vanaf nu nog koningin noemt wordt geëxecuteerd – hebben jullie dat begrepen?'

Er viel een pijnlijke stilte en iedereen boog het hoofd.

Irathindur kalmeerde enigszins. 'Ik ben het met de wetenschaps- en legercoördinator grotendeels eens. Ook het opofferen van de troepen van het vroegere vijfde baronaat betekent voor ons een verlies, want uiteindelijk zijn die nu van ons. Bovendien raken we niet alleen in een tweefrontenoorlog, maar kennelijk in een volkomen onacceptabele driefrontenoorlog verzeild, als niet alleen Tenmac van Orison-Stad, maar ook nog eens Turer van Coldrin uit het noorden ons in onze strijd tegen Helingerd in de rug aanvalt. Al dat bloedvergieten is alleen maar een enorme verkwisting van levenskracht, en levenskracht is veel te kostbaar.'

Het begrip 'levenskracht' kenden de mensen niet, maar nu het woord Irathindur eenmaal was ontglipt, wilde hij ook proberen het hun uit te leggen. 'De hele wereld en ook het land Orison worden gevoed door de levenskracht die de zon, lucht, zee en wind ons elke dag leveren. Maar als we elkaar gewoon afslachten, nog erger dan dieren dat ooit zouden doen, verkwisten we dit alles. Dood betekent dat iets geen levenskracht meer heeft. De dood van velen betekent dus grote verliezen voor het land. Het is een heel simpele, logische rekensom. We moeten een eind maken aan die voortdurende wrijvingen, maar we moeten ook de macht van Irathindurië handhaven en vergroten. Dus wát doen we?' De keizerin keek de kring van adviseurs rond en zag niets dan lege, verwarde blikken. 'We gaan dit brutale Coldrinese plunderleger uitschakelen, zolang we daar de tijd nog voor hebben. Helingerd schijnt te onnozel voor deze taak te zijn, en dat Tenmac niets kan ondernemen, daar heeft Helingerd met zijn idiote belegering ook weer voor gezorgd. Volgens de berichten die we hebben ontvangen, gaat het om nauwelijks meer dan vijfhonderd man op rijgemzen. Matutin, jij neemt dus duizend man mee en begeeft je zo snel mogelijk langs de binnenburchten naar het noorden... we zijn tenslotte altijd nog bondgenoot van Helingerd en mogen dan ook over zijn grondgebied reizen. Als hij slim is, geeft hij ons zelfs nog versterking mee. Dan schakelen jullie het plunderleger uit. Meedogenloos! Koning Turer moet zodanig hard op zijn vingers worden getikt dat de lust om Orison aan te vallen hem totaal vergaat.'

'Ik... Ik... Ik...' stamelde Matutin, die nu degene was die zijn water bijna liet lopen. 'Moet ik tegen Coldrin een oorlog beginnen?'

'Onzin! Coldrin heeft Orison aangevallen, niet omgekeerd! We schakelen alleen een roofzuchtige horde barbaren uit. En daarna dwingen we Helingerd toe te geven dat hij niet in staat is zich zonder onze hulp te handhaven. Daarmee dwingen we hem weer in het gelid en blazen we ons bondgenootschap nieuw leven in. Misschien kunnen we hem dan ook zover krijgen om die idiote belegering van Orison-Stad op te heffen, zodat toch alle partijen met de nieuwe orde in Orison volkomen tevreden kunnen zijn. Tenmac houdt de grote stad en bovendien nog het eerste, negende, achtste en zevende baronaat. Hij kan zichzelf dus nog steeds als de machtigste beschouwen. Irathindurië stelt zich dan met het vroegere vijfde en zesde baronaat tevreden. Helingerd mag voor mijn part zijn vierde en het door hem veroverde derde baronaat houden. En het tweede kan óf onafhankelijk blijven, óf zich aansluiten bij wie het zich maar wil aansluiten. En aangezien we dit baronaat van de Coldrinese plunderaars gaan redden, zal het zich waarschijnlijk bij ons aansluiten. Wat valt daar nog tegen in te brengen? We moeten ervoor zorgen dat het land zijn levenskracht behoudt! Vervloekt! Ik word gek van die hoofdpijn! Nog vragen? Nee? Oké, opschieten dan maar, heren, actie!'

'Ehhh... keizerin?' vroeg de festiviteitencoördinator, die was achtergebleven toen de andere coördinatoren zich naar buiten haastten, op kruiperige toon. 'Dat van die keizerin, dat was toch serieus bedoeld, of niet soms?'

'Natuurlijk. Ik ben nu keizerin.'

'Dan zouden we toch beslist een passend feest moeten...'

'Nee. Dat is tenslotte ook alleen maar verkwisting van levenskracht. We moeten levenskracht zien te behóúden, verdomd nog aan toe, niet hem voortdurend het raam uit slingeren.'

'Maar de blijdschap, de bewondering, het geloof van het volk – is dat dan niet óók levenskracht?'

De keizerin wuifde dit weg. 'Dát? Dat is alleen maar geschreeuw. En dan ook nog eens samen met slechte adem. Daar heeft niemand iets aan. Wat werkelijk van belang is, zullen jullie mensen nooit begrijpen.'

'Wij mensen, keizerin?'

'Jullie eenvoudige mensen. En nu wegwezen jij, voordat ik je bij Matutins leger laat inlijven, aangezien je hier verder toch niets zinnigs te doen hebt!'

De festiviteitencoördinator ging er met wapperende mantel vandoor.

Het nieuws dat de koningin nu keizerin was verbreidde zich in geheel Irathindurië, en nog verder.

Maar de mooie keizerin had in haar eentje met een aanval te kampen die alle voorgaande volledig in de schaduw stelde.

De keizer

'En, is het waar dat zowel Meridienn als Helingerd nu opeens de keizerstitel heeft aangenomen?' vroeg keizer Tenmac zijn adviseur Tanot Ninrogin. De keizer was die dag bijzonder moe en zwakjes. Gouwl miste zijn
bezoeken aan het Treurwoud om zijn levenskrachtreserves weer aan te
vullen. Door de belegering zat hij hier gevangen en raakte hij net als zijn
mensen langzaamaan uitgehongerd.

Ninrogin durfde amper te knikken, maar deed het toch.

'Wat een dom gedoe toch!' kreunde Tenmac. 'Wat denken ze daar nu
mee te bereiken? Het volk raakt van zo'n schijnvertoning heus niet onder
de indruk. Wie kwam het eerst op het idee mij na te apen? Meridienn of
Helingerd?'

'Ik weet het niet, majesteit. Het nieuws dat ons via half door vuurpijlen
verbrande postduiven bereikt, is maar schaars en vaag.'

'En hoe zit het met dat Coldrinese leger, waarover de postduif uit het
tweede baronaat ons nieuws bracht?'

'We weten verder van niets. Misschien is onze trouwe duivenhouder
daar wel het slachtoffer van de Coldrinezen geworden of is hij gevlucht.'

'Verdomd!' En hij dacht: ik had zo'n mooi rustig leven kunnen hebben
als koning. En nu stort alles in elkaar omdat Irathindur en die idioot van
een Helingerd zo nodig moeten touwtrekken om de macht. 'Verdomd,
ik...' Gouwl had er nog steeds moeite mee het woord 'ik' te gebruiken als
het om dingen ging die Tenmac in zijn eentje had geregeld. 'Ik had toch
allang afgezanten naar Coldrin gestuurd om ervoor te zorgen dat vrede,
vrij verkeer en handel mogelijk zouden blijven? Hoe heeft dit nu zo kunnen mislopen?'

'Misschien heeft een van de afgezanten zich niet zo goed gedragen.'

'Misschien. Ik had zelf moeten gaan.'

'Dat wilde u toch ook. Maar ik was ertegen. Waarschijnlijk is het mijn schuld wat er nu gebeurt.'

'Nee, Tanot. Het is jouw schuld niet. Allesbehalve.'

Die nacht lag de keizer zwetend in bed te woelen. Gouwl werd door onrustige dromen gekweld. Door demonendromen.

Hij zag zichzelf weer in de draaikolk, ten eeuwigen dage gegeseld door de wervelingen van de tijd. En aan de rand van de afgrond stonden Irathindur, barones Meridienn den Dauren, baron Helingerd den Kaatens en een haarloos insect, Faur Benesand genaamd, die allemaal spotlachend op hem neerkeken voordat ze zich van hun kleren ontdeden en uit het zicht verdwenen.

Tenmac werd badend in het zweet en met barstende hoofdpijn wakker. Maar toen begon hij opeens te grijnzen. Wat ben ik toch een sufferd geweest, dacht hij bij zichzelf. Dat de keizer belegerd wordt, houdt bij lange na niet in dat ík niet kan reizen! Waarom heb ik het ene zozeer aan het andere gekoppeld? Betekent dat dat ik een slechte demon ben of juist een bijzonder goede?

Het kostte hem energie en moeite zich op zijn geestesvorm te concentreren, maar uiteindelijk lukte het hem het lichaam van de keizer als een mantel van zich af te schudden. Ook vloog hij een beetje onzeker en had hij wat last van de wind, maar binnen een uur was hij in het Treurwoud aangekomen. Daar zoog hij zich vol als een teek. Maar voordat hij volledig in een roes zou zijn en misschien zou vergeten terug te gaan, vloog hij in een tienvoudig tempo vanuit het Treurwoud in noordelijke richting en via de Merenvallei naar het noordoosten door, totdat het hem gelukt was vanaf grote hoogte een glimp van het Coldrinese plunderleger op te vangen. Daarna keerde hij naar de hoofdstad, en in het lichaam van de keizer terug.

Meteen al bij het aanbreken van de dag riep hij zijn adviseur Tanot Ninrogin bij zich.

'Tanot, we moeten iets doen. Blijkbaar zijn Helingerd en Meridienn niet in staat te begrijpen dat als ze de Coldrinezen niet tegenhouden en afstraffen heel Orison straks door een nog veel groter leger uit het noorden onder de voet zal worden gelopen. Ik heb vannacht belangrijke informatie gekregen en weet nu dat het huidige plunderleger uit nog niet eens honderd man bestaat!'

'Wat? Maar... hoe... waarvandaan...'

'Dat doet er niet toe, Tanot. Ik heb het uit betrouwbare bron. Ik kon het bij wijze van spreken met eigen ogen zien: een kleine honderd brutale figuren in een overwinningsroes. En niemand legt hun een strobreed in de weg. Iedereen is bang voor een veel groter leger.'

'Ook in het bericht van de postduif werd over minstens vijfhonderd, of zelfs wel duizend man gesproken...'

'Opgeklopte verhalen! Allemaal grootspraak, zodat ze zelf minder laf overkomen.'

'Maar wat kunnen we dan doen? We worden belegerd, majesteit!'

'We zullen iemand sturen die met een kleine troep soldaten de belegeringsring doorbreekt. Als hij niemand aanvalt, maar gewoon alleen maar doorbreekt, alsof het om een ontsnapping gaat en niet om een uitval, zou het kunnen lukken. En ik weet ook wie we moeten sturen.'

'Die gek uit het zesde baronaat.'

'Precies. Faur Benesand. Is hij er al weer bovenop?'

'Hij bestookt de officieren bijna dagelijks met verzoeken om een of andere levensgevaarlijke opdracht.'

'Nou, zie je wel? Perfect! Hij zal zijn levensgevaarlijke opdracht krijgen. De vraag is alleen: hoeveel mannen geven we hem mee? Hoe meer het er zijn, des te groter is zijn kans de Coldrinezen te bedwingen. Maar hoe minder het er zijn, des te gemakkelijker het is om de belegeringsring te doorbreken, en des te minder mannen we aan zijn waarschijnlijk volkomen onverantwoordelijke militaire bevelen overleveren.'

'Maar u hebt hem zelf gedecoreerd, majesteit!'

'Wat had ik dan moeten doen? Hem bestraffen voor zijn moed, die we toch moeilijk van de hand kunnen wijzen, maar die helaas kennelijk niets anders is dan levensmoeheid?'

Tanot Ninrogin dacht diep na. 'Dertig man,' zei hij ten slotte.

De keizer glimlachte. 'Die orde van grootte had ik ook in gedachten. Ik wilde zelfs maar twintig man nemen. Dan delen we het verschil: vijfentwintig man. Goede ruiters op goede paarden.'

'Zelfs als hij succes heeft, zal het hem waarschijnlijk niet meer lukken om weer tot de stad door te stoten.'

'Ik zal hem niet missen –jij? Nou dan. Laat hem maar halen. Ik zal hem volmacht geven om achter de vijandelijke linies naar eigen inzicht in onze geest op te treden. Misschien kan hij de belegeringsring wel van achteren verzwakken, als hij eerst maar het noorden heeft bevrijd.'

'En u weet zeker dat we niet toch liever een meer ervaren en betrouwbare man sturen?'

'Ja. Alle ervaren en betrouwbare mannen heb ik om me heen nodig. Wie weet wat het lot nog voor fraais voor ons in petto heeft.'

Op klaarlichte dag – dus toen men dit het minst verwachtte – doorbrak Faur Benesand, voormalig heffingscoördinator van het voormalige zesde baronaat en nu buitengewoon keizerlijk officier voor speciale aangelegenheden, met zijn vijfentwintig geharde krijgsmannen op een betrekkelijk zwakke plek in het zuidoosten, op Irathindurisch grondgebied dus, de belegeringsring rond Orison-Stad. Van daaruit moest hij om bijna de halve stad heen rijden om in het noordwesten te komen; brullend en lachend draafde hij dwars tussen een stuk of wat losse groepjes van het Helingerdiaanse kristalleger door. Zes van zijn slechts vijfentwintig mannen kwamen alleen al door die krankzinnige manoeuvre om het leven, maar met de andere negentien galoppeerde hij vervolgens in een razend tempo naar het noorden, het tweede baronaat binnen, uit het zicht van keizer Tenmac en zijn adviseur Tanot Ninrogin, die hen samen hoofdschuddend vanaf de hoogste toren van de stad hadden nagekeken.

ZESDE
OMWENTELING

De vluchteling

Bij de buitenburcht van het tweede baronaat begon Minten Liago's leven in een nachtmerrie van rook en bloed te veranderen.

Tot nu toe was alles ongewoon vlot verlopen. Er lagen nog twee andere dorpen op hun weg, en beide werden min of meer zonder slag of stoot veroverd. De huizen hier leverden nauwelijks meer een belemmering op dan tenten zouden hebben gedaan. Alleen een paar blaffende honden bezorgden de plunderaars en hun gemzen echt problemen. Heserpade, Hiserio en hun ruiters haalden weer een rijke buit binnen en moesten die begraven, omdat ze zo veel helemaal niet met zich mee konden slepen. Plunderaars die hun roofgoed nooit bij zich hielden, begingen echter een fundamentele fout. Minten voelde dat algauw, maar werd niet gehoord omdat de anderen in een overwinningsroes verkeerden.

Jinua vond hij nog wel het vreemdst. Ze trok als een wilde door haar oude geboorteland, lachend, meedogenloos, jubelend, buiten zichzelf van blijdschap over de vernielingen die ze hadden aangericht. Hoeveel haatgevoelens kon een mens hebben? Hoeveel haatgevoelens over zijn eigen jeugd en verleden?

En dan de buitenburcht.

Een burcht aanvallen met ruiters grensde toch aan waanzin? Wat konden snelle en behendige grote gemzen nu uitrichten tegen hoge muren en een slotgracht? Gladde muren konden zelfs deze bergdieren niet beklimmen. Wat konden rond de tachtig moedige krijgers nu doen tegen een paar honderd figuren die op veilige hoogte dekking hadden gezocht en kokende olie naar beneden gooiden, en steenslingers en katapulten gebruikten? Meteen al bij de eerste stormaanval op de muren stierven er meer dan dertig Coldrinezen en twintig gemzen. En bij de tweede aanval nog eens tien mensen en tien rijdieren, maar het lukte Heserpade toen in elk geval wel de ophaalbrug van de burcht in werking te stellen, zodat de gracht geen hindernis meer vormde en ze de poort direct konden bestormen. Jinua had het idee de poort in brand te steken. De vlammen verteerden het hout, zodat de ruiters uiteindelijk tot de zwaar bevochten binnenplaats konden doordringen, maar ze sloegen ook algauw naar de rest van de burcht over. Te midden van dansende rookpluimen bewoog Jinua Ruun zich aan het hoofd van veertig schreeuwende Coldrinezen langzaam door de burcht voort, waar wanhopige ridders nog steeds hevige tegenstand boden. Gemzen reden met hoefgetrappel over gedekte tafels. Ze glibberden door eetzalen – door de spiegels hier leek het alsof ze met veel meer waren. Tafelkleden scheurden stuk, vazen braken. Vrouwen die niet op de vlucht sloegen, pakten wapens die eerst als versiering aan de muren hadden gehangen, en stortten zich op de vijand.

De burcht was net een labyrint, waarin de veertig plunderaars allemaal hun eigen kant op gingen, totdat elk van hen alleen was.

'We moeten hier weg,' stelde Minten vast toen hij zag dat de tegenstand in de burcht nog uit veel meer dan veertig man bestond. 'We moeten hier weg.'

Terwijl hij zichzelf naar Jinua toe vocht, stak hij twee leden van het burchtpersoneel neer. Er waren nu nergens meer vlammen te zien, maar vette, olieachtige rookwolken benamen hun het zicht en de adem, alsof de hele burcht kletsnat was geweest en het vuur alleen maar een beetje kon smeulen. Soms leek het alsof de rook stilstond en de burcht bewoog.

Minten kreeg Jinua bij haar arm te pakken. 'We moeten hier weg!' riep hij haar toe. Ze stonden samen op een smalle buitentrap zonder leuningen, die naar boven leidde en waar bruine walm omheen waaide. Ze verstond hem niet. Hij moest het een vierde keer zeggen. 'We moeten hier weg! Ze houden ons gewoon aan het lijntje en hebben vast allang versterking ingeroepen!'

'Versterking? Wie dan?'

'Nou, zoek maar uit. Het tweede baronaat. Het vierde baronaat. Misschien heeft ook het derde baronaat allang de wapens neergelegd.'

'Je bent een lafaard, Minten Liago! Als je niet eens een burcht kunt innemen, hoe wil je dan ooit meester over je eigen leven zijn?'

'Ik begrijp niet wat het een met het ander te maken heeft. Mijn leven is geen burcht, eerder een kerker. We zijn hier in opdracht van de barones van het derde baronaat. Waarom zijn we daar dan niet?'

Jinua bekeek hem minachtend. De bruine walm omhulde haar sterke lichaam mooier dan welke jurk ook. 'Dit hier is het meest geweldige moment van mijn leven, Minten. In deze belachelijke, protserige burcht is mijn oom arsenaalmeester van de koning en het baronaat geweest. Hier heb ik de mooiste en vreselijkste tijden van mijn jeugd doorgebracht. Kijk eens hoe alles nu brandt. En wat hier zo walmt, is het vochtige stro in de kerkers die men allang niet meer gebruikt. Niemand komt daar meer beneden; daarom kunnen volwassen mannen daar ook met hun kleine nichtjes heen verdwijnen als ze echt niet gestoord willen worden.' Haar blik verloor zich even in de rook en waarde net zo rond. 'Het staat je vrij om te gaan wanneer je maar wilt, Minten. Pak je eigen paard, of een ander, en verdwijn.'

'Ik ben je lijfwacht. Ik ga niet zonder jou.'

'Mijn lijfwacht?' Nu barstte ze daadwerkelijk in lachen uit. 'Dat ben je toch allang niet meer? Je bent nu alleen nog een gewone bandiet, net als ik.'

Minten vroeg zich af of hij sterk genoeg was om haar te overmeesteren en haar tegen haar wil mee hiervandaan te sleuren, maar hij betwijfelde het.

Ze gingen ieder een kant op. Jinua liep verder naar boven, Minten dook naar beneden, de dikkere rookwalmen in. Een ridder kwam naar hem toe, als een roetig monster. Minten weerde zijn aanvallen af totdat hij hulp van opzij kreeg. Heserpade trok een dolk uit de ridder, die op de grond viel, en glimlachte bijna verlegen naar Minten. 'Mijn stok allang vol. Wij niet meer blijft.'

'Goed,' zei Minten. 'Heel goed. Laten we allemaal maken dat we hier wegkomen.'

'Niet zo makkelijk. Hiserio heeft van boven' – ze wees naar een van de omlopen van de burcht – 'ruiters ziet van het zuiden. Komt snel dichterbij. Tweehonderd handen.'

'Ik begrijp nog steeds niet hoe jullie tellen. Hebben de ruiters nu tweehonderd handen – dan zijn het er dus honderd – of is het tweehonderd keer vijf man?'

'Tweehonderd keer de hand.' Snel vouwde ze haar rechterhand met wijd gespreide vingers open en kneep hem toen weer dicht.

'Mijn god. We moeten zo snel mogelijk vluchten. Via een uitgang die voor de ruiters niet te zien is. Die poort daar achter; daar is vast wel een kleine ophaalbrug of op z'n minst een loopplank die je met de hand kunt uitleggen. Bereid alles voor, Heserpade. Ik zoek Hiserio en de anderen.'

Ze knikte, greep twee andere Wolkenstrijkers in de kraag en ging aan de slag met de vanbinnen gebarricadeerde poort.

Minten had nogal wat tijd nodig voordat hij in een van de verwoeste zalen Hiserio vond, die net lachend een paar stukken van een ridderharnas uitprobeerde dat daar voor de sier had gestaan. Het strijdrumoer was nu alleen nog maar hier en daar te horen. Hadden ze werkelijk de hele burcht ingenomen en alle vijanden uitgeschakeld, of hielden die zich gewoon ergens verborgen? 'Je hebt de ruiters gezien, Hiserio! Laten we maken dat we wegkomen, anders leggen we straks allemaal het loodje!'

'Ik niet gaat.'

'We móéten gaan!'

Hiserio schudde lachend zijn hoofd. 'Ik blijft bij "Eén Hand". Zij ook heerlijke vrouw. Zij blijft, ik blijft.'

'Maar Heserpade gaat met mij mee!'

'Zo het moet. Ik neemt jouw heerlijke vrouw, en jij krijgt weer die van mij. De bergen houdt van rechtvaardig zijn.'

'Hiserio, luister toch naar me! Er komen daar buiten duizend ruiters op ons af. Waarschijnlijk kristalgepantserde, speciale troepen uit het vierde baronaat, die er niet eens voor teruggeschrokken zijn het hele derde baronaat te onderwerpen. En als Heserpade en nog een paar van jullie nu met me meegaan, zijn jullie nog maar met z'n tienen of twintigen tegen duizend man. Jullie stokken zijn immers allang vol! Jullie moeten ze eerst in de bergen leegmaken, zodat jullie ze daarna weer kunnen volmaken.'

'Maar wij hebt burcht. Jij niet ziet? Zij hier hebt dingen, die schiet veel pijlen in één keer. Zij hier hebt muren en gracht en olie. Wij hier hebt veel eer en lang!'

'Maar de poort is vernield, de ophaalbrug neergelaten. Iedereen kan hier naar binnen!'

'Niet meer! Brug zeer verbrand! Mij gelooft, "Berentand": wij hier hebt veel eer en lang!'

Minten keek hoofdschuddend naar een plafondschildering. De grote magiër Orison, rijzig en corpulent, met golvende haren en een volle baard, een markant bultig voorhoofd en een even markante bolle wangpartij, die zijn hele gezicht iets boonvormigs gaf, verbande de magere, lelijke en minderwaardige demonen met hun leerachtige huid voor eeuwig naar de glinsterende afgrond. 'Moge God, of in wie jullie in jullie bergen ook maar geloven, jullie bijstaan, Hiserio,' mompelde Minten.

'Wij gelooft in wolken, die speelt met zon en tekent met schaduwen op sneeuw.' Hiserio glimlachte, even verlegen als Heserpade had gedaan. Dat was het laatste wat Minten ooit van hem zag.

Het waren inderdaad maar zes ruiters die samen met Heserpade en Minten via de achterste poort wilden vluchten. Vandaar dat er toch nog meer dan dertig Coldrinezen overbleven om de burcht te bemannen. Misschien, moest Minten bekennen, zat Hiserio er helemaal niet zo ver naast. Waarschijnlijk zouden de dertig dappere bergbewoners de burcht nog urenlang kunnen verdedigen, en er zo voor zorgen dat Heserpade en hij tijd genoeg hadden om te ontkomen.

Maar wat had het allemaal voor zin, dacht Minten telkens maar weer. Waarom iets buitmaken als je het toch niet kon houden, waarom kleurige stokken als eerbetoon aan je voorouders vol kerven, als je die stokken toch nooit mee naar huis kon nemen? Waarom waren deze honderd ruiters hun dood tegemoet gereden en hadden ze hun dorp onbeheerd achtergelaten?

Omdat Jinua en ik hen uit hun bergen hadden weggehaald en hadden meegenomen, dacht hij ten slotte.

De achterste poort was nu open. Zeven gemsrijders en Minten met zijn paard reden met hoefgetrappel via de smalle brug over de gracht naar buiten. Een Coldrinees die in de burcht bleef haalde daarna de brug weer op en vergrendelde de poort. De vluchtelingen, met Heserpade voorop, zorgden ervoor dat de burcht steeds tussen hen en de aanstormende duizend ridders lag. Alleen zo konden ze erop hopen ongezien te ontkomen.

Pas toen de burcht niet meer dan een vage hersenschim was, merkte Minten de stokken op. Alle zadeltassen van de grote gemzen waren tot barstens toe met kleurige stokken volgepropt. Ze hadden ze allemaal bij zich, de stokken van hun gesneuvelde kameraden, maar ook die van degenen die in de burcht waren achtergebleven. Vol met eer. Het was dus toch – althans naar de maatstaven van de Wolkenstrijkers – niet allemaal voor niets geweest. Op voorwaarde natuurlijk dat ze erin slaagden de bergen van hun geboorteland te bereiken, en juist dat bleek onverwacht moeilijk te zijn.

Eiber Matutin, legercoördinator van Irathindurië, had ruim de tijd genomen om naar het noorden op te rukken. Er was naar zijn idee geen enkele reden om zich te overhaasten. Het ergste wat hem kon overkomen was dat hij de naar het zuiden doorstotende Coldrinezen over het hoofd zag en hen met zijn leger voorbijreed. Dan zouden de Coldrinezen achter zijn rug huishouden, en zou de woedende keizerin hem later, gezien zijn overduidelijke incompetentie, een kopje kleiner maken. Al het andere wat er kon gebeuren – bijvoorbeeld dat de Coldrinezen hun stormloop beëindigden en omkeerden naar het noorden voordat Matutin hen kon bereiken, of dat ze door plaatselijke troepen in de pan werden gehakt voordat Matutin hen kon bereiken –, was niet zo vreselijk erg of kwam misschien zelfs wel goed uit. Matutin zat niet te wachten op een vijandelijk contact met vijfhonderd door nevelen omhulde, plunderende Coldrinese krijgers. Hij zou bij zoiets gemakkelijk de helft van zijn soldaten kunnen verliezen, of misschien zelfs nog meer. Hoe langer hij de plunderaars de tijd gaf om met hun roofzuchtige waanzin te stoppen en bij te draaien, des te slimmer.

Daarom besloot hij met zijn leger over een zo breed mogelijk front op te rukken, om het tweede baronaat van het zuiden naar het noorden zo grondig mogelijk uit te kammen. Alle mensen uit de dorpen op hun weg, uit de binnenburcht en uit de hoofdburcht, alle bewoners uit het noorden die voor de plunderaars waren gevlucht, evenals iedere mogelijke ooggetuige van het gebeuren, werden uitgebreid ondervraagd. Het beeld dat op basis van al die beschrijvingen ontstond, was globaal en vaag. Het aantal Coldrinezen varieerde van 'nu al minder dan honderd' tot 'minstens duizend'. Ze waren gewapend met 'alleen houten knuppels' tot aan 'vuurspuwende zwaarden en vleesetende rijduivels' toe. Ze werden aangevoerd door 'onooglijke dwergen', 'een demon met een metalen hand', 'een sprekende reuzengems' of zelfs 'kaalhoofdige Orisoniërs die met de nevelmensen onder één hoedje spelen'.

In de angstige dromen die Eiber Matutins 's nachts in het legerkamp had, voegde dit alles zich samen tot duizend op draken rijdende demonen met metalen klauwen en vuurspuwende zwaarden. 's Morgens werd hij bevend wakker en reed, terwijl hij zich beroerd voelde, last van maagzuur had en zich telkens weer even moest verwijderen, te midden van zijn mannen en vrouwen zwijgzaam naar het noorden.

Op de achtste dag van deze veldtocht, toen ze zich al op een halve dag rijden ten noorden van de hoofdburcht bevonden, kwam hun een vazal te paard tegemoet, die meldde dat het Coldrinese plunderleger op dat moment de buitenburcht bestormde en dat hij nog net op tijd had kunnen ontsnappen om bij de hoofdburcht hulptroepen te gaan halen. Coördinator Matutin trok er een vol uur voor uit om zijn flanken, die ver uiteenlagen, weer dicht te trekken, waarna hij het bevel gaf om aan te vallen. Toen de buitenburcht uiteindelijk in zicht kwam, had het lange galopperen voor de aanval de paarden al uitgeput en droop het schuim ze uit de mond.

Matutin zette de aanval door.

'We komen straks op dode paarden aan!' schreeuwde een van zijn officieren.

'Volhouden, mannen! Volhouden, vrouwen! Volhouden, hengsten en merries! We zijn er bijna!' riep Matutin terug, zo hard dat hij er zelf haast van schrok.

Zo stoven ze op de burcht af, even doelloos als de plunderaars bij hun eerste stormaanvallen. Jinua en Hiserio hadden inmiddels alle tegenstand binnen de muren van de burcht gebroken en geleerd met het mechanische geschut om te gaan. Ongeveer tweehonderd van Matutins soldaten kwamen in een regen van pijlen en stenen om het leven, vijftig vielen op wankelende, afgematte paarden in de gracht en dertig andere stortten, toen ze tot de binnenplaats van de burcht probeerden door te dringen, samen met de door het vuur verteerde ophaalbrug naar beneden.

Matutin zelf had geen enkele last van wat er in het begin allemaal misging. Hij was geen bevelhebber die overal en altijd zo nodig vooraan moest staan om als eerste in gevaar te komen. Hij bleef liever achter de linies en liet daar met beleid een legerkamp opbouwen. Daar werd dan eerst maar eens rustig gegeten, in dezelfde tijd dat Jinua en Hiserio kokendhete olie naar beneden goten, waardoor er nog eens zo'n vijftig soldaten, die met behulp van touwen aan een werphaak bij de muren opklommen, levend verbrandden.

'Blijkbaar hebben de Coldrinezen de burcht al ingenomen en verdedigen ze hem nu alsof hij van hen is,' kwam een van de officieren zijn tafelende coördinator melden. 'Ik denk dat we ons maar op een redelijk lange en moeilijke belegering moeten voorbereiden. En door hun voordeelpositie is de omvang van de vijandelijke troepen ook onmogelijk in te schatten.'

'Ach,' zei Matutin smakkend, 'laten we het maar van de positieve kant bekijken: we hebben de Coldrinezen betrapt, op heterdaad nog wel, en ze kunnen nu niet meer ontkomen. Ze kunnen ook geen schade meer in het bevriende tweede baronaat of ergens anders aanrichten. Onze missie is een doorslaand succes. We moeten deze geslaagde actie nu alleen nog tot een goed einde zien te brengen, en als de tijd en de slinkende voorraden van de belegerden ons daarbij helpen, des te beter.'

'Zal ik de aanval dan maar afblazen en tot simpel belegeren overgaan?'

'Nou ja, een beetje druk mogen we wel uitoefenen. Ze moeten daar in die burcht niet het gevoel hebben dat ze op vakantie zijn. Maar laat die muren voorlopig maar even, dat kost ons te veel mensen. Pluk liever de een na de ander met afstandswapens van de kantelen. *Ploep, ploep, ploep, ploep, ploep.* Als haren uit een hoofd. Zij kunnen hun troepen tenslotte niet verder uitbreiden. Wij wel.'

'Zal ik versterking laten halen? Bij de hoofdburcht van het tweede baronaat? Bij het vierde baronaat? Of uit Irathindurië?'

'Rustig, rustig maar, beste man. We hebben alles onder controle. Als we na een week nog steeds niets verder zijn, dan vragen we de heren van de hoofdburcht hier zich zelf ook met hun baronaatszaken bezig te gaan houden. En als tegenprestatie verlangen we dan van de baron dat hij zich volledig bij Irathindurië aansluit, in plaats van nog langer de weifelende treuzelaar uit te hangen. Hij moet eindelijk eens kiezen, en wel voor ons. De keizerin zal ontzettend blij zijn als we haar niet alleen de hoofden van de Coldrinese rovers brengen, maar ook nog het bericht dat het tweede baronaat zich bij ons aansluit. Tot dan laten we de muren gewoon voor wat ze zijn en pikken we alleen dat mee wat zich dom genoeg boven de muren uit waagt. En nu wegwezen – ik moet nodig mijn eten laten zakken en daar wil ik niemand bij hebben!'

Faur Benesand, nu buitengewoon keizerlijk officier voor speciale aangelegenheden, vatte een totaal ander plan op voor zijn negentien geharde krijgsmannen te paard. In plaats van de Coldrinezen op hun plundertocht de hele tijd als een hond te volgen – of, zoals Matutin, het hele land uit te kammen om hen te vinden; iets wat met zijn twintigen volkomen onhaalbaar was –, besloot hij de plunderaars simpelweg de terugweg af te snijden. Ze waren gekomen uit het noorden, uit het Wolkenpijnigergebergte, en zouden daar ook weer naar terugkeren. En als Benesand en zijn mannen het voor elkaar kregen het gebergte eerder te bereiken dan de Coldrinezen, konden ze als achtervolgers, terwijl ze qua aantal in de minderheid waren, zelfs gebruik maken van het strategische voordeel dat ze zich op hoger terrein bevonden.

Dus dreef Benesand zijn mannen meedogenloos in noordwestelijke richting voort. Toen hun paarden in het derde baronaat volledig afgemat waren, eigenden ze zich gewoon nieuwe toe door een bliksemoverval op een ruitereenheid uit het vierde baronaat uit te voeren, die hier kennelijk als halfslachtige bezettingsmacht was gestationeerd. Bij die overval verloor Benesand nog eens twee man, maar aangezien ze nog altijd met z'n achttienen onderweg waren, vond hij dat ze tegen 'een luttele honderd brutale figuren' een echte kans maakten.

Om succes te hebben is het vaak een voordeel als je niet twijfelt. Benesands mannen vorderden verbazingwekkend snel; ze gingen elk contact met vijandelijke troepen van het vierde, derde of tweede baronaat uit de weg en kwamen daadwerkelijk – weer op doodvermoeide paarden – een paar uur voor Minten, Heserpade en de andere zes vluchtende Coldrinezen bij het Wolkenpijnigergebergte aan. Benesand en zijn geharde krijgers hadden zich nog maar net achter een groep steile rotsen verschanst toen hun uitkijk al gemsruiters meldde. 'Waarschijnlijk alleen een voorhoede – zeven gemzen en een paard, maar toch.'

'Weet je zeker dat het niet de achterhoede is?' vroeg Benesand met een koortsachtige blik in zijn ogen.

'Ja.' De uitkijk en spoorzoeker had al gezien dat deze bergpas al dagen niet door een grote groep mensen was gebruikt, en dat ze hier dus óf op tijd, óf bij de verkeerde pas waren.

'Goed,' zei Benesand lachend. 'Dan schakelen we hen uit. Het is belangrijk dat er niemand ontkomt en de kans krijgt het hoofdleger te waarschuwen.' Hij sprong in het zadel en reed de Coldrinezen tegemoet. Zijn mannen wreven hun ogen uit. 'En hoe zit het nu met ons strategische voordeel?' waagde een van hen te vragen, waarna een ander kreunde: 'Zou het niet slimmer zijn geweest hen langs te laten rijden en dan in de rug aan te vallen?' – maar Benesand hoorde hen niet eens meer. Hun commandant was kennelijk gek, maar hij was tenminste wel dapper en bekwaam.

Minten zag eerst één, en toen nog zeventien andere ruiters van voren op hen af komen stormen. 'Verdorie, dat zijn er te veel. Wat doen we nu?'

'Hun paarden,' antwoordde Heserpade, en ze wees naar de aanvallers. 'Moe. Wij kan sneller.'

'Dan gaan we het gevecht niet aan. Kom mee!' Minten zwenkte naar rechts af, naar het oosten. De voorste aanvaller stootte een dierlijke kreet van woede uit toen de gemsrijders doodgewoon afbogen en wegreden. 'We gaan naar het derde baronaat!' riep Minten zijn bondgenoten toe. 'Daar hadden we van het begin af aan naartoe gemoeten. Misschien kunnen we daar zelfs hulp vinden, ook al is de barones afgezet – er zijn altijd nog wel mensen die haar trouw zijn. Maar een veilige weg de bergen in vinden we daar in ieder geval.'

De achtervolging duurde even lang als twee rondes van een vuistgevecht. Toen gebeurde er iets bizars. Hoewel de achtervolgers extra werden gehinderd door het stof dat de gemshoeven deden opwaaien, haalde een van hen langzaam maar zeker de achterstand in. Het was hun aanvoerder. Een grijns van waanzin vervormde zijn gezicht. Of het was een grijns van inspanning.

Faur Benesand slaagde erin tot bij de achterste Coldrinezen te komen. Hij ging in een helse galop op het zadel van zijn paard staan en sprong op de rug van de laatste grote gems. Het dier zakte even door zijn knieën, maar herstelde zich toen. Tegelijkertijd sneed Benesand de ruiter de keel af en schoof hem zijwaarts uit het zadel. Op de gems kon hij de andere gemzen nu nog sneller achtervolgen. Zijn mannen op hun schuimbekkende knollen raakten langzaam achterop, maar hij gebaarde hun hem te volgen.

De Coldrinezen konden niets tegen Benesand beginnen. Hun kleurige stokken waren al vol en opgeborgen, en verder hadden de Wolkenstrijkers alleen maar dolken, waarmee ze vergeleken bij Benesands grote zwaard maar weinig konden uitrichten. Benesand haalde vervolgens nog eens vier gemsrijders in, en doodde hen. Deze gemzen, die nu geen berijder meer hadden, zouden vier van zijn mannen weer kunnen gebruiken om ook hun achterstand in te halen. Minten merkte dat hij zijn greep op alles verloor. Nog maar net had hij erover gedacht gewoon in het wilde weg de bergen in te rijden, omdat zijn mederuiters in elk geval gemzen hadden en het paard van hun achtervolger beslist niet kon klimmen. Maar ook daarvoor was het nu te laat, want de gemzen wisselden aan één stuk door van eigenaar.

Hij moest vechten. Hij had geen keus.

'Rij maar door!' zei hij tegen Heserpade, die nu nog maar één Coldrinese mederuiter had. 'Zorg dat jullie thuiskomen, beloof het me! Mijn thuis ligt toch hier in Orison. Ik geef jullie wel rugdekking.' Hij had enorm veel zin om Heserpade een kus te geven, maar dat was natuurlijk volkomen belachelijk. Zonder een antwoord af te wachten haalde hij de teugels van zijn paard aan, keerde om en reed op Faur Benesand af, die nog maar hoogstens twaalf gemslengtes van hem vandaan was. Benesand liet lachend zijn zwaard als een draaiende windmolen boven zijn hoofd cirkelen. Toen sloeg hij toe, langzaam en voorspelbaar, zoals bijna iedereen die nog nooit vuistvechter in de 'Binnenkring' was geweest. Minten ontweek de slag en ramde met zijn hoofd tegen de borst van zijn tegenstander. De mannen werden uit hun zadel geworpen en vielen samen als een kluwen op de grond, terwijl hun rijdieren elk in tegengestelde richting verder draafden. Het gevecht was hevig, maar slechts van korte duur. Toen de tegenstanders zich van elkaar losmaakten om op adem te komen, hoorde Benesand achter zich de spottende lach van een vrouw.

Hij draaide zich om. 'Meridienn?' vroeg hij beduusd.

Toen zwiepte Heserpade in volle galop een bundel kleurige stokken in zijn gezicht. De klap was zo hard dat Benesands benen van de grond kwamen en hij een halve meter verderop stil bleef liggen.

Heserpade stak Minten haar hand toe. 'Opstijg, Berentand. Ik laat jou niet achter als zwakke vrouw. Ik aanvoerster.'

'Met z'n tweeën op een gems? Onze achtervolgers zullen ons inhalen...'

'Zij niets doet zonder hem.' Ze wees naar Benesand. 'Hij de achtervolgers aandrijft, hij hun demon. Maar gemzen niet zo gemakkelijk te rijden voor Orison-mensen. Dat geeft ons tijd. Kom.'

Minten pakte haar hand vast en liet zich door haar in het zadel trekken. Toen sloeg hij zijn armen om haar lichaam heen en drukte zich stevig tegen haar aan. Ze grijnsde en gaf haar gems het bevel te gaan rijden.

Pas nu gingen ze eindelijk richting bergen.

'Hoe zit het met al die stokken?' vroeg Minten nog. 'We laten ze bijna allemaal achter.'

Heserpade grijnsde nog steeds. 'Niet erg. We maakt nieuwe. Kerven nieuwe. In dit leven of volgend. Is allemaal even vreselijk, en ook goed.'

De godin

Het was niet meer uit te houden. De laatste aanval had Irathindur bijna het leven gekost. Hij had duidelijk gevoeld hoe zijn demonenwezen uit het lichaam van de keizerin werd getrokken, richting demonenpoel, om daar ten onder te gaan, te verzuipen en op te lossen als in zuur. Hij had zich met zijn laatste krachten verzet, en zijn terugkeer in het lichaam van de gekwelde vrouw had op een vreemde manier op een verkrachting geleken. Daarna had hij het bewustzijn verloren. Daarna zijn verstand. Daarna was hij doodziek geworden. Een stuk of tien lijfartsen hadden voor de keizerin – en daarmee voor Irathindur – gezorgd. Aan het eind van de behandeling herkende hij haar lichaam nauwelijks nog: haar huid was geel geworden, haar lichaam vermagerd en knokig; ze had amper nog iets vrouwelijks. De keizerin veranderde lichamelijk in de demon Irathindur, en al haar vertrouwelingen deinsden angstig voor haar terug. Diegenen die altijd al bang voor haar waren geweest, spraken het nu openlijk uit: Meridienn was geen mens. Diegenen die haar altijd al hadden bewonderd, vereerd of op grond van haar schoonheid zelfs hadden verafgood, begonnen te twijfelen.

De enige uitweg die Irathindur nog zag, was dat hij ver boven de andere zogenaamde keizers van het land verheven zou zijn.

In de galerij met de duizend pilaren riep hij alle coördinatoren die in de hoofdburcht aanwezig waren, de belangrijkste vertegenwoordigers van de beroepsgroepen, van de gilden en ook die van het personeel bijeen om een verklaring af te leggen. De keizerin droeg een met parels versierde mantel, die ook haar gezicht als met een weduwesluier volledig bedekte.

Ze stapte naar het midden van de galerij en hief haar armen op. 'Luister!' riep ze met krakende stem. 'Jullie leven allemaal, al sinds generaties, in angst voor de demonenpoel, die we moeten bewaken, zoals de grote Orison heeft bepaald toen hij het land indeelde. Eeuwenlang hebben we gedacht dat het zesde baronaat niet beter dan andere baronaten hoefde te zijn, geen scherpere zwaarden en sterkere wapenrusting nodig had om de drukkende last van de demonenpoel te kunnen dragen. Maar dat was een vergissing. Voorbeeldig hadden we moeten zijn om tijdig te kunnen bestrijden, beheersen en beschermen! Want de grote magiër Orison heeft ons die zware last op de schouders gelegd, omdat hij wist dat we hem aankonden. Maar wij verkwanselden het kostbare goed en verlaagden ons tot hetzelfde niveau als de landen om ons heen. En nu moeten we de prijs betalen: de demonen zijn losgebroken en zitten overal! Ze zitten in de hoofdstad op de troon in de gedaante van een kinderlijke koning, die zichzelf tot keizer heeft uitgeroepen. Ze zitten in de hoofdburcht van het vierde baronaat in de gedaante van Helingerd den Kaatens, die Orison in een oorlog heeft gestort die wij steeds probeerden te vermijden. Ze zitten in Coldrin en vallen nu vanuit het noorden ons land binnen als hongerige sprinkhanen. Ze zitten ook in jullie, in ieder van jullie, en noemen zich twijfel en angst en wankele liefde. Jullie hebben je misschien afgevraagd wat de naam "Irathindurië" betekent, waaronder ik jullie probeerde samen te brengen. Het betekent: "goud." Zie dan! Kijk naar mijn lichaam!' De keizerin trok haar mantel van onder tot boven open en toonde haar volkomen naakte lichaam aan haar onderdanen. Met een kreet van schrik deinsden ze allemaal een paar passen achteruit.

De huid van de keizerin was ruw en goudkleurig. Haar borsten waren niet alleen verschrompeld, maar zelfs compleet verdwenen, evenals de vormen en welvingen van haar heupen. De plek waar eens haar schaamstreek was geweest, was nu gesloten en geslachtloos. Ook haar gezicht was veranderd. Haar neus was kleiner geworden. Maar vreemd genoeg – daarover had Irathindur zich bij een blik in de spiegel nog het meest verbaasd – waren haar ogen nog altijd groot en fonkelend, was haar mond nog altijd zinnelijk en was haar hele gezicht nog duidelijk als vrouwelijk en ook als dat van de mooie Meridienn den Dauren te herkennen. 'Dus...' ging ze met overslaande stem verder. 'Dus besloot de grote Orison in zijn onmetelijke wijsheid en met zijn vooruitziende blik mij tot godin te verheffen. Want een godin is wat dit land, dat sinds jaar en dag door mannen wordt geregeerd, het meest nodig heeft. Een godin die het land een gouden eeuw kan binnenleiden. En alleen vandaag, alleen deze ene keer, zal ik jullie mijn macht tonen. Daarna verwacht ik dat jullie me gehoorzamen of ogenblikkelijk tot stof vergaan. Zie dan, mijn volgelingen! Zie de genade van jullie godin!' Ze spreidde haar armen weer en sloot haar ogen. Uit haar vingertoppen begon licht te gloeien. Even later waren er draaiende aureolen rond haar handen te zien. De aanwezigen snoven en kreunden, maar durfden niet te vluchten of hun blik af te wenden. De gouden gestalte van de vroegere keizerin was nu geheel in licht gehuld, en vormde puntige uitstulpingen en kronkelende bliksemschichten. Een paar bedienden slaakten een kreet toen de eerste bliksemschichten van de ene pilaar naar de andere flitsten. Het licht werd feller. De vonken spatten uit het lichaam van de nieuwe godin. Meridienn hield haar handen uitgestrekt en wees met elk ervan naar een pilaar. Toen sloegen er heel langzaam bliksemschichten als kronkelende wormen uit haar vingers, en niemand kon meer iets zien. Twee pilaren begonnen te gloeien, hoewel ze van steen en niet van metaal waren. De hitte bracht het haar van de aanwezigen in beweging. En toch durfde niemand te vluchten, uit angst om door een bliksemschicht te worden geveld. Ten slotte was het voorbij. De lucht in de galerij van de duizend pilaren stonk naar rook en nog iets anders, iets vreemds: zwavel, munt en limoen. De godin stond erbij met gebogen hoofd. De pilaar rechts van haar was in puur goud veranderd, de pilaar links van haar in matzwarte kool.

Er steeg gekreun van de toeschouwers op, dat als een golf op het strand weer wegebde.

Even was zelfs Irathindur van slag. Hij was van plan geweest de rechterpilaar in goud en de linker in diamant te veranderen, om de mensen aan het hof met rijkdom en pracht te imponeren. Maar daar was niet voldoende levenskracht voor geweest. Van de ene pilaar was niets meer overgebleven dan kool, en zo stonden ze nu recht tegenover elkaar: goud en zwart. Irathindur en Gouwl. Dat kon onmogelijk toeval zijn. Het lot wilde het zo.

'Zie toch mijn macht!' zei hij met hese stem. 'Buig voor me, en het zal jullie aan niets ontbreken.' Alle aanwezigen vielen razend snel op hun knieën en beroerden met hun voorhoofd, sommigen zelfs met hun hele gezicht, de marmeren vloer. 'Ik ben het goud, en de tegenstander is zwart, donker, duister en demonisch als brandbare kool. Te lang heb ik geprobeerd ons overal buiten te houden. Misschien is er echt geen keus.' Hij voelde dat zijn benen begonnen te trillen. Een nieuwe pijnlijke aanval van zwakte kondigde zich aan. Ook had hij daarnet het woord 'misschien' gebruikt. Een godin zei nooit 'misschien'. Een godin trad met vastberadenheid op, als ze niet wilde dat haar gelovigen afvallig werden. Hij vermande zich. 'Genoeg voor vandaag!' zei hij met krakende stem. 'Wacht mijn bevelen af! En stoor me niet bij de onuitsprekelijke taak die me nu wacht: de vernietiging van het land Orison ter wille van het nieuwe land Irathindurië.' Hij sloeg de mantel om zijn naakte, geslachtloze lichaam en trok zich in zijn vertrekken terug. Niemand durfde daar nog naar hem toe te gaan. De godin was nu volledig van de wereld.

Hij lag op bed en probeerde zijn getril onder controle te krijgen.

Wat was het toch allemaal vreemd geweest. Sinds zijn lichaam was veranderd, sinds de keizerin dus met lichaam en ziel demon was geworden, had hij duidelijk het gevoel gehad dat hij meer macht kon uitoefenen dan ooit. Het spel met de twee pilaren was een test geweest die hij zichzelf had opgelegd. Hij had wel het vermoeden gehad dat het kon lukken, maar dat hij de beperktheid van de levenskracht van de wereld zo duidelijk zou kunnen voelen had hij niet verwacht. Het was alsof hij zijn handen in een kom rijst had gestoken en op de bodem duidelijk de houten ronding had gevoeld. Wat was alles toch eindig!

Hij wist nu dat hij sterfelijk was. Dat ook een demon als een blad aan de boom of als een dier op het land zou sterven als hij nergens meer levenskracht kon aanboren.

Maar hij wist ook dat het niet genoeg was om Gouwl telkens alleen in rang te overtreffen om zich meer levenskracht toe te eigenen dan hij. Alleen door Gouwls dood zou Irathindur zijn eigen levensspanne niet één keer, maar vele keren kunnen verlengen, omdat de levenskracht zich telkens weer vernieuwde. Als maar een van hen zich ermee voedde, zou de levenskracht mogelijk genoeg tijd hebben om zich tot in de eeuwigheid telkens maar weer aan te vullen, zonder in zijn totaliteit ooit minder te worden.

Mogelijk. Een ander woord voor 'misschien'. Een godin gebruikt nooit het woord 'misschien'.

De onnozele belofte van twee gevluchte demonen om nooit oorlog tegen elkaar te voeren, die kon gewoon niet worden nagekomen.

Alles om de beide pilaren heen moest worden vernietigd.

De koning

Gouwl voedde zich op zijn nachtelijke uitstapjes in het Treurwoud. Alleen dankzij die nagenoeg onuitputtelijke bron van levenskracht op het grondgebied van het achtste baronaat, dat hem nog steeds trouw was, bleven de aanvallen en lichamelijke veranderingen die Irathindur moest ondergaan hem bespaard; hij wist hier niet eens iets van. Maar de geruchten die hem via postduiven uit het vijandige land Irathindurië bereikten, baarden hem zorgen.

'Noemt ze zich nu... godin? Wat is dat nu weer voor waanzin?'

De vroegtijdig grijs geworden Tanot Ninrogin schudde zijn hoofd. 'Ik weet het niet, majesteit. Zulke godslastering is toch onbegrijpelijk?'

'Wat moet ik nu doen volgens jou? Moet ik mezelf nu ook uitroepen tot een god, alleen om haar bij te blijven? Ze heeft hier één voordeel: als ik mezelf een god noem, kom ik in conflict met de god die daadwerkelijk bestaat. Maar van een godin heeft nog nooit iemand gehoord. Ze gedraagt zich wel erg uitgekookt voor iemand die gewoon alleen haar verstand heeft verloren.' Wat voert Irathindur toch in zijn schild, vroeg Gouwl zich de hele tijd af. Waarom die touwtrekkerij om titels en rangen? Zijn we niet allebei demonen, en staan we niet allebei tegenover en boven de mensen?

'De vraag is eerder of we niet op zeker moment paal en perk moeten stellen aan wat ze doet,' zei Tanot Ninrogin. 'Voordat ze nog Gods toorn over Orison afroept. Wie weet wat ons dan nog allemaal te wachten staat. Hongersnood, droogte, overstromingen, aardbevingen. Coldrins aanval zou wel eens de eerste in een lange reeks van rampen kunnen zijn, als God zich door ons mensen bespot voelt.'

'Coldrins aanval. Wat is er eigenlijk voor nieuws over Benesands missie?'

'Gisteren is er een duif van een van Benesands reisgenoten aangekomen. Maar de boodschap is nogal verward. Benesand meent te hebben ontdekt dat de Coldrinezen in opdracht van de mooie barones handelen, en hij is vastbesloten hen te achtervolgen tot zijn dood of die van hen.'

'De mooie barones? Welke barones is er dan nog? Kun je die van het derde baronaat "mooi" noemen?'

'Er is geen andere barones meer dan die van het derde baronaat.'

'Dat zou best kunnen. Misschien heeft ze zich bij de Coldrinezen aangesloten om zich tegen de bezetting door Helingerds troepen te verzetten.'

'Maar ze zit in de hoofdburcht van het derde baronaat en wordt daar met alle respect, maar toch uitdrukkelijk gevangengehouden. Dat heeft ze ons nog maar drie uur geleden via een andere postduif laten weten.'

'Die verdomde Benesand ook! Wat is daar in het noorden toch aan de hand? Kan hij dan niet één keer...? Of bedoelt hij soms Meridienn, en noemt hij haar uit gewoonte nog steeds "de mooie barones"?'

'Ook die zit niet in het noorden, maar hangt in de hoofdburcht van Irathindurië de "godin" uit.'

'O ja, dat is waar ook. Dus is hij gewoon gek geworden en weet hij niet meer wat hij doet. Stuur zijn mannen bericht. De missie wordt afgebroken. Het hele idee was toch al onverantwoord.'

'En hoe moet ik dat doen? Hoe kan ik de mannen bereiken? Ze zijn al onderweg!'

'Laat maar, Tanot. Ik regel het zelf wel.'

Keizer Tenmac trok zich onmiddellijk in zijn vertrekken terug. Daar verliet Gouwl zijn lichaam en vloog, hoewel het nog klaarlichte dag was, als onstoffelijke zangvogel naar het noorden.

In het westen stond een burcht in lichterlaaie, maar hij wist van Tanot Ninrogin dat Benesands mannen het laatst in oostelijke richting waren getrokken, het derde baronaat in. Dus negeerde hij het onrustige vuur, veranderde in een spiedende roofvogel en ging in het noordelijke gebied op verkenning uit.

Na een zoektocht van twee uur kwam hij uiteindelijk vlak bij de hoofdburcht van het derde baronaat een deel van Benesands mannen op het spoor. Het waren er dertien, op dodelijk vermoeide paarden. Sommigen gingen zelfs te voet en voerden hun paarden aan de hand mee. De dertien mannen bevonden zich in feite midden in vijandelijk gebied, want het derde baronaat was onlangs door keizer Helingerd geannexeerd. Gouwl bleef even boven hen cirkelen en luisterde een paar van hun gesprekken af. Daaruit begreep hij dat Faur Benesand zijn mannen naar Irathindurië had teruggestuurd, omdat ze ten eerste geen gemzen hadden en hij hen ten tweede niet meer nodig had. Gemzen, vroeg Gouwl zich af. Waar heeft Benesand nu gemzen voor nodig?

Om tot op Coldrinees grondgebied te kunnen doordringen, natuurlijk. Dat werd Gouwl duidelijk toen hij Benesand in het noorden van Orison nergens had kunnen vinden. In de beginnende avondschemering vloog hij verder noordwaarts en ontdekte uiteindelijk de rest van het groepje al diep in het Wolkenpijnigergebergte. Wat doet die idioot daar, vroeg Gouwl zich af. Zet hij nu een tegenaanval in – met vier man? Benesand reed op een grote gems, die hij kennelijk had buitgemaakt, net als vier van zijn krijgsmannen. Het vijftal snelde een ander groepje achterna: twee ruiters – nee, drie ruiters, van wie twee op één gems. Gouwl dacht: drie? Is dat alles? Is dat alles wat er van het Coldrinese leger is overgebleven? Een achtervolging heeft hier toch geen enkele zin meer? Wat is dit voor flauwekul? Gouwl stond het zichzelf uit nieuwsgierigheid toe even boven de vluchtenden rond te cirkelen. Een Coldrinese man, een Coldrinese vrouw – en achter haar in het zadel een man die eerder uit Orison stamde dan uit de bergen of het nevelrijk daarachter. Er was iets opvallends aan het gezicht van die man. De platte neus misschien, of de vreemde vorm van zijn mond. Misschien was het ook alleen dat de man zo jong was. In elk geval leek hij niet vermogend of belangrijk te zijn. Mogelijk een boerenknecht, die zich liever bij de plunderaars had aangesloten dan dat hij in een brand om het leven kwam.

Gouwl liet de vluchtenden voor wat ze waren en vloog naar Benesands groepje terug. Hij moest hen tegenhouden, voordat hun vijandelijke inval op Coldrinees grondgebied een nog veel groter grensconflict zou veroorzaken dan dat wat nu hopelijk al was bijgelegd.

Hij kon hen het best tegenhouden door zo snel mogelijk in het lichaam van hun aanvoerder te glippen en de terugtocht te bevelen. Maar hier kwam Gouwl voor een van de grootste verrassingen van zijn leven te staan. Benesands geest en lichaam drongen hem terug. 'Ga weg, demon!' brulde Benesand zo luid dat hij bijna een sneeuwlawine veroorzaakte. 'Ik moet haar afmaken! Ze achtervolgt me ook nu nog, zelfs nu nog, altijd, ook 's nachts! Ik moet haar lichaam tot zand verpulveren, zodat ik eindelijk, eindelijk rust kan vinden!' Gouwl viel bijna op de grond. Hoe was dit mogelijk? Kon een mens op eigen kracht een demon worden die een demon qua kracht de baas was?

Hij probeerde nog een keer op geestelijk niveau tot Benesand door te dringen. Achter wie zit je aan, vroeg hij Benesand in gedachten. Wie is je vijand?

'Meridienn!' schreeuwde Benesand met lichaam en ziel.

Maar die is hier niet! Die zit in Irathindurië, in de hoofdburcht, en noemt zich nu godin, was Gouwls innerlijke antwoord.

'Je liegt! Ze is hier! Ze wilde me van kant maken! Daar rijdt ze! In elke vrouw zit ze, snap je dat dan niet? In elke vrouw die met me solt!'

Gouwls geest zei: Draai om, dwaas. Draai om!

'Draai jij je zelf maar om in je hel, liederlijk gebroed! Dacht je dat ik je niet kende? Van de orgiën? Jullie schandelijke gesteun en gekronkel heeft me wekenlang wakker gehouden! Sterf toch!' Benesand sloeg naar Gouwl, en Gouwl vreesde daadwerkelijk voor zijn leven. Hij week uit en fladderde er zwakjes vandoor. Ongelooflijk, dacht hij. Hij is toch maar een mens? Of niet soms?

Maar Benesands mannen hadden er genoeg van. Nu ze hun aanvoerder zo tegen zichzelf hoorden praten, schreeuwen en tekeergaan, en moesten aanzien hoe hij zinloos om zich heen sloeg totdat hij bijna van zijn gems gleed, hielden ze alle vier hun rijdier in. 'We gaan niet meer met u mee!' riep de meest ervarene van hen. 'Het was onze opdracht Orisons grondgebied te beschermen. Dat hebben we allang verlaten.'

'Ga dan maar ten onder, hellebrokken!' brulde Benesand, en hij reed gewoon verder, zonder nog één keer om te kijken.

Meer kon Gouwl niet doen. Benesands mannen draaiden nu in elk geval om en lieten de gek alleen verder rijden. Een aanvaller kon toch moeilijk in zijn eentje een oorlog ontketenen, ook al was hij dan nog zo krankzinnig dat hij meer op een demon leek dan op een sterveling.

Of toch, dacht Gouwl.

Gouwl was danig van slag door wat hij net had meegemaakt. Wat kon hij tegen Benesand doen? Hij zou in de drie Coldrinezen kunnen kruipen en hun kunnen vertellen dat het nu drie tegen één was. Maar waarom zou hij nu opeens aan de kant van Coldrin staan, terwijl het enige doel in zijn leven was een goede koning voor Orison te zijn? Wat was de wereld toch verwarrend vergeleken bij het eentonige, maar tenminste ook betrouwbare gewervel van de maalstroom!

In het pikdonker vloog hij terug naar Orison-Stad. Hij was nog nooit eerder zo lang van het lichaam van Tenmac gescheiden geweest, en hij voelde matheid, maar ook een vreselijke hunkering en heimwee naar de eeuwige demonenpoel. Die gevoelens werden pas minder toen hij weer in het inmiddels vertrouwde lichaam van de keizer was teruggeglipt.

Hij kwam overeind en gunde zichzelf een lange, verkwikkende wandeling door het belegerde centrum van het land. Hij zag wachtposten onvermoeibaar hun dienst op de stadsmuren draaien, hun keizer herkennen en vrolijk groeten. Hij zag vrouwen in het schijnsel van fakkels, lampions en kaarsen de was doen, waarschijnlijk omdat er overdag weer pijlen en stenen over de muren kwamen vliegen, waardoor elke bezigheid in de openlucht gevaarlijk was. Hij zag zelfs kinderen in het maanlicht ronddartelen en onder het puin, op plekken waar het meest was gevochten, naar voorwerpen zoeken die de stad nog kon gebruiken om zich te verdedigen en stand te houden. Hij zag een heel mooi meisje, dat hem vanuit een verlicht raam op de tweede verdieping toeknikte, en hij herinnerde zich dat zijn lichaam dat van een zestienjarige jongen was die de liefde nog nooit had geproefd. Tja, de liefde. Hoeveel had hij daar in Tenmacs goed gesorteerde bibliotheek niet over gelezen, maar het leek hem zo goed als onmogelijk om die ergens met zekerheid te kunnen herkennen en vast te houden. Hij zag rondstruinende honden en katten, die tijdens de belegering hun bazen waarschijnlijk waren kwijtgeraakt, en hij volgde hoe ze zich op hun nieuwe leven instelden, zonder te klagen of te wanhopen. Hij zag de vogels die in de bomen sliepen, dicht opeen, en die zich angstig afvroegen of de zon ooit wel weer zou opkomen. Maar elke morgen, als het dan weer zover was, braken ze uit onvervalste blijdschap los in gezang.

Het leven had een geheel eigen, tere schoonheid, zelfs in tijden van oorlog.

Hij wekte zijn adviseur Tanot Ninrogin.

'Tanot, ik wil geen keizer meer zijn.'

'Wat? Waar hebt u het over, majesteit?'

'Ik heb me in iets laten meeslepen wat vanaf het allereerste begin dom en gênant was. Waarom heb ik mezelf tot keizer gekroond? Om die arrogante barones af te troeven? Om haar en Helingerd op hun nummer te zetten? Dat had ik nooit mogen doen. Ik heb het de mensen hier alleen maar moeilijker gemaakt om nog enigszins in titels en rangen te geloven. Ik ben wat ik ben: gewoon een koning, en hopelijk geen slechte.' En in gedachten voegde Gouwl er nog aan toe: en ik zou mezelf ook graag gewoon een mens willen noemen, maar ik ben bang dat dat voor een demon te veel is – of te weinig.

Tanot Ninrogin knikte, terwijl hij zich haastig aankleedde. 'En dat hebt u midden in de nacht bedacht?'

'Ja. Ik was in de stad aan het wandelen. De mensen die me zagen, glimlachten naar me, ook al houdt partij kiezen voor mij in dat ze gevangene zijn en door vijanden zijn omsingeld. Waarom lopen ze niet over, maken ze het zichzelf niet gemakkelijker? Omdat ik hun koning was, voordat ik hun keizer werd. En terwijl Meridienn den Dauren in haar eigenwaan en hebzucht de boel almaar verder opschroeft, totdat er niets meer over is wat ze kan eten, inademen of overheersen, wil ik graag terug naar het niveau dat werkelijk bij me past.'

'Dat hebt u heel mooi geformuleerd, majesteit,' zei Tanot Ninrogin – en hij drukte Tenmac opeens een heel smalle dolk tegen zijn keel. 'Wie bent u?' siste de oude adviseur met een akelige mengeling van angst en boosheid in zijn stem. 'Ik ken Tenmac al heel lang, maar u bent hém niet! Ik vraag me al maanden af hoe u zo logisch en verstandig kunt nadenken. Ik dacht dat het een vreemd geval was van... "in de zware functie van koning groeien". Maar ik kan mezelf niet langer meer iets wijsmaken. Tenmac is een jongen die over iedere rand van het tapijt struikelde, die bij het eten altijd een slabbetje nodig had en die in tranen uitbarstte als de burchtkat weer eens een muis had gevangen. Bent u zijn dubbelganger? Een tot nu toe geheimgehouden tweelingbroer? Iemand die een andere gedaante kan aannemen? Een magiër, die alle zinnen kan bedriegen?'

'Ik ben een demon uit de demonenpoel. Mijn naam is Gouwl.'

'Wat? Waaat?' De druk van de dolk veranderde nu in pijn.

'Voordat je me doodt, Tanot Ninrogin, vraag je eens af: heb ik slechte beslissingen voor het land genomen? Hebben mijn bevelen deze onzalige oorlog uitgelokt, als gevolg waarvan we hier nu worden bestormd? Was ik onrechtvaardig of onredelijk wreed?'

'Maar sinds wanneer? Sinds wanneer dan toch?'

'Sinds je naast de koning bij de demonenpoel stond. Dankzij zijn oorringen heb ik kunnen ontsnappen.'

'Zo lang al? Al sinds toen?'

'Ja.'

Tanot Ninrogin trilde over zijn hele lichaam. Toen haalde hij de dolk van de keel van zijn koning en stopte hem weg. 'En de barones? Die deze hele oorlog met haar "Irathindurië" heeft uitgelokt? Haar zou ik er veel eerder van hebben verdacht dat ze bezeten was dan u.'

'We zijn allebei bezeten. We zijn allebei demon.'

'En Tenmac III? Mijn zachtaardige Tenmac, die het altijd zo goed bedoelde, maar helaas altijd overal door van slag raakte? Waar is die gebleven?'

'Die zit hierin.' Gouwl klopte tegen zijn tengere borst. 'Aan hem heb ik mijn kennis te danken. Hoezeer ik je lof ook zou willen aanvaarden, ik geloof dat hij ook zonder mij een goed koning was geworden. Door mij heeft hij alleen maar meer mogelijkheden. Ik kon de Coldrinese plunderaars zien. En ik kon ook Benesands mannen zover krijgen dat ze zich uit vijandelijk gebied terugtrokken, al lukte me dat niet bij Benesand zelf. Dat vind ik maar een engerd.'

'Dus dan is een demon... niet per definitie kwaadaardig?'

Gouwl glimlachte. 'Het is net als bij de mens. Iedereen kent de magie van het leven. En toch is de een somber en de ander opgewekt. De een heeft het altijd koud, de ander heeft het constant warm. De een wil rust, de ander macht. De andere demon, die Irathindur heet, en ik hebben een pact gesloten om nooit oorlog tegen elkaar te voeren. Maar wat alles in de war heeft gestuurd was de eerzucht van een mens: Helingerd den Kaatens.'

'Nee, ik ben bang dat je je hierin vergist, demon. Nee, wat alles in de war heeft gestuurd is jullie eigen eerzucht om in de lichamen van een koning en een barones te kruipen, in plaats van genoegen te nemen met het rustige leven van een schaapherder, een bakster of een appelplukker.'

'Daar heb je misschien gelijk in. Maar het is nu te laat. Ik kan wel uit het lichaam van de koning verdwijnen, maar hoogstens voor een paar uur. Ga ik dan niet terug, dan trekt de demonenpoel me naar zich toe om me voorgoed op te slokken.'

Tanot Ninrogin glimlachte ondeugend. 'Dat klinkt als een kans om de demon te overwinnen en mijn Tenmac weer terug te krijgen.'

Gouwl schudde langzaam zijn hoofd. 'Ik ben bang dat er van Tenmac maar weinig meer overblijft dan een leeg omhulsel als ik hem nu in de steek laat.'

Tanot Ninrogin knikte en liet deze woorden op zich inwerken, terwijl hij de demon de rug toekeerde en, leunend tegen een muur die met een wandtapijt was bedekt, nadacht. 'Dus,' zuchtte hij na een poosje, 'zal ik voortaan mijn diensten als adviseur aan een demon aanbieden, omdat die demon tot nu toe inderdaad geen slechte koning en keizer is geweest. Kunt u een scepticus als ik, die waarschijnlijk altijd naar een uitweg zal blijven zoeken, dan nog steeds gebruiken?'

'Ik zou niemand weten die ik liever naast me zou willen hebben.'

'Zo zij het dan. En morgen zullen we bekendmaken dat u nu alleen nog maar koning bent.'

'Koning. Ja. Dat moet voor ons allemaal genoeg zijn,' zei de demon, en zijn glimlach was menselijk en warm.

ZEVENDE
OMWENTELING

De oplichter

Hun achtervolger was overduidelijk niet goed bij zijn hoofd.

Hoewel zijn mannen hem helemaal alleen in vijandelijk gebied hadden achtergelaten, gaf hij het niet op. Integendeel, hij spoorde zijn buitgemaakte gems onverbiddelijk aan, gunde hem rust noch duur. Langzaam maar zeker haalde hij hen in. Het leek hem niet te storen dat hij zijn rijdier lang niet zo goed beheerste als de Coldrinezen. Waar zij zich lieten leiden door intuïtie en ervaring, gebruikte hij geweld. De Coldrinezen behandelden hun gemzen met respect, en spaarden zo de krachten van de dieren; Benesand jakkerde zijn gems af. Als zijn gems dan ten slotte uitgeput en kapotgereden zou neervallen, had hij altijd nog die van Heserpade of van de laatst overgebleven Wolkenstrijkerkrijger.

Op zeker moment greep Minten gewoon om Heserpade heen hun gems bij de teugels. Zijn gestrekte ruggengraat deed al pijn genoeg doordat hij de hele tijd zo onhandig achter het eigenlijke zadel had gezeten. 'Waarom laten we ons trouwens opjagen door die idioot? Hij is maar in zijn eentje, wij zijn met z'n drieën. Kom, we maken er een eind aan!' De Wolkenstrijker bracht zijn dier eveneens tot staan en knikte verwoed. Alleen Heserpade twijfelde nog. Ze keek om zich heen naar het majestueuze berglandschap en zoog de lucht diep in. De zon scheen helder op de wijze, witte toppen van de hoogste bergen. In de verte krijste een adelaar. De wind blies langs de boomgrens fijne stuifsneeuw voor zich uit. Toen keerde Heserpade zuchtend haar dier. De laatste mannelijke krijger ging snel achter zijn twee strijdmakkers aan.

Benesand liet jubelend zijn zwaard boven zijn hoofd zwaaien toen hij zag dat hij zijn vijanden eindelijk zou inhalen. Zijn haar sloeg als zwie pende takken om zijn hoofd. Die vrouw! Die andere twee waren maar bijzaak. Die vrouw!

Heserpade bleef staan om te proberen een stok uit haar zadeltas te halen. Minten klopte haar bemoedigend op haar schouder, gleed van de rug van de gems en stormde door de hoge sneeuw op hun achtervolger af, nog voordat Heserpade weer kon gaan rijden.

Minten had nog maar nauwelijks zijn zwaard getrokken of Benesand was er al. Voor de tweede keer knalden Minten Liago en Faur Benesand boven op elkaar. En weer werd Faur Benesand uit het zadel geworpen, omdat Minten met het geweld van een beer tegen hem aan sprong. Scheldend en snuivend rolden ze door het glinsterende wit; ze sloegen elkaar, probeerden elkaar te wurgen en gingen elkaar met hun wapens te lijf, maar omdat Benesand door de kracht van de waanzin werd gedreven, was Minten uiteindelijk niet tegen hem opgewassen. Benesand duwde Mintens hoofd in een berg opgewaaide sneeuw in een poging hem te laten stikken.

Weer greep Heserpade in. Maar deze keer was Benesand op zijn hoede. Met een woedend en triomfantelijk gehuil haalde hij met zijn zwaard van onderaf flink uit, dwars door sneeuw, gemzenlichaam, vrouwendijbeen, zadel en onderlichaam heen. Heserpade en haar gems krijsten; de echo van die gecombineerde kreet droeg ver en deed zelfs de adelaar nog opschrikken. Toen viel Heserpade, nu nog maar met één been en hevig bloedend uit haar buik, in het wit. Benesand stortte zich op haar en hakte verder op haar in. 'Verdomde slet!' brulde hij buiten zichzelf van woede. 'Hoeveel mannen had je eigenlijk nog kapot willen maken, hmm? Meridienn? Hmm? Schoonste der schonen? Geef antwoord! Lach me maar toe, lach me maar uit, zoals altijd! Je lacht niet? Neem je me nu serieus? Neem je me nu dan eindelijk serieus?' Hij bleef maar op haar lichaam inhakken, waarin hij iets leek te zoeken, totdat hij ten slotte uitbarstte: 'Maar zij is het helemaal niet! Mijn god, zij is het niet! En alweer heeft ze me bedrogen, bedonderd, verstrikt en verblind!' Jammerend viel hij over het gebroken lichaam heen, maar hij had nog wel genoeg tegenwoordigheid van geest om de Wolkenstrijker-krijger aan zijn zwaard te rijgen, die zich – eveneens volledig in tranen – op hem wierp. Als laatste kwam Minten op hem af wankelen, die een vreselijk onnatuurlijk gebit ontblootte. 'Jij bent helemaal geen Coldrinees!' constateerde Benesand. 'Jij bent – net als ik –

door haar bedrogen en beetgenomen!' Hij wilde Minten broederlijk omhelzen, maar die sloeg hem met beide vuisten in zijn gezicht. Op dat moment besefte Faur Benesand dat hij de ontvoerde moest redden, en hij slaagde erin hem te overmeesteren door al het verzet van de man gewoon over zich heen te laten komen en hem twee keer met de knop van zijn zwaard op het hoofd te slaan. Bij de tweede keer zakte Minten eindelijk in elkaar. Benesand bond hem vast en stak een prop in zijn mond, legde hem dwars over zijn afgejakkerde gems heen en begon, terwijl hij het nog ongehavende en betrekkelijk uitgeruste dier van de laatste Wolkenstrijkerkrijger besteeg, aan de reis naar huis.

Lange tijd kwam Minten maar niet bij. Hij vond de wereld en het leven te krankzinnig en te zinloos om hier hoe dan ook een plek in te vinden. Hij droomde ervan een wijs man te zijn, zoals Serach, en onderwijzend, lerend en lezend ver boven alles te zweven, zoals een bergadelaar of een welwillende god.

Benesand zorgde goed voor hem op de terugreis; hij gaf hem te eten en te drinken, en waste hem zelfs. 'Ik breng je in veiligheid,' zei hij almaar. 'Naar haar nevelrijk van de vreemde lusten wilde ze je ontvoeren, deze meesteres van de duizend vermommingen en maskers, temster van de lach en bewust opwekster van tranen. Maar daar hoor jij niet, evenmin als ik. We zijn allebei prima mannen. Kijk, ik moest het al te gewillige zwaard wel laten doden om eindelijk rust te vinden, en die akelige, krijsende zangvogels van me af slaan die om me heen fladderden en me van mijn ware en juiste pad af wilden brengen. Nu pas ben ik eindelijk echt mezelf, zonder dat ik de hele tijd naar haar, die verderfster, toe word getrokken. Maar rust, rust, mijn vriend,' – hij lachte bitter, alsof hij een publiek had – 'kan ik pas vinden als Meridienn van deze wereld is weggevaagd. Als haar woorden, haar haren, haar lippen, haar vingers, haar heupen, haar borsten alleen nog maar verleden tijd zijn. Naar de demonenpoel wil ik haar sleuren, en haar erin slingeren, voorgoed, zodat ze verscheurd en vermorzeld wordt door de fladderende, met tanden gewapende schepsels die op haar lijken!'

Op een gegeven moment voelde Minten dat het touw waarmee hij was vastgebonden werd losgemaakt. De gek legde hem voorzichtig op zijn eigen jas neer. 'Nu zijn we veilig. Vroeger was dit hier het derde baronaat;

nu heet het anders, maar ik ben vergeten hoe. Er vindt een merkwaardige oorlog tussen de mensen plaats, volkomen zinloos. Tussen mannen en vrouwen – oké, dat zou nog terecht zijn! Maar over domme rode grenzen, tussen vorsten, tussen kronen – ik geloof dat God zijn buik vasthoudt van het lachen. Nee, nee, doe geen moeite, vriend, het heeft geen zin. Waar ik nu naartoe moet, kun je me niet volgen.' Benesand glimlachte weemoedig en wuifde Mintens zwakke bewegingen met een groots gebaar weg. 'Mijn pad voert me regelrecht in de muil van het monster. Naar de hoofdburcht van Irathindurië. Daar zal ik het slangenhoofd plattrappen – o nee, naar de demonenpoel wilde ik het sleuren – ja, ja, ja, natuurlijk. Dank je. Je bent gered. Je hoeft me niet te bedanken. Het was mijn plicht. En dan nu vaarwel! Mijn keizer' – hij keek naar het zuiden – 'zal ik waarschijnlijk niet meer zien. Maar ach, wat stelt een keizer voor als een vrouw naar aandacht hunkert?' Even leek hij nog over de vraag die hij zichzelf net had gesteld na te denken, maar toen sprong hij in het zadel van de buitgemaakte gems en stoof ervandoor in zuidelijke richting.

Minten kwam maar heel langzaam bij. Had die gek hem dagenlang stiekem verdovende middelen toegediend of had hij hem telkens weer een klap op zijn kop gegeven om hem rustig te houden? Mintens hoofd voelde in ieder geval aan alsof het laatste het geval was. Maar hij had deze keer tenminste geen tanden verloren.

Minten kwam moeizaam overeind, keek om zich heen en tastte zijn lichaam af. De gek had hem alles afgenomen: zijn zwaard, zijn buit, en het muntenkistje dat de barones van het derde baronaat hun voor onderweg had meegegeven. De tweede gems was ook verdwenen. Minten was bang dat de gek die op de terugtocht als proviand had gebruikt. Waar zat hij hier trouwens? Ten zuiden van het Wolkenpijnigergebergte, zoals duidelijk te zien was. In het noorden van het derde baronaat dus. Als hij van hieruit naar het zuiden trok en zo ongeveer het spoor van de gek volgde, moest hij bij de buitenburcht en daarna ook bij de hoofdburcht uitkomen. De barones was – zoals hij algauw van een paar landlopers te horen kreeg, die aan de rand van het gebergte rondzwierven zonder zich ooit in de kloven te wagen – inmiddels afgezet, maar werd nog wel steeds in de hoofdburcht van het voormalige derde baronaat, dat nu bij Helingerdia hoorde, gevangengehouden. Als het Minten lukte de barones te spreken te krijgen, zou ze vast met veel belangstelling naar zijn nieuws over de plundertocht en de onmogelijkheid om de mensenetende koning Turer van Coldrin te benaderen willen luisteren en hem dan verder willen helpen. Of hem misschien zelfs een nieuwe opdracht als verzetsstrijder willen geven. Dus ging hij te voet op weg richting het zuiden. Hij dacht amper nog aan Heserpade, Jinua en Hiserio. Heserpade was dood, en Jinua en Hiserio hadden tegenover een duizendtal vijanden gestaan. Minten geloofde er niet in dat Coldrinese plunderaars of met Coldrinese plunderaars geallieerde Orisoniërs een eerlijk proces kregen. Die werden, als ze de gevechten al overleefden, zonder twijfel ter plekke opgehangen. Minten was dus weer alleen, maar dat was hij vroeger ook al geweest. Alles daartussen – Jinua, de Binnenkring, de barones van het derde baronaat, de Wolkenstrijkers met hun ontroerende kleurige stokken – kwam hem inmiddels als een droom voor, als een zoveelste idioot verzinsel dat die gek hem in de tijd dat hij bewusteloos was geweest in zijn oor had gebrabbeld.

De sporen van de bezetting waren overal duidelijk zichtbaar. Verscheidene kleine gehuchten, die vermoedelijk verzet hadden geboden, waren bij de machtsovername door Helingerdiaanse troepen verwoest; vluchtelingen trokken in lange karavanen over de wegen. Herhaaldelijk kwam Minten patrouilles van de bezetters tegen, die zich zonder uitzondering neerbuigend, brutaal of zelfs vaak agressief gedroegen. Ook soldaten uit het tweede baronaat waren in het noorden van het vroegere derde te vinden. Sommigen van hen hadden zich hier bij de Helingerdianen aangesloten om verdere Coldrinese aanvallen tegen te gaan, en anderen waren kennelijk gedeserteerd om niet tussen Coldrin, Helingerdia, Irathindurië en Tenmac, de keizer van de hoofdstad, te worden gemangeld. En onder die deserteurs zat zelfs weer af en toe een Irathinduriër, want blijkbaar waren het duizend soldaten uit Irathindurië geweest die op de Coldrinese plunderaars in het tweede baronaat af waren komen rijden. Minten kon zijn ogen nauwelijks geloven toen hij in een groepje haveloos geklede Irathindurische deserteurs een bekend gezicht ontdekte: Taisser Sildien, de witblonde, gevoelige valsspeler met wie hij een tijdje in de gevangenis van Kurkjavok had gezeten! Taissers gezicht zag er nauwelijks minder zijig uit dan toen, zijn haar was een beetje warriger en zijn kin ongeschorener dan in de gevangenis, maar Minten herkende hem onmiddellijk.

'Taisser? Taisser Sildien!'

'Minten? Minten Liago!' Minten zag er door zijn berentanden en zijn platgeslagen neus wel heel anders uit dan vroeger. Wat een bizar weerzien! 'Hoe ben jij hier eigenlijk verzeild geraakt? Ik dacht dat je ondertussen allang meester van de Binnenkring was.'

'Ach, dat is al zo lang geleden. Toen was ik mezelf al bijna niet meer.'

Zoals bleek kwam het Taisser maar al te goed uit dat hij zich aan het vermoeiende gezelschap van zijn zeurende mededeserteurs kon onttrekken. Hij verliet hen dan ook ogenblikkelijk en sloot zich bij Minten aan. 'Weet je,' zei hij op zijn oude kletserige manier, 'dat waren allemaal ooit overtuigde Irathinduriërs! Eén op de twee is ongelukkig verliefd op onze keizerin – nu trouwens al godin! En de andere is meer geïnteresseerd in mannen. Maar ja, wat kun je ook verwachten bij het leger? Omdat mijn vergrijpen nog redelijk onschuldig waren, kreeg ik de kans die goed te maken door het Irathindurische leger in te gaan. Alleen is onze legercoördinator, Eiber Matutin, helaas een ongelooflijk incompetente kerel. We waren nog maar nauwelijks met duizend man vertrokken om de strijd met de nevelmonsters uit Coldrin aan te binden, of de eersten van ons maakten zich al klappertandend uit de voeten. En aangezien ik niet veel te verwachten had, behalve in het gevecht te creperen of naderhand weer de vloer van de cel te mogen kussen, ben ik 'm ook maar gesmeerd! Man, wat een akelig stel kerels. Doodsbang, en wat een afgunst en wantrouwen onder elkaar. Voor mij met mijn zonnige karakter viel er maar weinig te lachen. En jij, mijn oud "ladebestek"? Tot wat heeft het lot jou omgetoverd?'

'Een nevelmonster uit Coldrin.' Minten liet zijn berentanden zien, en Taisser was zo ontdaan en geschrokken dat hij daadwerkelijk een vol uur zijn mond hield voordat hij om uitleg vroeg van dat wat niet te begrijpen was.

Het voormalige derde baronaat, dat nu officieel Helingerdia-West werd genoemd, leek een vergaarbak met mensen van allerlei slag. Tussen overijverige en nonchalante soldaten, onderdanige en strijdlustige boeren, deserteurs, vluchtelingen, bandieten, hoeren, heilsverkondigers, aan lagerwal geraakte baronaatscoördinatoren, woekerhandelaars en grondspeculanten door baanden Minten Liago en Taisser Sildien zich handig en voorzichtig een weg. Ze passeerden de buitenburcht, die door brassende Helingerdianen was bezet, en bewogen zich langzaam maar zeker voort richting hoofdburcht. Jammer genoeg hadden ze allebei geen muntstukken of andere ruilmiddelen, en voor eerlijk, eenvoudig werk konden ze zich ook niet aanbieden, omdat niemand meer in staat was daarvoor te betalen. Hun maag knorde dan ook met de dag luider. En toen ze uiteindelijk langs de betrekkelijk nieuwe herberg de Wildernis kwamen, die eigendom was van een oorlogsprofiteur, hielden ze het niet meer uit.

'We moeten aan stukken zien te komen, Minten,' kreunde Taisser, terwijl hij de vele geuren die uit de herberg aandreven driftig opsnoof als een marter. 'Ik wil mijn buik zo vol eten dat ik mijn riem losser moet maken. Ik wil echte wijn proeven, en dan niet van dat met water aangelengde spul dat je als soldaat krijgt. En ik wil ook een lekker pijpje roken en een dag heerlijk genieten, zo veel als maar kan.'

'En hoe wilde je dat aanpakken – aan stukken komen?'

'Hiermee.' Taisser haalde uit zijn jaszak drie dobbelstenen tevoorschijn. 'Daar heb ik je hulp bij nodig. Als ik de hele tijd win, worden de mensen achterdochtig. Jij moet van me winnen en onze buit dan in veiligheid brengen.'

'Zijn de dobbelstenen... verzwaard?'

'Ja. Zelfgemaakt. Wees maar niet bang. Wat we hier winnen, kunnen we ook ergens anders uitgeven. Maar dit is een ideale plek om aardig wat stukken binnen te halen. En daarna smeren we 'm meteen.'

Minten was nog niet overtuigd. Een nogal onnozel geval van flessentrekkerij had hem in de gevangenis doen belanden, en uiteindelijk ook in de benarde situatie waarin hij nu zat. Maar Taisser Sildien bleef zo lang op hem inpraten, en de braadgeur, die elke keer als de deur van de herberg even openging hun neus binnendrong, was zo'n grote kwelling, dat Minten ten slotte toegaf. Waarschijnlijk zat daar binnen toch alleen maar uitschot. Waarom zouden ze dat uitschot dan niet iets mogen afnemen, zolang er niemand gewond raakte? Minten was als plunderaar door onschuldige dorpen gereden. Hij was er zelf verbaasd over dát hij nog scrupules had. Maar het was anders geweest toen Jinua nog bij hem was. Zij had het voor het zeggen gehad. Hij was alleen maar meegereden als haar... nou ja, wat dan ook.

Ze stapten afzonderlijk de Wildernis in. Minten ging eerst naar binnen en Taisser volgde pas na een tijdje. In de herberg heerste de verwachte feeststemming met het nodige gebras. Terwijl Minten zich wat op de achtergrond hield, had Taisser met zijn fluwelen tong binnen de kortste keren een van de tafels voor zichzelf opgeëist, en riep die tot dobbeltafel uit. Taisser wist een paar niet zo slimme soldaten te lokken die, zoals hij ze van tevoren had genoemd, 'speelstukken' inzetten. Daarna begon hij sommige van die speelstukken weg te geven om aarzelende tegenspelers aan te moedigen mee te doen. Ook Minten werd zo door hem aangesproken; hij kreeg een stuk cadeau en ging er met tegenzin knorrig bij zitten. Op dat moment begon wat Taisser altijd 'het jongleren met de spelers' noemde. Op virtuoze wijze klopte hij de andere spelers met zijn verzwaarde dobbelstenen, zo snel dat het met het oog amper te volgen was, de stukken uit hun zak. Twee van zijn tegenspelers liet hij echter winnen en daarmee gaf hij hun een goed gevoel over zichzelf: Minten en een arrogante jonge officier, die hier met een vrij grote groep bevriende soldaten was. Zo werd Taisser er niet van verdacht vals te spelen. Minten en de officier hadden voortdurend hele stapels speelstukken voor zich liggen, en de officier zorgde er met zijn vrienden voor dat de stemming er goed in zat en dat er telkens weer nieuwe spelers aan tafel kwamen. Tegen het eind ging Taisser over tot dat wat hij 'de herverdeling' noemde: de jonge officier verloor alles, en de helft van zijn vermogen ging gelijkelijk verdeeld naar Minten en Taisser. Minten stond nu op, mompelde dat hij veel meer had gewonnen dan hij ooit had durven dromen, en liep snel en zachtjes verontschuldigingen brommend de herberg uit. Taisser speelde nog een tijdlang door en maakte af wat hij de 'paaifase' noemde. Hij liet de officier de helft van zijn verloren stukken terugwinnen, zodat die niet woedend werd en zijn zelfbeheersing kwijtraakte, en sloot daarna, zonder enige speelwinst, teleurgesteld en morrend de tafel. Ten slotte beweerde Taisser zelfs nog dat hij nu minder geld had dan voorheen en werd hij vervolgens door de officier, die enorm tevreden was over hoe de avond was verlopen, uitgenodigd om met hem te eten en te drinken.

Minten moest hongerig buiten wachten totdat Taisser eindelijk de herberg uit kwam. Maar daarna deelden ze de speelwinst gelijkelijk en gingen ze naar een pension, waar ze een verbaasde pensionhoudster ruim konden betalen voor eten, drinken en een slaapplaats.

Hun leven werd nu duidelijk een stuk aangenamer.

Minten kreeg de taak toebedeeld in herbergen en kroegen uit te zoeken of er ook mensen zaten die hun truc al kenden. Wanneer Minten dan groen licht gaf, stapte Taisser de gelagkamer binnen en voerde geroutineerd zijn toneelstukje op. Ze hadden ook variaties. Omdat ze nu van het begin af aan al speelstukken hadden, hoefde Minten niet altijd een van degenen te zijn die een stuk van Taisser cadeau moesten krijgen om maar mee te kunnen doen. Twee keer deed Minten zich als een rijke speler voor, die met hoge inzetten instapte. Des te sneller werd ook de inzet van de anderen hoger, konden de koeien dus worden gemolken en konden de twee 'm vervolgens smeren.

Minten liet het idee varen om naar de hoofdburcht te gaan en de barones van het vroegere derde baronaat om hulp te vragen. Ze was afgezet – hoe had ze hem dan moeten helpen? Waarschijnlijk zou ze hem eerder als een soort verzetsstrijder voor haar karretje willen spannen, maar Minten was niet in het derde baronaat geboren, maar in het zesde. En trouwens, dan had hij zich in de ondergrondse tegen de vreemde godin moeten keren, die nu in het zesde baronaat scheen te heersen. Maar ook daarin – het misschien met een echte godin aan de stok krijgen – had hij geen zin.

Aangezien zowel hij als Taisser een verlangen naar de zee voelde, staken ze algauw de onbelangrijk geworden grens tussen Helingerdia-West en het eigenlijke Helingerdia over. In grijze, zilveren regensluiers reisden ze daar stroomafwaarts langs de rivier de Eigefel, totdat ze uiteindelijk Ferretwery en dus weer een kust zagen.

Donkergroen deinde de zee tegen de gekloofde rotsen. De geur van zout, algen en mosselen gaf de twee jonge mannen het gevoel dat ze terug waren in hun al lang verloren gewaande jeugd. De havenstad zelf was getekend door de oorlog. In de gehavende straten wemelde het van de ronselaars, inboedelopkopers en mannen in uniform, met en ook zonder kristallen harnas. De viskramen stonden er vreemd verlaten bij, alsof de oorlog de honger van de mensen met iets anders dan voedsel stilde.

Van Ferretwery reisden ze door naar Zarezted, langs de donker gevlamde kust, over een weg waarin de vrachtkarren van de legers diepe voren hadden getrokken. De hele tijd rukte er een frisse wind aan hun kleren, zodat ze blij waren zich in een stad weer te kunnen opwarmen.

Terwijl de twee mannen in een havencafé in Zarezted, genaamd de Zwam, dat ze van tevoren grondig onder de loep hadden genomen, net met hun ingestudeerde toneelstukje bezig waren, stapte dezelfde officier die ze in de Wildernis grondig hadden geplukt, zonder vrienden en ditmaal met een kristallen harnas aan, de gelagkamer binnen, bestelde bij de tap een schuimend biertje, keek een poosje naar de vrolijke drukte, herkende Taisser, herkende ook de kerel met de rare vooruitstekende tanden, die weer al het geld binnenhaalde, wenkte een paar geüniformeerden en omsingelde de Zwam met tien man zo grondig dat er geen mens meer kon ontkomen.

Toen het voor Minten tijd was er met de speelwinst tussenuit te knijpen, bleek hij buiten voor de deur door vijf grijnzende soldaten te worden opgewacht.

Het verleden – Kurkjavok, de Troostende Trompet, de stadssoldaten – had hem ingehaald.

De godin

'Wát heb je bevolen?'

Eiber Matutins angstige gebibber ging nu over in iets als koude rillingen. De godin was afgrijselijk om aan te zien. Een monster. Een demon. Haar mantel hing ter hoogte van haar borst wijd open, en daaronder was niets meer van vrouwelijke zachtheid te bespeuren. Alleen een hoop gele, dorre knoken. Haar gezicht was nog altijd dat van Meridienn den Dauren, maar dit gezicht keek zoals altijd kwaad en zonder enig mededogen vanaf de troon op hem neer.

'Ik... Ik... Ik... heb bevolen de burcht in brand te steken, Uwe Goddelijkheid. De Coldrinezen hadden gewoon alle troeven in handen. Ze bekogelden ons vanaf de kantelen met zo veel pijlen en stenen, ballen en brandende vaten, het leek wel of het nooit zou ophouden, en we hadden al zo veel mannen en vrouwen... vrouwen en mannen, Uwe Heiligheid... verloren, dat... dat... wat wilde ik ook alweer zeggen? O ja, dat het me verstandig leek er snel een eind aan te maken. De ophaalbrug was ingestort; we konden niet eens meer naar binnen rijden! Ik dacht ook, gezien de hele situatie, met de keizer van Helingerdia en de keizer... koning in de hoofdstad nog altijd onoverwonnen... dat u zo'n groot deel van uw leger als dat van mij heel graag zo snel mogelijk weer bij u in Irathindurië zou willen hebben!'

'En dus heb je meteen maar de hoofdburcht van het tweede baronaat tot de grond toe afgebrand.'

'Nou ja, toen bij de veldtocht tegen het vijfde baronaat – pardon, tegen Irathindurië-Noord – was dat ook goed uitgepakt, en ik dacht gewoon dat... we daarmee een hoop tijd en slachtoffers... vrouwen en mannen...'

'En dat het tweede baronaat tot nu toe had aangegeven onafhankelijk van Helingerdia te willen blijven en juist bondgenoot van óns was, daar heb je geen moment aan gedacht. Nee! Je moest onze bondgenoten beschermen, maar jij rijdt er met duizend man naartoe en steekt de burcht in de fik waar ze bij staan – omdat dat bij het vijfde baronaat tenslotte ook zo'n geweldig succes was!'

'Maar... Maar... Maar... de baron en zijn mensen waren toch allang de hoofdburcht ontvlucht of door de Coldrinezen gedood!'

'Daar gaat het toch helemaal niet om!' schreeuwde de godin nu buiten zichzelf van woede, en ze sprong op van haar troon. 'Ik zou je in een pilaar moeten veranderen, maar waarschijnlijk word je dan een pilaar van stront en stinkt mijn hele burcht ernaar! Uiteraard heeft het tweede baronaat zich nu bij Helingerdia aangesloten, om bescherming te zoeken óf tegen Coldrinese plunderaars, óf tegen Irathindurische hulptroepen, die nog meer schade aanrichten dan de Coldrinezen! Helingerdia heeft nu drie voormalige baronaten en wij maar twee! Weet je wat dat betekent, mijn beste legercoördinator? Dat betekent oorlog! Een afschuwelijke, allesomvattende oorlog! Want Helingerd, die achterlijke dwerg, is deze meevaller naar het hoofd gestegen, als een luchtbel die in zee opborrelt. Vanmorgen is de aanval op onze noordelijke grenzen al begonnen! De scheidslijn tussen het voormalige vierde en het voormalige vijfde baronaat is nu dus niet alleen meer rood omdat Orison dat zo heeft bepaald, maar ook omdat jij, stuk onbenul, overal waar ik je heen stuur zo nodig met een fakkel moet rondzwaaien. Andere mannen zwaaien met hun zwaard, hun vaandel of in elk geval hun pi... maar jij kunt alleen maar aandacht trekken met brandstapels! Voor mijn part kun je doodvallen, en wel hier ter plekke!'

Eiber Matutin voelde een warme vloeistof door zijn broek trekken en bij zijn benen omlaaglopen tot in zijn rijgschoenen. Behalve dat voelde hij niets meer. Hij hoorde kinderliedjes in zijn hoofd weergalmen, vervormd en schel. Hij wist niet eens hoe die erin waren gekomen. Hallo, riep hij in zichzelf. Hallo?

'Nee, dat zou ook te gemakkelijk zijn,' ging de godin met haar tirade verder, en Matutin kwam zo langzaamaan terug in het hier en nu. 'We hebben iedere man nu nodig; mijn geduld is echt op. We maken korte metten met dat brutale Helingerdia, eens en voor altijd! Alleen die belachelijke naam al! Ha!' Ze begon daadwerkelijk ineens schril te lachen.

'Weg met die dwerg van een Helingerd den Kaatens, die herrieschoppen-
de luis en zijn kristalgepantserde pissebedden! We vegen ze in zee, of waar
ook, waar niemand ze zal missen! Matutin, jij neemt de aanval op Witercarz voor je rekening. En mijn andere coördinatoren mogen voor de verandering ook wel eens iets te doen krijgen, in plaats van alleen maar constant feesten te organiseren of oude boeken af te stoffen. Hier komen,
jullie nietsnutten, galgenbrokken, etterbuilen en uitvreters. Hier komen!'
Haar stem dreunde zo luid door de hoofdburcht dat alle mensen van
schrik opkeken, alle paarden schichtig werden en de meeste honden begonnen te blaffen.

Oorlog.
   Een allesvernietigende, allesbeslissende oorlog.
   Bij de grens tussen Irathindurië en Helingerdia stortten mensen, die
voordien in niets van elkaar verschilden dan dat ze op zo'n honderd meter
afstand van elkaar woonden, zich plotseling boven op elkaar en ver-
moordden, wurgden, verscheurden, beten, molden en keelden elkaar,
slachtten elkaar af en hakten elkaar in stukken. Hoe onbenulliger de aan-
leiding was, des te nietsontziender werd er gevochten, leek het wel. Op
een dag ging Irathindur bij het front kijken. Eerst stond er nog pijn op
zijn gezicht te lezen en was het door het verdriet gegroefd. Wat een levenskracht werd hier verspild! Die werd gewoon als laatste adem de koele
lucht in geblazen. Sijpelde de harde grond in. Kleefde aan lemmeten en
drong als vlekken in kleding.
   Maar toen deed de demon een zeer verrassende ontdekking. Hij kon
deze levenskracht inzuigen! Die kwam vrij als mensen doodgingen en was
daarna net zo uit de lucht, de stenen, het gras, de boomtoppen en wervelende windvlagen in te ademen als eerst alleen de levenskracht die vrij in
de natuur was ontstaan! Dat de mensen werden vermoord en stierven,
betekende voor Irathindur niet dat er minder voeding was – integendeel,
er kwamen voor hem juist duizenden kleine voedselbronnen bij. Wat was
hij toch dom geweest! Misschien dronken van het idee dat hij zelf net een
mens was, alleen maar omdat hij in het lichaam van een vrouw rondpa-
radeerde, had hij zich tot taak gesteld mensenlevens te sparen, levenskracht te behouden. Wat onnozel toch! Wat kortzichtig! Wat zorgzaam!
   Glimlachend wierp de gouden godin haar kleren af en liep naakt door

het schuimende bloed. Zo veel sprankelende, vrijkomende, wegvloeiende levenskracht. Waarom was hij niet eerder op het idee gekomen om alle mensen gewoon te offeren? Waarom had hij de Coldrinese plunderaars proberen tegen te houden, in plaats van hen te verwelkomen en tot een grootscheepse invasie, tot massamoord, uit te dagen?

Wat kan iemand toch kortzichtig zijn als hij vastzit in het sterfelijke omhulsel van een mens!

De hele oostelijke helft van Orison zou binnenkort in Matutinese vlammen staan, terwijl de westelijke helft vol verbazing en angst zou toekijken. Irathindur hield zich nog altijd aan het pact. Koning Gouwl en de vier baronaten die de demon Gouwl nog steeds trouw waren, viel hij niet aan. Maar verder zou alles nu binnenkort van Irathindur zijn. Met alle bijbehorende rode en dampende levenskracht, die hij daar als room van de melk kon scheppen.

Er was helaas één probleem. Irathindurs leger was incompetent. Hier bij de grens kon het zich nog redelijk handhaven, vooral omdat het door de troepen van het veroverde vijfde baronaat met al hun lokale kennis werd ondersteund, maar aan de andere kant van de grens, op vijandelijk gebied dus, veranderde het leger in een klagende, onsamenhangende massa. Aangevoerd door laffe, jammerende leeghoofden als Eiber Matutin, en nu ook de andere kruiperige hofcoördinatoren, maakte dit leger geen schijn van kans tegen Helingerd den Kaatens' geharde, dappere kristalkrijgers.

Maar op een nacht in de door fakkels verlichte bevelhebberstent, na een zeer uitgebreid maal stijfgeklopte levenskracht uit veldslagen, had Irathindur ineens een idee hoe hij de Helingerdianen de beslissende slag zou kunnen toebrengen.

Hij maakte zich uit het veranderde lichaam van de vroegere barones los en vloog als gevleugelde spin naar het vijandelijke kamp bij Witercarz. Af en toe liet hij zich dragen door de wind, af en toe ook door de rook van nieuwe branden. De open oorlog had hem de nodige levenskracht gegeven om zonder lichaam te kunnen rondvliegen. Irathindur wilde nu van de gelegenheid gebruikmaken om zichzelf tot de machtigste levenskrachtoogster van de hele bekende wereld op te werpen.

Hij ontdekte Helingerd den Kaatens terwijl die net een groot stuk kleverige chocoladetaart in zijn mond propte en samen met zijn generaals aan de hand van kaarten en houten speelstenen de tactische zetten van de komende dagen doorsprak. Vreemd genoeg was de kleine keizer bij deze stafbespreking – afgezien van een hartschelp van rood kristal die zijn geslacht bedekte – spiernaakt, maar zijn ondergeschikten schenen aan dit soort excentriciteit van de keizer allang gewend te zijn en gedroegen zich ook alsof hij volkomen normaal gekleed was.

Misschien lag het aan Helingerds zonderlinge kostuum dat er opeens een merkwaardige gedachte bij Irathindur opkwam: puur theoretisch gezien zou het mogelijk zijn geweest om vrede te sluiten door weer zachtheid, warmte en vrouwelijkheid in het verdorde lichaam van de godin te brengen. Dan zou de godin met keizer Helingerd kunnen paren, een paar nutteloze kinderen kunnen verwekken en op die manier – zoals het vermoedelijk in de tijden voor de magiër Orison werd gedaan – over het oosten van het land kunnen heersen. Zelfs koning Tenmac-Gouwl zou op een dag dan waarschijnlijk moeten erkennen dat de kinderen van Meridienn en Helingerd rechtmatiger heersers waren dan hij, en al het bloedvergieten zou voorbij zijn. Maar dat was natuurlijk helemaal niet wat Irathindur van plan was! Om de bron van de levenskracht aan het borrelen te houden, moest het vuur wel goed worden aangewakkerd.

Irathindur ging op de volgende hap chocoladetaart zitten en liet zich door Helingerd den Kaatens simpelweg doorslikken.

Hij moest zich weer even oriënteren. Het lichaam van de zelfbenoemde keizer was als een groot huis waar Irathindur nog nooit was geweest. Dat hij zo lang in het lichaam van de barones had gezeten, maakte het voor de demon moeilijk om zijn weg in een ander mens te kunnen vinden. Maar zoals in elk vreemd huis kon je je aan de hand van bepaalde herkenningspunten een beeld vormen. Er bestond een systeem dat in alle huizen hetzelfde was. Je had een keuken, een toilet en een slaapkamer. Je moest er alleen achter zien te komen waar.

Na een poosje zoeken kwam hij van binnenuit in Helingerds hoofd aan. Hier nam hij volledig de macht over.

De gelaatsuitdrukking van de kleine keizer veranderde opeens. Zijn mond viel open, zodat er een bruinzwarte brij als bij een zwakzinnige over zijn naakte, harige borst kledderde. 'De godin!' barstte hij met een keelstem uit. 'Ze is almachtig! Ze is echt! Ze is overal en nergens! Ze heeft het eeuwige leven!' De generaals werden onrustig. Een van hen wilde de keizer met een zakdoek te hulp schieten, maar daar wilde de keizer niets van weten. 'Dwazen!' riep hij met een vreemd vervormde stem. 'Zien jullie het dan niet? De maan die 's nachts opkomt – dat is zíj! De zon die na de maan komt – dat is zíj! In alle lichtende steden aan de hemel – woont zíj! In de nevelen van het duister tussen de steden – alleen zíj, zíj en haar eeuwige glimlach!' Er trok een siddering door zijn lichaam. Hij wees zo onverwachts naar een van zijn generaals dat die bijna terugdeinsde. 'Jíj moet mijn opvolger worden!' Toen naar een andere generaal. 'Jíj moet mijn opvolger worden!' Toen naar elk van de rest van hen. Bij elke generaal herhaalde hij op dezelfde nadrukkelijke toon: 'Jíj moet mijn opvolger worden!' Vervolgens klapte hij voorover met zijn gezicht in de chocoladetaart, zodat zijn generaals nu helemaal niet meer wisten of ze moesten lachen, geschrokken of vol ontzag moesten zijn bij het horen van zo veel visie. Daarna viel de keizer op zijn knieën, hief zijn armen ten hemel en riep met een gezicht vol taart uit: 'In je liefdevolle armen vlucht hier mijn onwaardige ik, die op aarde alleen maar anderen heeft uitgebuit en alles fout heeft gedaan. Neem me tot je, godin Meridienn, want ik weet... dat jouw wrekende genade me reinigt van iedere smet!' Ten slotte zakte hij weer voorover, waarbij zijn gezicht tegen de grond sloeg, en in een uiterst pijnlijke houding – met zijn achterwerk ver omhoog – bleef hij op zijn knieën liggen.

'Hij is... dood,' stelde een van de generaals vast, nadat hij de keizer had onderzocht.

'Orison sta ons bij!' mompelde een volgende.

'God sta ons bij!' fluisterden alle anderen.

Irathindur moest nu afwachten. Als hij op dit moment uit het dode lichaam was geglipt, hadden ze hem kunnen zien en was de hele truc waarschijnlijk de mist in gegaan – of vergoelijkt als een aanval van gekte door een steek van een giftig insect. Daarom bleef hij dus nog maar een tijdje in de dode man rondhangen en hield daarbij zijn handen voor zijn mond, zodat ze hem niet vol leedvermaak konden horen giechelen. Maar toen Helingerd eenmaal met een tafellaken was toegedekt en naar zijn tent was overgebracht, kon Irathindur via de nog altijd prominent voorgerekte achteruitgang ontsnappen en vloog hij als twaalfpotige, lichtelijk onwelriekende steekmug verder door de nacht.

Zijn taak was nog niet volbracht.

Hij suisde over het vroegere derde baronaat – nu Helingerdia-West – en drong door tot het tweede baronaat, dat zich bij Helingerdia had aangesloten om zich over het platbranden van hun hoofdburcht op Irathindurië te wreken. De baron hield na zijn vlucht voor de oprukkende Coldrinese plunderaars nu verblijf in de binnenburcht. Kennelijk verkoos hij dicht bij de permanent, maar toch betrekkelijk vredig belegerde hoofdstad wonen boven het gevaar dat er nog meer horden uit Coldrin zouden binnenvallen. De baron van het tweede baronaat – een mollige oude man die zijn titel al meer dan dertig jaar droeg – was alleen in zijn kamer toen Irathindur door een raam naar binnen suisde.

'Wat ruikt hier toch zo eigenaar' begon de baron, walgend van de geur, voordat Irathindur via zijn rechteroor zijn hoofd binnendrong en daar het roer wilde overnemen, wat deze keer trouwens niet zo gemakkelijk bleek te gaan. De baron viel op de grond en bleef een tijdlang onbeheersbaar liggen trillen. Daarna trappelde hij zelfs, terwijl hij op zijn zij op een arm lag, met zijn voeten zinloos over het tapijt in de rondte, zodat zijn hele lichaam om zijn as draaide als een van papier gevouwen molentje. Irathindur had er echt moeite mee om in het geheel van gedachten, ideeën, verlangens, dromen en beelden van de baron een houvast te vinden. Die vond hij uiteindelijk door de baron op zijn hoofd te laten gaan staan. Toen dwong hij hem in een krabbelig handschrift drie regels op te schrijven:

Ik heb een fout gemaakt!
We moeten ons bij Irathindurië aansluiten
en tegen Helingerdia vechten!

Vervolgens liet Irathindur de baron bij het bureau weglopen en uit het raam springen. Het raam bevond zich op de derde verdieping; de baron sloeg hard met zijn rug op de stenen van de binnenplaats en was op slag dood. Irathindur smeerde 'm via het linkeroor van de baron, voordat men een kleed over het lijk kon leggen of hem in een afgesloten crypte kon opbaren.

Dat was geregeld. Beide vijandelijke partijen hadden gevoelige verliezen geleden. Als alles goed ging, zou er nu eerst tussen de generaals van Helingerdia een strijd om de opvolging losbreken, die deze partij nog meer zou lamleggen en zelfs een Eiber Matutin de kans zou geven eindelijk met zijn troepen via Witercarz verder te trekken.

Irathindur was uitgeput en tevreden.

Maar toen hij van de binnenburcht van het tweede baronaat in zuidelijke richting via Orison-Stad naar zijn hoofdburcht en goddelijke slaapvertrek wilde vliegen, bespeurde hij in de lucht iets merkwaardigs: een echo, een corridor van een voortdurend komen en gaan. Een fijn spinsel van parallelle vliegbanen. En al die vliegbanen roken naar Gouwl. Ook zijn demonische tegenhanger was dus vliegend onderweg en doorbrak zo de belegering; Irathindur had eigenlijk gedacht dat Gouwl daardoor vastzat. De vliegcorridor voerde vanuit Orison-Stad zuidwestwaarts naar het achtste baronaat en van daaruit ook telkens weer terug. De fijne deeltjes die nog van de vluchten waren achtergebleven in de lucht leken te sprankelen van levenskracht.

Nieuwsgierig en argwanend besloot Irathindur het spoor naar het zuidwesten te volgen.

De koning

'Wat is een demon?' vroeg Tanot Ninrogin aan de koning toen ze op een avond met z'n tweeën in een van de donkerblauwe bijzalen zaten te eten. 'Een demon, dat is een oeroude manifestatie van levenskracht,' antwoordde Gouwl in het lichaam van Tenmac. Terwijl hij nadacht en verder sprak, vergat hij helemaal te kauwen. 'Nog voordat er mensen waren, bevolkten wij de aarde. We bestonden in allerlei soorten en kleuren. We speelden. We stoeiden. We lachten. We waren de oervorm van de mens, en God zag dat het goed was en schiep de mens naar ons beeld.'

'Dus jullie ontkennen niet dat God bestaat?'

'Natuurlijk niet. God is degene die de aarde heeft geschapen. Wij zijn ontstaan uit de levenskracht van de aarde. Hij heeft ons dus niet gemaakt, en daarom zijn we ook enigszins onafhankelijker dan jullie. Maar jullie zijn weer door Hem geschapen om ons het goede voorbeeld te geven.'

'Waarom heeft Hij ons geschapen? Zou het niet praktischer zijn geweest jullie volgens Zijn wensen te vormen?'

'We zijn er niet zo goed in ons te laten dresseren.' Gouwl lachte fijntjes. 'We zijn als waterdamp uit een hete bron. Als een bliksemschicht die naar beneden schiet en zich naar believen vertakt. Als de vorm van de wolken, die constant verandert. We zijn wild. Maar jullie zijn net kinderen. Als jij zou mogen kiezen of je wilden of kinderen om je heen wilde hebben, zou jij dan niet ook de voorkeur aan kinderen geven?'

'Maar kinderen kunnen ook heel wild zijn. En op een gegeven moment worden ze groot en voeren ze oorlog, terwijl wilden in bepaalde omstandigheden heel vreedzaam zijn.'

'Dat is waar. Misschien was het een vergissing om jullie te scheppen. Maar ik wil niet lasteren.'

'En waarom heeft de grote Orison jullie verbannen?'

'Dat is in het duister van de tijd verloren gegaan. Geen demon denkt daar graag aan; daarom is het in de vergetelheid geraakt. Maar ik heb het vermoeden dat Orison, aangezien hij een mens was, wilde dat de aarde van de mensen zou zijn. Wij demonen met ons brutale gedrag, ons gebrek aan respect en onze onberekenbaarheid zaten in de weg. Hij heeft ons naar de demonenpoel verdreven – niet om ons te vernietigen, maar om ons aan banden te leggen.'

'En, had hij succes? Zijn jullie nu gedweeër dan eerst?'

'De meesten van ons wel. De meesten van ons zijn zelfs vergeten dat ze ooit iets anders waren dan een onderdeel van de grote maalstroom. Ze drijven voort en denken aan niets – en zijn tevreden.'

'Maar jij niet.'

'Nee. Ik was een van degenen die altijd aan ontsnappen dachten. Soms kon ik de wolken zien die boven de rand van de afgrond voorbijtrokken. Daar wilde ik naartoe. Omhoog, de blauwe lucht in.'

'Maar nu ben je nog steeds hier beneden.'

'Ik heb de tijd, Tanot. Ik heb het eeuwige leven. Nu ben ik maar een koning, maar wie weet wat de toekomst nog voor me in petto heeft.'

Tanot Ninrogin keek de man tegenover hem nieuwsgierig en bezorgd aan. 'Als jullie jezelf niet "demonen" zouden noemen, maar bijvoorbeeld "engelen", dan zouden de mensen niet zo bang voor jullie zijn en kon er misschien blijvend vrede zijn.'

'Maar we zijn geen engelen, mijn beste vriend Tanot. Engelen zijn wezens die door God zijn geschapen. Wij zijn zonder enige opzet ontstaan, vanuit de natuur, willekeurig en in vrijheid. Maar de engelen, dat zijn jullie. En kijk eens wat jullie ervan hebben gemaakt! Een in negenen gedeeld land, waarin de een jaloers is op wat de ander heeft.'

'Maar we hadden vrede. Eeuwenlang. Voordat jullie met z'n tweeën uit de afgrond kwamen en overal onrust zaaiden.'

'Jullie hadden vrede? Jullie hadden baronnen en baronessen en zwepen en belastingen en uniformen en gevangenissen nodig om de openbare orde te handhaven. Jullie rijken zijn voortdurend in conflict met de armen. Jullie leven van hen, maar geven minder dan jullie nemen. Jullie verschansen je in jullie burchten en vertrouwen elkaar niet, camoufleren jullie haat met frasen en plichtplegingen. En als er iemand uit een ander land komt, uit Coldrin bijvoorbeeld, dan is hij een vijand, hoewel hij ook maar een mens is. Dat is geen vrede. Dat is alleen een wapenstilstand, maar de wapens zijn overal te vinden. Kijk eens hoe ze nu dansen. Kijk eens hoe de wapens regeren zodra men de teugels bij jullie een beetje laat vieren.'

De belegeringsring begon langzaam uiteen te vallen, want de belegeraars hadden inmiddels heel andere zorgen. Helingerdia was met Irathindurië verwikkeld in een bloedige grensoorlog, die zich hoofdzakelijk op het grondgebied van het voormalige vijfde baronaat afspeelde. Daarom had keizer Helingerd grote delen van zijn belegeringstroepen uit Orison-Stad teruggetrokken en daarnaartoe gezonden. Het tweede baronaat, dat zich nu weliswaar volledig bij Helingerdia had aangesloten, stuurde ook nauwelijks belegeringstroepen, omdat de Coldrinese dreiging uit het noorden nog steeds bestond en men voor de wederopbouw van de hoofdburcht, die in het midden van het land in brand had gestaan, ook werklieden en hulptroepen nodig had.

Het gevolg van deze verminderde belegeringsmacht was dat er langzaamaan beweging in het eerste, negende, achtste en zevende baronaat begon te komen. Tot dusver hadden ze de belegering alleen maar geduld. Ze stonden er niet achter, weigerden eraan deel te nemen, maar afgezien van de een of andere boodschap met een groet of bemoedigende woorden die ze per postduif aan hun koning Tenmac III overbrachten, hadden ze verder ook niets aan de onafhankelijkheidsstrijd van Orison-Stad bijgedragen. 'Mocht de stad vallen, dan zullen we er zijn voor onze koning. Maar zolang de muren van Orison-Stad nog overeind staan, zullen we geen broederbloed vergieten.' Gouwl had dat geaccepteerd. Hij was evenmin in bloedvergieten geïnteresseerd en had de hoop nooit opgegeven dat Helingerd op zeker moment zijn kinderlijke streven naar macht zou laten varen.

De belegeringsring was nu echter zo zwak geworden dat minder rustige delen van de bevolking, afkomstig uit de baronaten die Tenmac trouw waren gebleven, er plezier in begonnen te krijgen de belegeraars van achteren aan te vallen – hen uit te dagen en zich dan snel terug te trekken. Bijna kinderstreken, maar dan wel kinderstreken die binnen een week leidden tot de dood van acht belegeraars, evenals verstrekkende vervolgings- en strafmaatregelen van de kristalridders, waarvan weer vier boeren en twee meiden uit het negende baronaat het slachtoffer werden, wat nog meer kwaad bloed zette. Het negende baronaat stond op het punt de op hun grondgebied geposteerde belegeraars eruit te gooien of zelfs te doden, en het eerste baronaat, dat met het negende niet alleen door de gemeenschappelijke havenstad Akja nauw verbonden was, wilde hetzelfde doen.

Faur Benesand – Tenmacs man voor levensgevaarlijke missies – werd op grond van een bericht van zijn inmiddels teruggekeerde mannen als 'vermist in de strijd' opgegeven. Dus stuurde Gouwl een oude en vertrouwenwekkende afgezant – met een escorte van ridders – door de verzwakte belegeringsring naar buiten en glipte voorzichtigheidshalve meteen maar mee in het lichaam van de afgezant, om er zeker van te zijn dat er tijdens de onderhandelingen geen domme dingen werden gedaan, waardoor er misschien weer nieuwe moeilijkheden zouden ontstaan. Zo kwam het vlak bij de binnenburcht van het negende baronaat tot een ontmoeting tussen de demonische afgezant en de baron van het eerste en die van het negende baronaat.

'Heb nog een beetje geduld en hou jullie mensen in toom,' was de boodschap die Gouwl uit de mond van de afgezant liet horen. 'Helingerdia en Irathindurië vliegen elkaar momenteel naar de keel en verzwakken daardoor hun eigen positie, helemaal op eigen kracht. De rest van ons kan rustig afwachten, zonder ook in de greep van vuur en rook terecht te komen.'

'Maar misschien is dit wel onze laatste kans om Orison-Stad te bevrijden,' opperde de baron van het negende baronaat. 'Wat vinden de mensen in de belegerde stad er eigenlijk van? Mopperen ze er niet over dat ze geen hulp van buitenaf krijgen? We zien nu een echte mogelijkheid hen te steunen om het vol te houden!'

De baron van het eerste baronaat was het met hem eens. 'Nu het tweede baronaat zich bij Helingerdia heeft aangesloten, staan we grens aan grens met de vijand. Daar horen al drie baronaten bij. Maar als we de hoofdstad ontzetten, kunnen we met vereende krachten ten minste het tweede baronaat uit de klauwen van Helingerdia bevrijden en het noordwesten op die manier stabiliseren en tegen Coldrin weerbaar maken.'

Gouwl, de afgezant, schudde geduldig zijn hoofd. 'Helingerdia zal zich niet tegen het eerste baronaat keren zolang Irathindurië in de richting van Witercarz oprukt. Hoe langer we wachten, met des te minder tegenstand we achteraf rekening hoeven te houden. Neem koning Tenmac maar als voorbeeld: ondanks alle minachting kijkt hij over zijn rijk uit en geeft hij zijn tegenstanders alle tijd die ze nodig hebben om vanzelf weer verstandig te worden.'

'Hoezo verstandig?' riep de baron van het negende baronaat woedend. 'De keizerin van Irathindurië is in een demonische afgodin veranderd! Wie weet waarin keizer Helingerd nog zal veranderen? De dienaren van de afgodin trekken de gebieden van hun eigen bondgenoten binnen en steken daar de hoofdburchten in brand. Wie weet hoe ze hun vijanden dan zullen behandelen? Overal regeren willekeur en waanzin.'

Weer viel de baron van het eerste baronaat hem bij. 'De Coldrinezen rijden op gigantische gemzen en zwerven langs onze grenzen. Sommigen van hen hebben zelfs een roofdiergebit, zoals ooggetuigen ons hebben verteld. Wie weet hoeveel van die monsters het Wolkenpijnigergebergte nog oversteken? We hebben waarschijnlijk nog maar heel weinig tijd om Orison weer onder de scepter van koning Tenmac te brengen, zodat we daarna als één rijk het Coldrinese invasieleger kunnen tegenhouden!'

Weer schudde Gouwl heel langzaam en geruststellend zijn hoofd. 'De Coldrinezen zijn onschadelijk gemaakt. Volledig in de pan gehakt. En ook al was het maar een voorhoede en niet alleen een overmoedig geworden bergstam, koning Turer zal, nu zijn voorhoede niet meer terugkomt, voorzichtig moeten zijn. Hij is niets over Orison aan de weet gekomen, of over hoe sterk het is, behalve dat Orison zijn voorhoede heeft verzwolgen. De adviseur van de koning, Tanot Ninrogin, gelooft niet in een grootscheepse Coldrinese aanval. Maar zelfs als, mijn beste vrienden – zelfs als Tanot Ninrogin zich mocht vergissen en koning Turer gek mocht zijn, wat voor zin zou het dan hebben als jullie je mensen nu in schermutselingen rond de muren van de hoofdstad verwikkelen, terwijl we eigenlijk legers nodig hebben die nog in staat zijn Coldrin tegen te houden? Voor het geval Coldrin inderdaad aanvalt, zullen alleen het eerste, het negende, het achtste en het zevende baronaat nog in staat zijn de aanvallers te stuiten. Jullie zullen Orison gaan redden, want Helingerdia en Irathindurië waren daar te dom voor.'

De beide baronnen gingen nu trots rechtop staan, alsof ze zojuist van de koning persoonlijk een onderscheiding hadden gekregen.

'Zo hebben we dat nog helemaal niet bekeken,' zei de baron van het negende baronaat stralend. 'De koning heeft daadwerkelijk een koninklijke visie!'

'Inderdaad!' bevestigde de baron van het eerste baronaat. 'Lang leve de enige echte koning, Tenmac III! Hoera voor Orison-Stad en het hele land Orison.'

Zijn taak was volbracht. Maar Gouwl voelde zich nu echt uitgeput. Het lichaam van de afgezant was vreemd, oud en ziekelijk, en had volkomen andere behoeftes dan het jeugdige lichaam van de koning, en het functioneerde ook heel anders. Gouwl had het gevoel dat hij een wagen had bestuurd die ieder moment onhandelbaar zou kunnen worden of zelfs volledig uit elkaar zou kunnen vallen. Hij glipte nu een van de neusgaten van de afgezant uit – de afgezant dacht dat er in het duister van de nacht een insect zijn neus in was gevlogen en joeg het weg zonder er verder over na te denken – en vloog er in de gedaante van een kleine kever vandoor. De afgezant wankelde een beetje, greep naar zijn hoofd en werd opgevangen door de ridders die hem vergezelden. 'Hij is al oud,' mompelden ze vergoelijkend, en nadat hij had toegegeven dat hij zich het gesprek niet echt meer kon herinneren: 'Hij is misschien al een beetje té oud.' Gouwl vloog intussen door de vochtig koele nachtlucht en besloot wat verkwikking te zoeken. Alleen al de gedachte aan een bezoek aan het van levenskracht overlopende Treurwoud deed zijn achterlijf gloeien. Zo suisde hij als een dik gloeiwormpje verder.

Toen hij aankwam in het Treurwoud, waar de bomen en struiken met korstmossen en klimplanten waren overwoekerd, merkte hij meteen dat er iets niet klopte. Er bleken hele happen levenskracht uit het vruchtbare woud te zijn gerukt. Door de ogen van een kever gezien voegden de ontbrekende stukken zich samen tot een behoorlijk grote luchtcorridor.

Aan het eind van die luchtcorridor trof Gouwl de demon Irathindur aan. Hij had het twaalfpotige muggenlijf waarin hij hierheen was gevlogen afgestroopt als een vervellende slang. Irathindur – mager, geel, neusloos en met een langwerpig kaal hoofd – liep rond alsof hij dronken was, barstte af en toe in onbeheerst lachen uit en schudde dan weer zijn hoofd.

'Hier heb je dus de grootste schat van de wereld al die tijd verborgen gehouden,' zei hij. 'Het is niet te geloven hoe dom ik ben geweest.'

'Ik heb helemaal niets verborgen gehouden,' antwoordde Gouwl, en hij landde eveneens. Hij kwam zijn keverlichaam uit en werd weer een demon: zwart glanzend, zesarmig, driebenig, stekelig en blind. 'Het Treurwoud is er altijd geweest en was voor iedereen toegankelijk. Alleen het achtste baronaat – en we bevinden ons nu binnen de grenzen daarvan – heeft kennelijk besloten niet aan je lachwekkende rangen- en intrigespelletjes mee te doen, en dus heb je dit woud ook nooit te zien gekregen.'

Irathindur wendde zich tot de duidelijk sterkere Gouwl. 'Kun je je voorstellen dat ik steeds heb gedacht dat de wereld jou meer levenskracht toebedeelde omdat je een hogere rang had dan ik? Hoe heb ik me zoiets onnozels in het hoofd kunnen halen? Misschien door de barones?'

'Dat zou kunnen. Als de barones vroeger al jaloers op de koning was, kan het best zijn dat die jaloezie op jou is overgeslagen.'

'En jouw koning? Wat is er van hem op jou overgeslagen?'

Gouwl haalde vier van zijn zes schouders op. 'Ik weet het niet zeker. Misschien leergierigheid. Misschien geduld.'

'Geduld! Geduld! Geduld! Het is niet moeilijk om geduldig te zijn als je geen pijn hebt. Heb jij dan nooit van die... afschuwelijke aanvallen gehad? Waarbij je het gevoel hebt dat de demonenpoel je naar zich toe trekt en niets van je overlaat... behalve stof? Waarbij je dorst naar levenskracht zo hevig en pijnlijk wordt dat je het gevoel hebt dat je hoofd en je hele lichaam uit elkaar barsten tot één grote donkere massa?'

Gouwl schudde zijn hoofd. 'Nooit. Ik heb het Treurwoud ontdekt.'

Irathindur boog zijn demonenhoofd. Hij ademde door zijn mond en zoog met elke teug meer levenskracht in dan de hele oorlog hem tot nog toe had opgeleverd. 'En wat doen we nu? Delen we dit woud samen als broeders, omdat we tenslotte een pact hebben gesloten om aan dezelfde kant te blijven staan?'

Weer schudde Gouwl zijn hoofd. Op zijn brede gezicht zonder ogen lag een grijns. 'Ik ben bang dat dat nergens op slaat, Irathindur. Jij hebt het zesde baronaat ingepikt en ook nog eens het vijfde. Het vierde, derde en tweede zullen je binnenkort eveneens toevallen, wanneer je Helingerd den Kaatens eenmaal welverdiend op zijn plaats hebt gezet. Maar dit baronaat hier, het achtste, heb je helaas verspeeld in je honger. Net zoals het eerste, het negende en het zevende. Het Treurwoud is dus van mij. Het is helemaal jouw schuld dat het in Orison tot zo'n schandelijke tweedeling moest komen.'

Irathindurs stem klonk opeens vleierig: 'En wat nu als ik alles terug-draai?'

Gouwls grijns verbreedde zich tot een lach. 'Terugdraaien? Hoe wil je dát nu allemaal terugdraaien? Hoe wil je nu al die mensen weer tot leven brengen die door jou zijn gestorven?'

'Ik geef je Irathindurië! Voor de helft van dit woud!'

'Wat moet ik met Irathindurië? Irathindurië was al van mij voordat jij het tot Irathindurië omdoopte. Toen was het nog een goed functionerend baronaat. Maar wat moet ik er nu mee, nu de noordelijke grenzen met bloed zijn bezoedeld en het achterland steeds meer verarmt omdat de oorlog gevoed en in stand gehouden moet worden met hout, staal, vee, graan, water, land, zonen en dochters? Wil je me je speeltje teruggeven en het inruilen nu je het kapot hebt gemaakt?'

'Maar dat is niet eerlijk, Gouwl. Geen van ons had zonder de hulp van de ander uit de demonenpoel kunnen ontsnappen. Toen we mensen uitkozen die we als gastlichaam konden gebruiken, heb ik met een barones genoegen genomen, terwijl jij meteen begerig de koningskroon hebt gegrepen. En nu wil je beweren dat alles van het begin af aan van jou was en je ook toekwam – alleen maar omdat ik bescheidener in mijn machtsstreven was dan jij? Dat is niet eerlijk.'

'Als jij koning was geweest, Irathindur, zou je dan ooit op het idee zijn gekomen dit woud op te zoeken? Zou je niet eerder heel Orison tot "Irathindurië" hebben omgedoopt en meteen een vreselijke oorlog tegen Coldrin zijn begonnen, enkel en alleen om aan steeds maar meer levenskracht te kunnen komen?'

Irathindur nam de demon tegenover hem loerend van top tot teen op. 'Jij hebt intussen ook ontdekt dat we ons met de dood van mensen prima kunnen voeden?'

'Ja. In mijn belegerde stad konden de dampen van al dat sterven me moeilijk ontgaan. Zoiets heb jij in je overbeschermde hoofdburcht nooit meegemaakt. Maar de levenskracht die bij de dood vrijkomt, smaakt bitterder dan het zuivere soort in dit woud.'

'Geef me de helft!' zei Irathindur zonder omwegen. 'Meer dan de helft wil ik echt niet.'

'Je hebt helemaal niets te willen. Als we elkaar vóór vannacht waren tegengekomen, had ik me misschien door je gejammer laten vermurwen.

Maar het bloed van twee vorsten kleeft aan je handen; ik kan het ruiken, want zien kan ik niet. Je hoeft me niets wijs te maken, Irathindur. We zijn geen broeders meer. Je bent gewoon een ordinaire moordenaar, terwijl ik nog steeds alleen maar probeer koning te zijn. Ga nu ogenblikkelijk weg uit dit woud en kom nooit meer terug. Anders maak ik je van kant. Of eigenhandig, of ik laat de demonenpoel het bloedige werk voor me doen.'

'Jij bent niet sterker dan ik.'

'Ja, dat ben ik wel. Sinds onze ontsnapping doe ik me aan dit woud te goed, terwijl jij niets meer dan een slap aftreksel en vergankelijkheid hebt opgeslorpt. Ik zit duidelijk beter in het voedsel dan jij, Irathindur. En dat is nog niet alles. Bekijk ons eens met jouw ogen: jij bent niets meer dan een goudgelakte, uitgeteerde hooiwagen. Maar ik ben een van de oude krijgers. Een van de negendeligen. Zes armen plus drie benen. Negen ledematen dus. Ik ben als het land Orison, zoals de grote Orison het land voor zich zag en ook geschapen heeft. Ik moest uit de demonenpoel vrijkomen om in vrede te kunnen heersen. Maar jij wilde de vrijheid, omdat je de gevangenschap niet kon verdragen.'

Een paar tellen lang staarde Irathindur de driebenige sprakeloos aan. Toen legde hij zijn hoofd in zijn nek en begon schaterend te lachen. 'Een negendelige! Geweldig! Fantastisch! Weet je wat er met jou aan de hand is, Gouwl? Het Treurwoud stijgt je naar het hoofd! Dat is ook wat er met de mensen gebeurt, alleen dan omgekeerd. De mensen worden wanhopig hier in dit woud, ze voelen zich klein, waardeloos en nietig, en maken zich van kant. Maar jij denkt serieus dat je iets bijzonders bent, een uitverkorene, een geboren heerser! Je bent al zozeer met je menselijke omhulsel versmolten dat het Treurwoud je nu langzaam maar zeker krankzinnig kan maken. Je moest vrijkomen om in vrede te kunnen heersen! Laat me niet lachen! Je was niets meer dan een zwartstekelige demon, die te onnozel was om zonder mijn aanwijzingen bij de rotswand van de demonenpoel omhoog te klimmen!' Irathindur lachte nog eens, en werd toen op slag serieus. 'Maar wat betreft nu heb je gelijk. Je bent sterker dan ik omdat jij je hier al wekenlang volzuigt als een teek, terwijl ik alleen vandaag nog maar van de zoete nectar mocht proeven. Ik ga weg, zoals je wilde. Maar daar krijg je nog spijt van, Gouwl. Ik zal terugkomen en oorlog voeren tegen het achtste baronaat, om het veroveren – en als je besluit je in die oorlog te mengen en me aan te vallen, dan ben jíj degene die ons pact breekt, niet ik.'

'Wanneer je dit baronaat aanvalt, is dat hetzelfde als wanneer je mij persoonlijk zou aanvallen.'

'O nee, mijn negenledige kameraad. De hoofdstad is van jou. Die laat ik met rust. Maar al het land is van de baronnen en baronessen. Zo en niet anders heeft die machtige Orison van je het beschikt.'

'Maar de baronnen en baronessen en hun land vallen onder de heerschappij van de koning!'

'Maar je bent de koning niet! Je bent alleen maar een demon, die zich in de koning heeft ingenesteld! En Orison wilde toch dat alle demonen in de demonenpoel gevangenzaten, of niet soms? Als je het dus over zijn bedoelingen en wensen gaat hebben, welke rol denk je jezelf hierbij dan toe? Precies: die van een gevluchte lafaard die een onrechtmatige greep naar de macht heeft gedaan! Dus kom me er niet mee aan dat Orison wilde dat jij zou heersen. Ik zou evengoed kunnen beweren dat Orison van mij wil dat ik jou als demon van de troon stoot en je in de demonenpoel teruggooi. Laten we dus eerlijk zijn en niet doen alsof het om meer gaat dan in werkelijkheid het geval is. Het gaat om dit woud en de levenskracht die het voortbrengt. En die zal ik krijgen ook, omdat ik mijn verstand nog heb en jij te zwak en te dom bent om de nodige beslissingen te nemen.' Na die woorden nam Irathindur weer de onstoffelijke vlieggedaante aan waar hij ook bij hun ontsnapping uit de demonenpoel gebruik van had gemaakt en stoof terug in oostelijke richting, naar zijn hoofdburcht.

Gouwl bleef nog een poosje bij de bomen. Hij praatte met ze zoals met goede, oude vrienden. Hij streek zelfs liefkozend met zijn hand over ze heen om ze gerust te stellen.

Hij moest voorzorgsmaatregelen nemen. Het achtste baronaat waarschuwen. Het Treurwoud beschermen.

Maar Irathindur had gelijk gehad: hoe meer Gouwl zich in deze ophanden zijnde strijd mengde, des te meer was híj degene die het pact tussen de twee demonen brak.

Wat stelt dat pact ook eigenlijk voor, kwelde hij zichzelf. Een handdruk op iets dat ze impulsief na hun gelukte ontsnapping hadden besloten. Wie zegt eigenlijk dat demonen zo integer moeten zijn om zich hoe dan ook aan zoiets te houden? Kunnen demonen niet gewoon gewetenloos en achterbaks zijn?

Het speelt geen rol wat demonen kunnen zijn of niet, fluisterde een stem in hem. Het gaat erom wat je bent. En kennelijk ben je integer, en Irathindur ook, op zijn eigen, door de nood ingegeven manier.

Maar wat, pijnigde Gouwl zichzelf nog eens verder, als het nakomen van het pact betekent dat het hele land vroeg of laat door een demon wordt verzwolgen? De demon van de oorlog, die zo veel machtiger en groter is dan Irathindur en ik, en die zo veel eerlozer is dan wij samen. Moet ik niet, zolang Irathindur nog door zijn strijd met Helingerdia wordt verzwakt, de kans aangrijpen Irathindur eens en voor altijd te vernietigen? Is het straks niet te laat, en is de schade voor heel Orison dan niet onoverzienbaar?

Breek het pact! Vernietig het pact! Vergeet het pact, drong de stem in zijn hoofd aan. Ja, breek het pact, dood Irathindur – en dan ben je helemaal alleen. Een enkele demon. Tegenover alle mensen van de wereld die bang voor je zijn.

Gouwl voelde wanhoop in zich opkomen. Wanhoop, nog erger dan verantwoordelijkheid. Bij de woordenwisseling van de twee stemmen in zijn hoofd sloeg hij zijn handen over zijn oren en drukte hij zijn gezicht zonder ogen in het weke mos.

Was een van deze twee stemmen die van de jonge koning Tenmac? Gouwl wist het niet. Hij kon niet meer uit zichzelf wijs worden. Het Treurwoud voedde hem inderdaad niet alleen met kracht, maar ook met datgene waarmee het mensen voedde: met twijfels.

De belager

Irathindur was terug in het stokkerige, harskleurige lichaam van de godin Meridienn. In haar gigantische donkerblauwe hemelbed in de hoofd-burcht van Irathindurië lag hij onrustig te woelen, te puffen en te brab-belen. Deze keer was het geen aanval. Tijdens zijn korte bezoek aan het Treurwoud had hij zich met meer levenskracht vol gedronken dan ooit tevoren. Het was de beslissing het pact met Gouwl te moeten breken die hem lichamelijk kwelde. Als Gouwl het Treurwoud met alle middelen die hem ter beschikking stonden verdedigde, zou Irathindur hem aanvallen. Er was geen keus.

Ook al bestond er altijd nog iets van hoop, van een echt toekomstper-spectief. Het Treurwoud was sterk genoeg om zichzelf voortdurend weer op te laden. Een demon kon zijn honger daar eeuwenlang stillen. Beter nog: het was mogelijk het Treurwoud zich verder te laten uitbreiden, het hele nutteloze achtste baronaat door dit heerlijke oerwoud te laten over-woekeren. Eigenlijk zou de levenskracht dan ook genoeg voor twee de-monen moeten zijn. Misschien was dat nu al zo. Maar het ging nu om een principestrijd. Door zijn overhaaste afsplitsing van het oorspronkelijke koninkrijk had Irathindur het recht verspeeld gebruik van het Treurwoud te maken. En Gouwl had het uitgesproken: niets kon meer worden terug-gedraaid.

Er klonk gekras en gekreun bij het raam. Irathindur keek en geloofde zijn ogen niet. Hoewel het raam zich op de negende verdieping van de hoofdtoren bevond, was er iemand met trillende, bloedig geschramde handen naar boven geklommen. Een gek, zwart van het roet, zijn lange haren viltig en verward. Een moordmes tussen zijn opvallend witte tan-den. Een belager.

Met zijn laatste krachten hees Faur Benesand zich in de raamopening. Hij had er bijna een halfuur over gedaan om naar boven te klimmen, nadat hij met roet besmeurd onder dekking van de avondschemering de hoofdburcht, die hij maar al te goed kende, in was geslopen en daar in de schaduw van de stallen had gewacht totdat er in het slaapvertrek van de godin een kaars werd aangestoken, en die kaars ten slotte ook weer uitging, toen ze eenmaal in bed lag. Vroeger al, in zijn dwaze en door hoop verziekte jeugd, had hij vaak voor haar baronessentoren rondgehangen en gewacht op die kaars. En op het moment dat ze een touwladder vanuit het raam naar hem toe gooide en hem, bevend van verlangen en van de avondkou, met ontblote borsten verwelkomde. Maar nu was hij hier om er een eind aan te maken. De klim, van de ene voeg naar de andere en met onderweg twee zeer welkome pauzes op horizontale vlaggenstokken, had alles van hem gevergd. Nu was hij boven. Het moest allemaal snel gaan. Bijna geruisloos gleed hij de kamer in en raakte even in een doorzichtig gordijn verstrikt, dat hij daarna kordaat in tweeën sneed.

De godin was wakker geworden en kwam half overeind in bed.

Hoe vaak had Benesand niet van dit moment gedroomd? Hij en zij helemaal alleen op de negende verdieping. Zij naakt in bed, hij mannelijk dampend en wild als een ongetemd paard dat van buiten kwam. Maar nu stond hij toch enigszins verward met zijn ogen te knipperen. Haar lichaam zag er zo anders uit dan dat hij het zich altijd had voorgesteld. Gelig, ziekelijk en mager, en op de een of andere manier dor – en zonder enige boezem! Haar gezicht en haar waren nog altijd mooi – maar zag de vrouw van zijn dromen er zonder haar kleren zo uit? Was dat de reden geweest dat ze altijd van die nauwsluitende korsetten had gedragen? Maar waar waren haar weelderige vormen, die zich vroeger onder het strakke leer bij elke beweging altijd zo duidelijk hadden afgetekend? Al die glinsterende rondingen die Faur Benesand alleen al door ze aan te raken volledig in extase zouden hebben gebracht. Was dit de waarheid? Zag ze er zo uit – zijn godin, zijn aanbedene – wanneer ze naakt, moe en onopgemaakt was? Gold deze waarheid voor alle vrouwen? In Faur Benesands ogen zou dit zeker zo kunnen lijken, want aan zijn liefde voor Meridienn den Dauren was hij altijd zo trouw gebleven dat hij geen enkel bruikbaar vergelijkingsmateriaal had.

Zijn aanbedene herkende hem niet. Benesand stond met zijn rug naar het raam; alleen zijn slordige contouren en witte tanden waren zichtbaar.

Faur Benesand, van wie ze dacht dat hij ver weg was, overgelopen naar Gouwl of wie ook, was nooit slordig geweest, maar altijd heel verzorgd en netjes gekapt. Maar wat ze nu zag, was een schurftige moordenaar, die haar naar het leven stond.

Faur Benesand twijfelde een seconde te lang. Hij haalde het mes tussen zijn tanden vandaan, waarbij hij zichzelf in zijn lip sneed, en deed een stap in de richting van de godin, die alleen maar haar arm ophief en met de opmerking 'Je stoort, worm!' een felle stoot levenskracht op hem afvuurde, die hem vol op de borst raakte. Faur Benesands lichaam voegde zich om de punt van de straal als zachte was om een vingertop. Door de kracht van de stoot knalde hij achterwaarts het raam uit. Zijn pogingen zich aan het doorzichtige gordijn vast te houden liepen er alleen maar op uit dat de stof scheurde. Hij vloog een heel eind de nacht in, nog steeds voortgedreven door de gouden straal, zo ver dat hij met zijn rug tegen een tegenoverstaande toren beukte, een meter of tien verderop, en daar, vastgepind door de straal, spartelend bleef hangen.

Irathindur balde zijn uitgestrekte hand tot een vuist en sneed daarmee de straal af. Hij had deze nacht veel levenskracht, meer dan ooit tevoren, maar hij wilde die niet verspillen. De belager zou vermorzeld op de binnenplaats belanden. Misschien zou hij er morgen achter kunnen komen wie hem had gestuurd en waarom. Maar nu draaide hij zich eerst maar eens op zijn zij en viel met een tevreden gebrom en het gevoel dat hij vandaag al zijn vijanden het hoofd had geboden in slaap.

De straal vervaagde. Faur Benesand stortte loodrecht omlaag, knalde door twee markiezen heen, boven op twee opengeslagen raamdelen, een vlaggenhouder compleet met vlag, door drie verdiepingen bouwsteigers en ten slotte beneden door een provisorisch plankendak dat door bouwvakkers was aangebracht om een kuil, waarin ze mortel mengden, tegen de regen te beschutten. De kreet die Benesand tijdens zijn val uitstootte, deed vanwege de korte onderbrekingen onderweg denken aan die van een huilende pasgeboren baby met de hik. Uiteindelijk viel hij in een regen van houtsplinters, markiesdelen en stukken torenmuurpleister met een klap in de met water gevulde mortelkuil. Een tijdlang was alles rustig. Het bruine water trok dicht en het oppervlak werd glad. De laatste splinters daalden neer. Toen stapte Faur Benesand langzaam en zo waardig als hij maar kon uit de kuil. Een paar nieuwsgierigen schenen rond met hun lan-

taarn en stonden wat te smoezen. 'Een moerasmonster!' riep er plotseling
een. 'Het komt ons halen omdat de godin God heeft gelasterd!' 'Onzin!'
reageerde een ander, een ouder iemand, op barse toon. 'Dat is gewoon
een bouwvakker die 's nachts nog op de steigers stond. Dat noem ik nog
eens hart voor je werk hebben, jongens! Maar morgen moeten jullie alles
wel weer nieuw opbouwen, begrepen? Dit kan hier niet zo blijven, dan
breken mijn paarden straks hun hoeven nog!'

Modderig als hij was, stapte Faur Benesand over de binnenplaats naar
de burchtherberg, waar baronaatspersoneel en eenvoudiger gasten graag
hun avond doorbrachten. Hoewel hij de gelagkamer bevuilde, durfde niemand hem erop aan te spreken – de vreemdeling met zijn lange haar, waar
de mortel uit droop, leek te griezelig, te ongrijpbaar. Benesand viste de
muntstukken die Tenmac III hem voor zijn missie tegen de Coldrinezen
had gegeven uit zijn broekzak op en bestelde een kotelet, een fles burcht-
wijn, verse wijndruiven, evenals papier, pen en inkt. Doodkalm nuttigde
hij de kotelet, de helft van de druiven en de helft van de wijn. Ondertussen
schreef hij een brief van maar vier regels, waarin – een bewijs van Faur
Benesands nogal eenvoudige afkomst – vier schrijffouten zaten:

Men mag aan niemant de schult
van mijn dood geven.
Ik heb mezelf neergeschoten,
omdat ik mijn leven aan de lievde heb vergooit.

Toen vouwde hij de brief netjes dicht en stond op. Het leek erop dat de
mortel, die intussen was opgedroogd, in vele losse stukjes uiteen zou vallen, maar ze bleven bijna allemaal her en der aan zijn lichaam plakken.
Behoedzaam liep hij naar een jonge burchtsoldaat toe; deze had eigenlijk
voor het slapengaan alleen nog even een glaasje willen drinken na zijn
wachtdienst op de kantelen, maar hij zag nu met wijd opengesperde, ver-
schrikte ogen de griezelige man op zich af komen.

'Zou ik alstublieft uw handkruisboog en een pijl mogen lenen, waarde
kameraad?' vroeg Benesand met krakende, amper verstaanbare stem. De
jonge soldaat stamelde wat en overhandigde hem toen bijna eerbiedig het
wapen.

Faur Benesand bedankte hem met iets wat met alle rondvliegende splinters en stof zo'n beetje op een militair saluut leek, liep vervolgens terug naar zijn tafel, nam nog een wijndruif, laadde en spande de kruisboog, nam nog een wijndruif en toen nog een, drukte ten slotte omzichtig de punt van de kruisboog tegen zijn hart en vuurde. Hij was op slag dood. Het gezicht van de gestorvene, voor zover daar onder de laag vuil nog iets van te herkennen viel, zag er sereen, bijna gelukkig uit, alsof de man nog leefde.

Uiteraard was deze dood een schok voor alle aanwezigen. Vooral de jonge wachtsoldaat moest worden getroost en verzorgd.

Faur Benesand werd zonder dat men wist wie hij was in een armengraf begraven. Er was sprake van een ongelukkige samenloop van omstandigheden. Zijn familie had nog nooit in de hoofdburcht gewoond, maar verbleef in de verre havenstad Icrivavez, waar Faur Benesands turbulente leven was begonnen. Zijn vroegere vrienden en kennissen, evenals de ondergeschikten van de voormalige heffingscoördinator, dachten allemaal dat hij zich ergens ver uit de buurt van de burcht ophield en brachten hem niet met de merkwaardige zelfmoord van een morsige arbeider in de burchtherberg in verband. Eiber Matutin, die hem van alle mensen nog het best had gekend, voerde aan het front een afschuwelijke oorlog tegen Helingerdia. En de waard van de burchtherberg, die Faur Benesand wel kende van de vele vrije avonden die hij daar had doorgebracht, herkende hem doodeenvoudig niet onder de mortellaag. Die zou men normaal gesproken van hem af hebben gewassen voordat hij werd begraven, zodat men erachter kon komen wie hij nu eigenlijk was. Maar aangezien er in de afscheidsbrief geen schuldigen, namen of wat voor relevante gegevens dan ook stonden vermeld, de gelaatsuitdrukking van de overledene zo opvallend vredig was en er in de burcht ook niemand werd vermist, ontdeed men zich van het lichaam zonder de rust van de overledene onnodig te verstoren.

Irathindur, ten slotte, was het nachtelijke incident de volgende morgen alweer vergeten. Het kwam er nu op aan Helingerdia in de komende week te verslaan, zolang de opvolgers van de vermoorde Helingerd den Kaatens het er nog niet over eens waren hoe het allemaal verder moest. Het was geboden daarna onmiddellijk het achtste baronaat aan te vallen, wat over land niet mogelijk was, omdat het volkomen oninteressante, maar zonder meer strijdbare zevende baronaat ertussen lag. Het kwam er dus op aan een zeeoorlog te ontketenen, voordat de in het midden van het land vastgepinde Gouwl effectieve tegenmaatregelen kon bedenken.

ACHTSTE
OMWENTELING

De soldaat

Minten bereidde zich, toen hij de soldaten zo intimiderend om zich heen zag komen staan, op het ergste voor. Ze zouden hem weer belachelijk maken, in elkaar slaan, hem al zijn muntstukken afpakken en hem dan misschien zelfs, zonder het gerecht in te schakelen, ter plekke opknopen. Maar het liep heel anders.

De arrogante jonge officier in zijn kristallen harnas liet Minten door zijn soldaten naar de achterkant van een van de tegenoverstaande huizen brengen. Minten zou aan vechten en vluchten hebben gedacht als de officier er niet zo vriendelijk bij had geglimlacht. Hij zou ook zeker hebben geprobeerd Taisser te waarschuwen – als een van de soldaten hem ook maar een haar had gekrenkt of hem op een rare of beledigende toon had aangesproken. Maar niets van dien aard gebeurde. Minten werd met een bijna onwerkelijke voorkomendheid behandeld. Al zijn zinnen zeiden hem dat hij deze aardige manier van doen niet moest vertrouwen, maar tegelijkertijd viel er op het gedrag van de soldaten niet genoeg aan te merken om zich tot een onbezonnen daad te laten verleiden.

Na enige tijd werd ook Taisser door vijf andere soldaten naar Minten achter het huis gebracht. Taisser begreep er even weinig van als Minten. De soldaten behandelden ook hem niet ruw, maar met alle respect.

'Jullie vragen je vast af wat dit allemaal te betekenen heeft,' richtte de gepantserde officier zich ten slotte tot hen. 'Goed – we hebben jullie op heterdaad betrapt bij uitgekiende oplichterij. Ikzelf ben er getuige van dat jullie je daar elders al eens eerder aan schuldig hebben gemaakt. We mogen er dus van uitgaan dat we in jullie geval met recidivisten van doen hebben, die zeker meer dan twee keer dezelfde truc hebben uitgehaald om eerlijke mensen hun welverdiende muntstukken uit hun zak te kloppen. Heb ik dus een speciale wrok tegen jullie, omdat ik zelf ooit het slachtoffer van jullie toneelstukje ben geworden? Eigenlijk niet. Ten eerste waren jullie zo grootmoedig me de helft van het geld dat ik had verloren te laten terugwinnen, en ten tweede hebben jullie me door het hele gebeuren een uiterst interessante, over het geheel genomen zelfs onvergetelijke avond bezorgd. Daarna heb ik je,' – hij sprak nu in het bijzonder Taisser aan – 'zoals je je vast nog wel zult herinneren, zelfs voor het eten uitgenodigd, en we hebben heel gezellig met elkaar gepraat. Nee, er is eigenlijk geen enkele reden waarom ik een hartgrondige hekel aan jullie tweeën zou moeten hebben. Toch valt het niet zomaar te negeren dat jullie de boel hebben opgelicht. Dus zou ik willen voorstellen dat we elkaar helpen. Het is mijn taak om in dit onverkwikkelijke Zarezted vrijwilligers voor het Vierde Witercarzer Regiment te werven. Het ziet ernaar uit dat ik tijdens deze moeilijke en verantwoordelijke missie al meer muntstukken voor de soldij van die vrijwilligers heb gebruikt dan ik eigenlijk had mogen gebruiken. Jullie krijgen van mij nu dus de unieke kans je vrijwillig voor het roemrijke leger van keizer Helingerd aan te melden en, omdat jullie hier echt heel enthousiast over zijn, af te zien van enige soldij. Kost en inwoning krijgen jullie natuurlijk net als iedere andere soldaat. Jullie zijn jong, jullie zijn handig, jullie hebben een goed verstand, zijn sterk en vindingrijk. Zet al die kwaliteiten in voor keizer Helingerd, en dan hebben jullie waarschijnlijk binnen de kortste keren een rang waarbij jullie vroegere vergrijpen als verleden tijd zullen worden beschouwd en men jullie ook niet meer kan weigeren soldij te betalen. Nou? Wat zeggen jullie ervan, kameraden?'

'Krijgen we ook van die mooie kristallen kledij, net als die van jou?' vroeg Taisser met een knipoog.

De officier lachte jongensachtig. 'In het begin vast nog niet. Maar laat me zien dat jullie mijn vriendelijkheid en respect waard zijn, en dan kent ons leger voor jullie geen grenzen.'

'En de muntstukken die we al hebben?' checkte Taisser nog even.

'Die geven jullie heel gul aan mij en mijn mannen voor de moeite om jullie te pakken te krijgen,' glimlachte de officier. 'Op die manier kunnen jullie er meteen mee beginnen je geliefd bij het leger te maken. Bovendien was dat geld een paar uur geleden nog niet eens van jullie, dus missen jullie het vast niet echt.'

Taisser glimlachte terug. 'Dat is allemaal uitstekend doordacht en geformuleerd. Ik denk dat ik het aanbod maar aanneem. Wat vind jij ervan, Minten?'

Minten was allesbehalve enthousiast. Overal zag je er steeds meer tekenen van dat Helingerdia en Irathindurië in een afschuwelijke, mensenverslindende grensoorlog waren verwikkeld, en Minten had er helemaal geen behoefte aan om in dit onzinnige bloedbad als marionet aan het front te fungeren. Ook had hij het gevoel dat hij het niet had verdiend dezelfde straf als Taisser te krijgen. Taisser was tenslotte de actieve partij in hun oplichterij geweest, en Minten nooit meer dan een inwisselbaar hulpje. Maar Taisser en deze akelige ronselaar, die bijzonder met zichzelf was ingenomen en die zijn officiersrang op zo'n jonge leeftijd waarschijnlijk aan gegoede, invloedrijke ouders te danken had, konden het blijkbaar goed met elkaar vinden. Dus zou Minten zijn best moeten doen om bij dit kliekje voorname telgen niet als overbodig aan de kant te worden geschoven.

'Goed dan,' bromde hij. 'Vechten we voor de verandering eens voor Helingerdia.'

Zoals bleek was het zogeheten Vierde Witercarzer Regiment een bataljon van uitsluitend vrijwilligers en geronselden dat nog nooit in Witercarz gestationeerd was geweest. Dit regiment, dat in totaal uit vijfhonderd dubieuze figuren bestond, scheepte zich vanuit Zarezted naar Werezwet in, om van daaruit over land naar de bergstad Witercarz te marcheren.

Het vroeger met vrolijke zeemotieven versierde, maar nu eerder roetgrijze Werezwet was, aangezien het op maar een paar uur reizen van de grens met Irathindurië lag, al het toneel van hevige gevechten geweest, maar had tot nu toe nog steeds door de Helingerdiaanse troepen verdedigd kunnen worden en had ook telkens weer versterking kunnen krijgen.

Al voor de inscheping en ook tijdens de overtocht aan dek van een wrakke, naar vuil stinkende tweemaster werden Minten en Taisser – net als alle andere nieuwe rekruten – door een stevig uit de kluiten gewassen, maar lispelende instructeur de grondbeginselen van het roemrijke soldatenbestaan bijgebracht. Daarbij bleek al snel dat Minten in alle gevechtsdisciplines een van de allerbeste kandidaten was en dat zelfs de forse lispelaar hem in een vuistgevecht niet de baas kon. Minten kreeg daarom al tijdens de overtocht een militaire rang toegekend die hem boven de simpele massa vers frontvlees uit tilde. Hij kreeg weliswaar niemand onder zich, maar er werd hem wel enige beslissingsvrijheid in gevechtszaken gegeven, zodat hij niet door een of andere overbelaste superieur zinloos de dood in zou kunnen worden gejaagd. Taisser werd echter – zoals te verwachten was geweest – in alle lichamelijk inspannende disciplines door zo goed als iedereen overtroffen, en iedereen veegde dan ook de vloer met hem aan. Toch nam de jonge officier, die hen beiden had 'aangeworven', hem onder zijn hoede, zodat Taisser tijdens de mars over land naar Witercarz al dezelfde min of meer acceptabele rang had als Minten. Maar soldij kregen ze allebei nog steeds niet. Dat had de jonge officier al handig van tevoren geregeld. 'Hij is alleen maar een oplichter in een glimmend kristallen harnas,' bromde Minten een keer toen ze door de bergen marcheerden. Daarna berustte hij erin.

Waar hij ook in moest berusten, was zijn beeld van de kristalstad Witercarz. Die had hij zich altijd heel anders voorgesteld: groots, hoog oprijzend, elegant, sprookjesachtig, een en al glas en licht – gewoon een stad die helemaal uit kristal bestond. In plaats daarvan bleek het een walmende, allesbehalve elegante stad te zijn, met stenen huizen waarin de arbeiders woonden die overdag in de kristalmijnen zwoegden en waarin ook de handwerksstand was ondergebracht die de kristallen bewerkte. Overal zag je kristallen. Rode, witte, doorzichtige, groene, blauwe, barnsteenkleurige, en zelfs zwarte en rozekleurige – in elke etalage lagen er wel een paar, boven elke deur waren ze aangebracht, elke knoop en elke gesp in deze stad was gemaakt van – voor de arbeiders simpel, voor de rijken kostbaar – kristal. Nog het meest interessant vond Minten dat hier een bedrijf met een paar honderd werknemers was dat kristallen tot drinkglazen sleep, maar voor de rest was Witercarz een grote teleurstelling voor hem. Het Vierde Witercarzer Regiment maakte kwartier in de rotsachtige omgeving, ging verder met het eentonige instrueren en drillen van de rekruten en wachtte af. Minten en Taisser werden getraind in het omgaan met de kruisboog; ze schoten ijverig op stropoppen met demonische gezichten en leerden hoe ze de moeizaam te hanteren schietwapens enigszins behendig konden herladen en spannen. Minten vroeg zich een keer af waarom dit regiment eigenlijk het Vierde Witercarzer Regiment heette.

'Waar zijn dan de minstens drie andere Witercarzer regimenten?' vroeg hij de jonge officier, terwijl ze op een nieuwe voorraad pijlen zaten te wachten. De officier glimlachte. 'Die zijn allemaal na elkaar opgericht en de afgelopen weken allemaal na elkaar ter versterking naar het front gestuurd. En aangezien ze daar allemaal na elkaar in de pan zijn gehakt, mijn nieuwsgierige soldaat, zijn alleen wij nu nog over.'

Van het front was niets te zien, behalve – tijdens heldere nachten – een constante vuurgloed in het zuiden. Aangezien Witercarz in het gelijknamige gebergte lag en het transport van gewonden ernaartoe of van voorraden materiaal ervandaan altijd met behoorlijke problemen gepaard ging, speelde het bloedige frontgebeuren zich eigenlijk eerder in de dorpen van het laagland en de binnenburcht van het vroegere vierde baronaat af. Witercarz daarentegen, dat als een diadeem boven alles uitstak, werd – als bron van alle Helingerdiaanse rijkdom – beschermd en gevierd, maar hield zich verder meer met de vervaardiging van kristallen harnassen bezig dan met vechten tegen de vijand, wat grote verliezen met zich meebracht.

Maar uiteindelijk, na ongeveer een week, volgden de gebeurtenissen elkaar in snel tempo op.

Op een morgen deed in het kamp het gerucht de ronde dat keizer Helingerd zich van kant had gemaakt. Slechts een paar uur later bereikten de volkomen tegenstrijdige bevelen van drie Helingerdiaanse opperbevelhebbers het Vierde Regiment. Het eerste van die drie bevelen luidde dat het Vierde Regiment onmiddellijk naar het front moest oprukken en moest helpen bij het opzetten van de vernietigingsaanval op Irathindurië. Het tweede bevel luidde dat het regiment Witercarz bij een vijandelijke aanval moest opgeven en niets dan verschroeide aarde moest achterlaten. Zodra de vijand dan zonder nieuwe voorraden te hebben kunnen inslaan de stad weer verliet om verder richting hoofdburcht door te stoten, moest het Vierde Regiment vanuit de dekking van de bergen aanvallen en de vijand een verpletterende nederlaag toebrengen. Het derde bevel luidde weer dat het Vierde Regiment zich in de kelders van de stad moest schuilhouden. Zodra de vijand de stad dan innam en zijn nachtelijke drinkfestijn als overwinnaar begon, moest het regiment de kelders uit komen en het hele vijandelijke garnizoen uitmoorden. Deze truc, aldus het derde bevel, kon het regiment een paar keer achter elkaar toepassen, zodat de vijand misschien zelfs de slag werd toegebracht die de oorlog zou beslissen.

De commandostaf van het Vierde Regiment trok zich terug om zich te beraden. Ook de jonge officier van Minten en Taisser nam aan dit gesprek deel. Moesten ze nu naar het front oprukken, zich in de bergen terugtrekken of de kelders in gaan? Een enorme slimmerik stelde voor aan alle drie bevelen tegelijk gehoor te geven, door het Vierde Regiment gewoon in drieën op te splitsen. Maar dat vond de hoogste officier weer helemaal niets. Uiteindelijk kwamen ze tot de conclusie dat de drie bevelen elkaar volledig tenietdeden. Het was sowieso het eenvoudigst en prettigst om in hun goed verzorgde en comfortabele kwartier te blijven en verder af te wachten.

De volgende nacht al kwamen soldaten van de buitenpost hijgend melden dat er een gigantische Irathindurische strijdmacht richting bergen en kristalstad oprukte. Er brak paniek uit in de commandostaf. Was het front dan zo uiteengevallen dat de vijand zomaar tot het hart van het land kon doorstoten? Hadden ze de oorlog al verloren? Was keizer Helingerd daadwerkelijk dood? De jonge officier van Minten en Taisser hield het hoofd koel en zei dat het Vierde Regiment niets anders hoefde te doen dan waarvoor het oorspronkelijk was opgericht: de stad Witercarz beschermen. In allerijl namen ze dus hun gevechtsposities in. De rekruten die nog geen gevechtservaring hadden, liepen daarbij als kippen zonder kop rond. Minten en Taisser, die maar zijdelings bij de kruisboogeenheid waren ingedeeld en in geval van nood min of meer de vrije hand hadden, besloten zich buiten de ergste gevechten te houden en in de buurt van hun vertrouwde jonge officier te blijven.

Bij dageraad begon de veldslag.

Een veldslag waarbij elke sturende tactische aanpak ontbrak. Eiber Matutin, de legercoördinator van de vijand, trok met zijn troepen – de godin had hem persoonlijk bevolen hierbij ook alles op het spel te zetten – in een wigvormige formatie in noordelijke richting en ruimde daarbij iedereen uit de weg die hen maar voor de voeten durfde te lopen. Doelwit was Witercarz, het economische hart van Helingerdia. Na de dood van keizer Helingerd zou het verlies van de kristallen de poten voorgoed onder het Helingerdiaanse leger wegzagen. Zoals altijd wanneer Eiber Matutin bij een of andere actie was betrokken, was de inmiddels van angst mager geworden legercoördinator steevast bibberend ergens veilig in de achter-hoede te vinden. Zoals altijd wanneer zijn mannen oprukten, stonden er links en rechts dorpen, kerken en brandstapels in lichterlaaie.

Aangezien de jonge officier niet vooraan op de verdedigingswal van de burcht was ingedeeld, maar verder van de stadsmuur af de opstelling van de in de stad geposteerde kruisboogschutters en straatvechters coördi-neerde, zaten ook Minten en Taisser met kruisbogen achter het onmid-dellijke front en hadden vanuit een kerktoren zelfs een prachtig uitzicht over het hele gebeuren. Minten had nog geen vijf tellen nodig om te zien dat deze veldslag voor hen al verloren was. De vijfhonderd mannen van het Vierde Regiment, nog eens extra ondersteund door hoogstens dui-zend inwoners van Witercarz, die met het wapen in de hand bereid waren voor hun stad te vechten, stonden tegenover minstens vijfduizend Ira-thindurische soldaten die als een razende, door oorlogstrompetten opge-zweepte vloedgolf door de zuidelijke bergpas en over de muren stroom-den. De stenen huizen mochten dan als dekking een zeker voordeel voor de Witercarzers en sluipschutters inhouden, maar aangezien de vijand zich door de stadsmuren vrijwel niet liet tegenhouden, zouden beide par-tijen zich algauw op gelijkwaardig terrein bevinden en zou het allemaal op een bloedbad in de straten uitdraaien. Taisser Sildien was volkomen verstijfd van schrik. 'Laten we 'm smeren, Minten,' mompelde hij. 'Laten we 'm gewoon smeren!'

Minten knarste met zijn berentanden. Nooit had hij zoiets als soldaat willen worden. Hij had ervan gedroomd te gaan studeren. Maar nadat Ji-nua Ruun een Binnenkring-vuistvechter van hem had gemaakt en hij bij hun afschuwelijke vlucht uit de buitenburcht van het tweede baronaat Ji-nua, Hiserio en uiteindelijk ook Heserpade was kwijtgeraakt, voelde hij duidelijk dat opgeven of vluchten geen optie meer voor hem was.

'Jij mag 'm smeren. Ik blijf en vecht,' antwoordde hij kort.

'Ben je gek geworden? Kijk daar verderop eens! Daar gaan er ook net zes van ons regiment vandoor! Het is één groot gekkenhuis hier! Dat zijn Matutins moordbranders! Heb je nog nooit van Matutins moordbranders gehoord? Die steken heel Witercarz in de fik, terwijl ze er nog in staan!'

'Ga dan met die zes mee die op de vlucht slaan. Schiet op! Met z'n ze-venen komen jullie er misschien op de een of andere manier wel door.'

Taisser aarzelde nog; Minten wist ook niet waarom. Maar uiteindelijk rende de blonde valsspeler de trappen af, de andere deserteurs achterna. Minten volgde hem langzaam naar beneden, maar ging toen een andere kant op. Met het zware schietwapen op zijn arm liep hij langzaam in zuidelijke richting op het lawaaierige, wilde strijdgebeuren af. Het onhandige, goedkope harnas belemmerde hem in zijn bewegingen, dus gespte hij het onder het lopen gewoon af. Op een goed moment kwam een van zijn officieren van achteren aangereden en blafte hem daarom af, maar de officier reed verder richting strijdgewoel en stierf daar waarschijnlijk een onzinnige heldendood, dus waarom zou Minten zich ook maar iets van zijn kritiek aantrekken?

De kruisboog had het nadeel dat je altijd maar één pijl tegelijk kon afvuren en daarna een aardig tijdje eerst met herladen en spannen bezig was. Al zijn geoefen had daar niet echt iets aan veranderd. Dus posteerde Minten zich op het platte dak van een laag pakhuis, vanwaar hij goed zicht over de straat naar de zuidelijke stadsmuur had. Daar legde hij het zware wapen neer op een vat, zodat hij het min of meer stil kon houden en ook nog een beetje kon draaien. Toen beneden op straat de eerste Irathinduriërs uit de walm tevoorschijn kwamen die hen altijd en overal vergezelde, schoot Minten zijn eerste pijl af en trof doel. Hij herlaadde, spande, schoot en trof weer doel. In totaal kon hij zo vijf pijlen afvuren, en vijf van de doelloos oprukkende tegenstanders uitschakelen; of ze nu dood of gewond waren deed er niet toe – met een pijl van een kruisboog in je lijf vocht je niet meer verder. De Irathinduriërs hadden hem nu ontdekt. Een van hen, die zich duidelijk tegen een geelbeschilderde deur aftekende, schreeuwde met een hese stem bevelen. Het dak waarop de sluipschutter zich bevond, werd bestormd. Minten herlaadde zijn kruisboog in alle rust en rolde het vat iets verder naar achteren toe, van de kant weg, zodat hij niet van onderaf door aanrukkende schutters in het vizier kon worden genomen. Toen het hoofd van de voorste van de via de ladder aanstormende aanvallers boven de dakrand verscheen, werd het door Mintens volgende pijl krakend doorboord. De man stortte achterover en sleurde de beide mannen onder hem in zijn val mee. Tegen de tijd dat de tweede aanvaller boven aankwam, had Minten alweer geladen. Ook deze man kwam om het leven door een pijl in zijn hoofd. Minten kon nu rustig de tijd nemen om te laden en te spannen, want niemand zou het zo snel weer aandurven het dak te bestormen. De tegenstanders hadden het erover dat ze die ene schutter met z'n vijven toch gemakkelijk moesten kunnen overmeesteren, maar geen van de vijf wilde degene zijn die door de pijl werd geraakt.

Minten veegde het zweet van zijn voorhoofd en wenkbrauwen. Het was een frisse dag, maar toch zweette hij over zijn hele lichaam, doordat hij telkens zijn kruisboog moest spannen. Overal in de straten om hem heen hoorde hij nu de stemmen van de Irathinduriërs. Die waren gemakkelijk te herkennen omdat ze 'Hoera!', 'Voorwaarts!' of 'Voor onze godin!' schreeuwden, terwijl de Helingerdianen eerder 'Wegwezen!', 'Terugtrekken!', 'Help!' of zelfs 'Heb medelijden!' riepen. Minten vroeg zich af of hij nog wel moest blijven waar hij was. Het zou niet lang meer duren voordat vijandige schutters hem vanaf andere daken onder vuur zouden nemen. Hij besloot tot de wildemansaanpak. Hij moest ineens weer aan zijn twee gevechten tegen Oloc denken. Dit hier was in feite niet anders. De Irathinduriërs met hun overmacht en hun hulptroepen, waar geen eind aan leek te komen, waren Oloc. Hijzelf was altijd gewoon Minten Liago, maar Minten Liago had wel de kracht Oloc te vellen.

Hij verscheen weer vooraan bij de dakrand en schoot een van de mannen neer die nog op de ladder stonden te aarzelen. De anderen raakten volledig in paniek, totdat ze in de gaten kregen dat de schutter tijd nodig zou hebben om te herladen. Een van hen stormde dan ook snuivend van woede de ladder op, maar omdat Minten achteruitlopend zijn kruisboog weer spande, kon hij zijn tegenstander voordat die bij hem was een hardhouten dood in het stuiptrekkende lijf jagen. De dakrand was nu in handen van de vijand en vormde dus ook geen belemmering meer. De tegenstanders drongen nu op; twee kwamen bijna tegelijkertijd op het dak aan en renden met geheven zwaard op hem af. Minten zette hen op het verkeerde been en ging snel als een vuistvechter in de aanval. De een gaf hij zo hard mogelijk een rechtse stoot midden in zijn gezicht en de ander, die hem na een ontwijkende beweging al voorbij was gelopen, sloeg hij, nog tijdens het uitdraaien, met de zware kruisboog op het achterhoofd. Staande tussen de twee vallende lichamen spande hij zijn boog tot het uiterste en schoot een derde aanvaller precies in zijn schreeuwende mond. Het bloed spoot een paar meter naar achteren. Nog eens drie Irathinduriërs klommen het dak op, die onwillekeurig aarzelden bij de aanblik van die fontein. De man die op het dak net drie van hen had uitgeschakeld, droeg geen Helingerdiaans uniform en ontblootte een stel vreselijke dierentanden.

'Een demon!' fluisterde een van de drie. Bij de andere twee trilden de zwaarden in hun handen. De zwaarden waren veel te groot. Tot hun gedwongen rekrutering twee weken geleden waren de drie mannen nog geen soldaten geweest, maar een biezenzoeker, een fuikvisser en een zadelmaker.

Minten laadde opnieuw en spande, terwijl zijn tegenstanders hem niet durfden aan te vallen. Hij had altijd nog minstens dertig pijlen in zijn koker, zijn 'hageltas', die over zijn schouder hing. Hij zwaaide met de kruisboog heen en weer, zodat die telkens op een van de drie mannen was gericht. 'Ga terug,' zei hij, 'naar jullie mammie, jullie godin of wie dan ook. Of ga naar God, nu meteen, en vraag Hem waarom het Hem heeft behaagd jullie zo jong te laten sterven.'

Het drietal trok duidelijk wit weg. Een van hen liet zijn zwaard vallen en stak zijn handen in de lucht. De tweede beefde zo erg dat je zijn tanden kon horen klapperen. Toen trokken ze zich alle drie naar de dakrand terug en verdwenen met een noodgang achterwaarts op de ladder, alsof het dak een eiland was en alles eromheen een zee waar je in kon duiken.

Het werd stil op Mintens eiland. In de straatjes rondom hem ging de drukte van de oorlog gewoon door. Mensen werden achtervolgd en gedood. Anderen gaven zich over en werden gevangengenomen, misschien zelfs goed behandeld. Op een gegeven moment hoorde Minten de stem van zijn jonge officier. 'Kom op, mannen – we vallen hen in de rug aan,' zei de stem. Daarna was er helemaal niets meer te horen, behalve het strijdgewoel bij de stadsmuur, dat nog verbazingwekkend lang aanhield, waarschijnlijk omdat steeds meer Witercarzer inwoners – mannen, vrouwen en kinderen – zich wanhopig en uiteindelijk zinloos op de vijand stortten.

Overal heerste een sfeer van grote ernst. Er werd vol ernst gevochten, vol ernst gestorven, vol ernst bevolen, vol ernst gehoorzaamd, vol ernst gevlucht, vol ernst achtervolgd, vol ernst opgeofferd, vol ernst gebeden, vol ernst dankgezegd en vol ernst vervloekt. Maar opeens hoorde Minten een lach. Een ijzingwekkende, wrede lach, samen met het gekerm van een jonge vrouw. Minten kende die lach. Hij zou hem uit duizenden herkennen. Het was de lach van Elell.

Op zijn dak liep Minten naar de rand toe, vanwaar het gelach was komen aanwaaien. Eronder lag een straatje – uitgestorven. Misschien hadden de Irathinduriërs het gewoon opgegeven om hem te bevechten. En gedacht: laat hem maar op zijn eiland blijven en omkomen van de dorst. Wat kon de overwinnaar een enkel dak nu ook schelen? Minten hield zich aan de rand vast en liet zich zakken. De rest van het stuk tot de grond sprong hij; het was hoogstens een halve meter. Hij keek rond. Zijn kruisboog, die hij om naar beneden te klimmen op zijn rug had gebonden, nam hij nu weer in zijn hand. Hiermee was hij altijd van een overwinning op zijn tegenstander verzekerd, en met een beetje geluk ook van de wellicht fatale aarzeling van degenen die na hem kwamen. Weer hoorde hij het gelach. Het was Elell, geen twijfel mogelijk. Hij lachte, en hoorde dus bij het overwinningsleger, wat ook te verwachten was geweest. Aangezien hij in Kurkjavok in de gevangenis had gezeten, had hij dankzij Matutins grote rekruteringscampagne tot het luisterrijke Irathindurische leger mogen toetreden. Het lag voor de hand dat deze gevaarlijke, krankzinnige man nu een van Matutins moordbranders was.

Minten werd onweerstaanbaar naar Elell toe getrokken. Hij kon het zelf niet verklaren, maar uiteindelijk maakte Minten Elell voor alles verantwoordelijk wat hem sinds Kurkjavok was overkomen. Zonder Elell geen la. Zonder de la geen Jinua Ruun. Zonder Jinua geen Binnenkring, geen Oloc, geen berentanden, geen Coldrin, geen geplunder, geen redenen om te vluchten, geen oplichterij, geen leger. Nee, dat laatste klopte niet helemaal. Nu de oorlog in zijn volle omvang woedde, had Minten zich net als Elell meteen uit de gevangenis bij het leger kunnen aansluiten. Maar hij zou het nooit hebben gedaan. Hij wilde studeren, en niet moorden.

Langzaam sloop hij door de straten van de stad, die op het punt stond te worden veroverd. Uit het zuiden kwam walm aandrijven, die zich als een rouwsluier uitspreidde over alles wat zichtbaar was. Ook de geluiden klonken vreemd gedempt. Een vrouw smeekte om haar leven. Elell lachte.

En toen vond hij het tweetal. De vrouw, bijna nog een meisje, kroop op handen en voeten in het vuil rond, en smeekte en huilde. Ze had al enkele lichte steek- en snijwonden, die bloedden, en haar kleren waren aan flarden. De kleine, groezelige Elell, die nog maar een paar tanden in zijn mond had, liep met getrokken zwaard telkens maar weer om haar heen, en lachte en praatte vrolijk op haar in. Hij droeg een verkreukt Irathindurisch uniform. 'Maar je hoeft toch niet zo te huilen, mijn mooie duifje. Niemand kan je horen. De mensen zijn nu allemaal ijverig aan het moorden, en de goden – echte of onechte – luisteren allang niet meer. Die zijn allang met iets leukers bezig. Met lezen of zo. Voor mij hoef je heus niet bang te zijn. Ik ben hier alleen maar om je te helpen, je van een overbodige last te bevrijden die je je leven lang al zo dom met je meesleept. Twee armen. Twee benen. Wat moet je ermee? Zo veel onzinnige ballast. Weet je hoeveel dat allemaal weegt? Een been alleen al? Al die aanhangsels maken het je alleen maar makkelijk om te kunnen trappen en krabben, maar kom je daar verder mee? Nee, als je nou kon graven als een mol, dáár zou je wat aan hebben. Maar trappen en krabben? Wil ik eraan meehelpen dat je kunt trappen en krabben? Ik dacht het niet! Je ziet er echt veel mooier uit als je op je buik kruipt, gewoon alleen op je buik, zoals een made of zo'n ding dat in lijken huist...'

'Hallo, Elell. Hopelijk stoor ik je niet al te zeer?' vroeg Minten, en hij stapte met zijn kruisboog in de aanslag uit zijn dekking.

'Nee, maar – kijk eens aan! Als we daar onze meneer de student niet hebben! Je naam weet ik jammer genoeg niet meer, maar wat maakt het ook uit? Je hebt een heel andere smoel. Heb je soms net iets in je mond? Heb je iets lekkers te smikkelen gevonden?'

'Maak dat je wegkomt, Elell. Maak dat je wegkomt en sterf aan het front.'

Elells gezicht vertrok tot een woedende grimas. Hij stampvoette als een opstandig kind. 'Nee, maak jíj maar dat je wegkomt, betweter! Ik was hier het eerst! Wat zit je nou stom te kijken? Wil je soms ook wat? Daar ben je dan mooi te laat voor, slappeling. Scheer je weg, ga kinderen doodschieten! Dit is mijn buit, en ik doe met die vrouw waar ik zin in heb. Wat heb je anders aan een oorlog? Deze oorlog is voor mij; eindelijk is er eens iets helemaal alleen voor mij! Het zuipen heb ik al in de cel moeten afleren; dít laat ik me niet ook nog eens ontnemen! Dus hoepel op! Wat zit je nou stom te kijken? Wat zit je nou stom te kijken? Wat zi...'

Minten had de pijl recht tussen zijn ogen geschoten. Even bleef Elell nog staan, met zijn ogen naar binnen gedraaid, zijn mond half open, waaruit een soort gelal kwam, en zakte toen reutelend en te midden van een heleboel bloedspetters in elkaar. De jonge vrouw bedekte haar gezicht en haar borst om het bloed niet op zich te krijgen, begon schril te gillen en hield niet meer op.

Minten deed geen poging haar te troosten. Hij kende haar tenslotte niet eens. Eigenlijk liet haar verdere lot hem volkomen koud.

Het was allemaal heel bizar. Waarom liep hij hier eigenlijk rond en schoot hij mensen dood? Beslist niet omdat ze voor Irathindurië vochten. Hij kwam zelf uit Irathindurië, toen dat nog het zesde baronaat heette. Hij vocht voor Helingerdia, omdat het lot hem hierheen had gebracht en omdat de jonge officier tegen hem had gezegd: 'Draag onze kleuren en moord voor ons.' Maar hij had evengoed tegen Coldrin kunnen vechten. Of voor Coldrin, zoals toen tegen het tweede baronaat. Of tegen alle vrouwen. Alle studenten. Alle oude mensen. Alle dikke mensen. Alle roodharige mensen. Alle kortzichtige mensen. Alle mensen die iets aan hun gebit mankeerden. Het was zo van het toeval afhankelijk dat het er niet eens meer toe deed. Hij schoot iedereen dood die men hem aanwees, omdat hij soldaat was geworden.

Minten slenterde verder door Witercarz. De stad gaf zich over, zuchtend. De rook maakte al het wit grijs.

Opeens zag hij ergens het dode lichaam van de jonge officier liggen. De jonge officier met zijn glimmend gepoetste kristallen harnas was met paard en al gevallen; nu hij dood was, had hij niets strengs meer over zich. Het paard had de tong uit zijn mond hangen. De ogen van de jonge officier stonden halfopen en zijn kaak was naar beneden gezakt. Hij zag er behoorlijk dom uit.

'Hier, dit is van jou, geloof ik,' zei Minten, en hij legde zijn kruisboog naast de dode man neer. Hij overwoog nog de ogen van de dode te sluiten, zodat hij er vrediger zou uitzien. Maar wat had je eraan om in het hiernamaals met gesloten ogen rond te lopen als je tijdens je leven al soldaat, en dus blind, was geweest? Minten ging midden op het plein staan en wachtte af wat er verder met hem zou gebeuren.

Al vrij snel kwamen de overwinnaars – eerst alleen als een rommelige, rumoerige horde, die meer van honden dan van mensen had, daarna aangevoerd en in toom gehouden door een vrouwelijke officier te paard. Langzaam kwam deze op Minten af gedraafd, die in de verste verte geen aanstalten maakte om te gaan vechten of zijn handen op te steken als iemand die zich overgaf.

Ze keek hem onderzoekend aan. 'Ben je een Witercarzer of een soldaat?' Minten keek omlaag naar zijn lichaam. Dat hij geen uniform droeg, leek iedereen in verwarring te brengen. 'Ik heb een paar Irathinduriërs doodgeschoten, maar dat betekent niet dat ik hier thuishoor.'

'Wacht eens even – ik ken jou! Je mond is anders, en je vieze gezicht... maar jij bent toch Minten Liago? Je hebt in de Binnenkring gevochten! Ik heb ooit eens een flinke hoop muntstukken gewonnen omdat ik op je had gewed!'

'Dat moet dan al lang geleden zijn.'

'Mm-mm. Nog niet eens een jaar. Wat moet jij aan de kant van de Helingerdianen? Ben je niet zoals alle fatsoenlijke mensen in het zesde baronaat opgegroeid?'

'Ja, daardoor ben ik hier beland.'

'Nou, niet zo schuchter dan, Liago. Sluit je bij ons aan! Mannen met jouw vuisten kan ik altijd in mijn troepen gebruiken. We hebben orders om via het derde tot het tweede baronaat door te dringen, zolang ze daar nog met elkaar overhoopliggen omdat hun baron uit het raam is gesprongen.'

Minten begreep niet waar de officier naartoe wilde. Hij begreep alleen dat wéér iemand hem wilde hebben en gebruiken. Weer een soldate. Ze was mooier en vrouwelijker dan Jinua, maar ze had niet zo'n persoonlijkheid.

'Ik... heb geen zin meer in oorlog.'

Ze fronste haar voorhoofd. 'Maar je hebt geen keus. De oorlog is overal. Zolang heel Orison niet Irathindurië heet, zal er altijd strijd zijn.'

Ik zou de bergen in kunnen trekken, dacht Minten. Leren wat de Wolkenstrijkers weten. Of ik zou ergens een boot kunnen pakken en gewoon de Groene Zee op varen totdat er niets meer is of zich iets heel nieuws aandient.

'Goed dan,' zei Minten met een schouderophalen. Hij voelde zich vreselijk ontworteld. Maar als hij eerlijk was, had hij zich in Kurkjavok ook al zo gevoeld. Op die avond in de Troostende Trompet, toen hij had besloten om te vertrekken zonder te betalen, omdat de consequenties hem gewoon te weinig hadden kunnen schelen, had hij al ingecalculeerd wat hem nu overkwam. De dood of het leven van Elell, de overwinning of nederlaag van een stad als Witercarz, de wording of ondergang van een godinnenstaat – het had allemaal geen enkele invloed op hoe hij zich voelde.

Witercarz werd ingenomen, de buit weinig zachtzinnig verdeeld. Branden die overal onnodig oplaaiden en nu ook voor de overwinnaars een bedreiging vormden, werden onder controle gebracht. Burgers uit Witercarz en Helingerdiaanse soldaten die zich hadden overgegeven werden als vee in groepen bijeengedreven.

Vervolgens begonnen de overwinnaars aan een selectie. Een paar officieren en onverbeterlijke figuren werden opgehangen of onmiddellijk vastgebonden en in het vuur gegooid. Wie echter wilde overlopen, was van harte welkom, want de godin was nog heel wat van plan. Idealiter sneuvelden er in een veldslag minder soldaten dan er daarna uit de gelederen van de overwonnenen bij kwamen. Zo kon het Irathindurische leger voortdurend blijven groeien, en de veldslag om Witercarz was in dat opzicht een groot succes geweest.

Eiber Matutin liet zich nergens zien. Er werd gefluisterd dat hij diarree had. Maar omdat toch iemand een toespraak op het raadhuisplein moest houden, sprong een verdorde geestelijke – nog maar kortgeleden had hij in zijn kerk de naam van God geprezen en hij bejubelde nu in de kerken van de veroverde gemeentes met hetzelfde vuur de naam van de godin – op een haastig in elkaar getimmerde kansel en verkondigde de overwinning, de vrede, de genade, de schoonheid van de godin, de schoonheid van overwinning en vrede, de genade van de overwinning, de overwinning van de genade en de alomtegenwoordige 'godinnelijkheid'. Sommige Witercarzers schreeuwden daarna: 'Hoera!' Anderen vroegen zich af of het wel klopte wat er werd verteld, namelijk dat keizer Helingerd nog voor zijn zelfmoord had uitgeroepen dat de godin boven hem stond.

Minten Liago kwam eerder bij toeval dan dat hij daar bewust op uit was geweest te weten dat zich in een groep gevangenen die door een aantal militairen te paard waren bijeengedreven ook de met bloed besmeurde, snikkende Taisser Sildien bevond.

Hij richtte zich tot zijn nieuwe officier. 'Die mannen daar. Wat gaat er met hen gebeuren?'

'Dat zijn deserteurs van de vijand, die onze patrouilles in de bergen hebben aangevallen. Ze gaan naar de executieplaats, zodra men daar met de officieren klaar is. Deserteurs kan een overwinningsleger niet gebruiken. Wie zijn leider één keer in de steek laat, doet het telkens weer.'

'Die blonde daar, die zo verschrikkelijk huilt – die komt net zoals wij uit het zesde baronaat. Taisser Sildien van de familie Sildien.'

'Je meent het! Van de Sildiens heb ík zelfs gehoord. Denk je dat zijn vader er blij mee zou zijn een zoon terug te krijgen die als een wijf zit te grienen?'

'Ik sta wel voor hem in. Taisser is geen vechter, maar wel een goede kameraad. Samen hebben we de Helingerdianen heel wat muntstukken uit de zak geklopt toen we ons hier moesten zien te redden.'

'Aha! Dus jullie hebben de vijand van binnenuit schade berokkend?' De officier lachte. 'Nou, in dat geval! Schattig is hij wel. Misschien laat ik hem mijn laarzen wel schoonlikken – en iets anders. Maar ik zeg je één ding: als er straks muntstukken van me weg zijn, of paardentuig of iets anders van mijn persoonlijke bezittingen, dan steek ik jullie allebei eigenhandig in de fik!'

Minten knikte. Taisser werd vrijgelaten en snikte onbeheerst in Mintens armen. Hij vertelde onder het snikken ook een verhaal, maar het was amper te verstaan. Minten begreep er ongeveer uit dat Taisser, nadat hij was gevlucht, iemand had vermoord. 'Was het een Helingerdiaan of een Irathinduriër?' vroeg Minten hem, maar dat wist Taisser niet meer. Alleen de ogen kon hij zich nog herinneren, die verschrikkelijke ogen: droog, en met zo'n starre blik.

Taisser werd nu inderdaad bij de staf van ordonnansen van de mooie officier, die Lae heette, ingedeeld. Minten drukte hem op het hart alles te doen wat Lae van hem vroeg, maar haar in geen geval te bestelen. 'Ik ben toch geen dief?' reageerde Taisser verontwaardigd. 'Ik ben een gewiekst speler, maar ik heb geen lange vingers!'

'We zijn nooit,' zei Minten, 'wat we denken te zijn. We zijn alleen wat het lot ons laat zijn.'

De veldtocht ging verder. De hoofdburcht van Helingerdia viel ten prooi aan de vlammen. De vijf havensteden Werezwet, Keur, Zetud, Zarezted en Ferretwerry liet Eiber Matutin rechts liggen. Hij stuurde er afgezanten heen met het dringende verzoek zich over te geven, want anders 'zou zelfs de zee nog beginnen te branden.' Het veroveringsleger rukte echter in westelijke richting op, zoals de godin had bevolen.

Minten en Taisser werden moeizaam opgenomen in het Irathindurische leger. Sommige van de Irathindurische soldaten herinnerden zich nog maar al te goed hoe Minten in Witercarz een aantal van hen vanaf een dak een vreselijke dood had bezorgd. De mooie officier nam hem in bescherming en gaf hoog op van zijn 'vechtkwaliteiten'. In twee vuistgevechten die ze had georganiseerd won hij van speciaal uitgekozen soldaten, maar hij maakte zichzelf daar nog minder geliefd mee dan hij toch al was. Dus hield Lae hem bij zich in de buurt. Taisser werd haar manusje-van-alles en Minten was weer een soort lijfwacht, maar deze keer in de rang van een gewone soldaat.

Voor de veldslag om de hoofdburcht van het voormalige derde baronaat ontstond er grote verwarring. Het derde baronaat werd tot voor kort nog Helingerdia-West genoemd, maar was nu, aangezien het vierde baronaat – Helingerdia-Oost – door Irathindurië was veroverd, zelf Helingerdia-Oost geworden. Helingerdia omvatte nu alleen nog het voormalige tweede en het voormalige derde baronaat, waar nog eens bij kwam dat het tweede baronaat altijd een zekere mate van onafhankelijkheid had bewaard en nooit de naam 'Helingerdia' had willen dragen. Was het voormalige derde baronaat in die zin dan nu Helingerdia, heette het Helingerdia-Oost of Helingerdia-West – of bestond Helingerdia al niet eens meer, omdat keizer Helingerd tenslotte ook niet meer leefde?

In elk geval heerste er onduidelijkheid onder de verschillende legereenheden. Terwijl sommige zich naar het voormalige tweede baronaat haastten, om volgens bevel Helingerdia-West in te nemen, rukten de meeste alleen tot het voormalige derde baronaat op, omdat dit officieel, althans tot voor kort, Helingerdia-West was geweest. Matutins zegetocht splitste zich daardoor onnodig op en werd ineens met onverwacht hevige tegenstand van de kant van de troepen van zowel het voormalige tweede als het voormalige derde baronaat geconfronteerd. Door al die verwarring en de daaruit voortvloeiende paniek bij een aantal officieren kreeg Minten eindelijk een keer de inmiddels legendarische legercoördinator Eiber Matutin te zien. Hij zag een klein en incompetent mannetje, dat zo ernstig was vermagerd dat de huid van zijn gezicht ziekelijk en treurig neerhing. Minten besefte dat deze man helemaal niets bepaalde en stuurde. Hij was evenzeer een pion als Minten, alleen hijgde er ook nog eens een levensechte godin in zijn nek, die hem onverbiddelijk voortjoeg. Bijna had Minten medelijden met Matutin, maar toen de coördinator aan één stuk door heel gênant winden begon te laten, verdween alle medegevoel ogenblikkelijk.

De veldslag om de hoofdburcht van het voormalige derde baronaat werd een bloedbad dat met geen pen te beschrijven viel. Dat kwam vooral doordat niemand eigenlijk precies wist wat hij moest doen.

Een paar geroutineerde legereenheden van Matutin waren al naar het tweede baronaat afgemarcheerd, waar ze door goed opgestelde troepen van de vijand in de tang werden genomen en bijna volledig in de pan werden gehakt. Intussen kreeg Matutins leger voor de hoofdburcht van het derde baronaat steun van enkele verzetsgroepen aangeboden die tijdens de recente Helingerdiaanse invasie misschien óf aan de kant van koning Tenmac, óf ook aan de kant van Irathindurië hadden gestaan, maar die nu graag wilden meehelpen om hun eigen barones uit Helingerdiaans huisarrest te bevrijden. Het probleem daarbij was alleen dat de verzetsgroepen Helingerdiaanse uniformen droegen om onder het Helingerdiaanse bezettingsbewind effectief te kunnen opereren. Een paar uur lang wisten de aanvallende Irathinduriërs dan ook niet echt goed of de Helingerdiaan voor of naast hen een bondgenoot of een vijand was. Daarom gingen ze ook zo aarzelend en radeloos te werk, waar de Helingerdiaanse verdediging natuurlijk weer uitstekend gebruik van wist te maken. Aangezien Helingerdia als zodanig al niet eens meer bestond, of althans uiteen dreigde te vallen, zou het hier bij deze veldslag wel eens heel goed om het spreekwoordelijke laatste bastion kunnen gaan.

Op sommige plaatsen vochten Helingerdianen tegen Helingerdianen, dus rebellen tegen kristalgezinden. Door alle verwarring begonnen sommige Irathinduriërs ook tegen andere Irathinduriërs te vechten, omdat ze dachten dat het vermomde verzetsstrijders waren.

De chaos werd nog groter toen de hoofdburcht in brand vloog. Omdat de barones van het vroegere derde baronaat nog steeds in de burcht gevangenzat, voelden de verzetsstrijders, die zich net bij Irathindurië hadden aangesloten, zich door Eiber Matutin verraden en in de steek gelaten. Ze begonnen de boel te blussen. Sommigen van hen vielen ook andere brandstichtende Irathinduriërs in de rug aan. Het gevolg was dat er uiterst bloedige gevechten tussen de Irathinduriërs en de verzetsstrijders uitbraken. Nu had dit weer orde in het hele gebeuren kunnen brengen, omdat nu iedereen die het Helingerdiaanse uniform droeg ook daadwerkelijk een echte vijand was, ware het niet dat een paar legereenheden, die vanwege de rook en onjuiste bevelen niet zo goed in de gaten hadden wat er precies gebeurde, hun eigen mensen, die tegen de verzetsstrijders vochten, weer van verraad verdachten – en dus nog harder tegen hen begonnen te vechten. En zoals altijd wanneer broeders tegen broeders en zusters tegen zusters vochten, werd er met onverbiddelijke hardheid opgetreden.

Eiber Matutin maakte de ene fout na de andere. Nadat hij had bevolen de boel in de brand te steken, zonder eerst de barones te redden, gaf hij het bevel de barones in veiligheid te brengen, waarmee hij enkele zelfmoordcommando's de vuurdood in joeg. Toen vervolgens de gevechten tussen de soldaten onderling uitbraken, gaf hij het bevel dat alle Irathinduriërs hun wapens moesten neerleggen, zodat men hun en ook hem in alle rust zou kunnen vertellen wat er nu eigenlijk aan de hand was. Maar van die gelegenheid maakten de Helingerdianen weer gebruik om de Irathinduriërs, die tot een staakt-het-vuren waren verplicht, aan te vallen en af te slachten. Onder de Irathinduriërs leidde dit tot ernstige twijfels over de competentie van hun eigen legerleiding – twijfels die waarschijnlijk al lang hadden gesluimerd, maar die door de overwinningen tot dusver nooit echt aan de oppervlakte waren gekomen. Matutin beging daarna de volgende fout: hij liet een paar van de meest luidruchtige twijfelaars in het vuur gooien en creëerde daarmee verzetsstrijders die het Irathindurische uniform droegen en min of meer tegen ieder ander vochten, enkel en alleen om hun eigen leven en geestelijke gezondheid te redden.

Minten Liago en Taisser Sildien bekeken het hele gebeuren elk vanuit een heel ander oogpunt. Taisser moest als schaars geklede kerel de hele tijd allerlei slag-, steek- en schietwapens achter zijn mooie officier aan slepen en haar elke keer als ze hem dat toeriep het juiste wapen uit zijn verzameling aangeven. Hij stapte daardoor nogal achteloos door lijkenvet en ingewanden, en was de hele tijd nerveus en onhandig met zijn uitrusting bezig.

Minten bevond zich echter met zijn kruisboog en zwaard in de grootst mogelijke chaos, zag hoe mensen met eenzelfde uniform elkaar brullend van woede wurgden, zag vrouwen en mannen ineengestrengeld in de burchtgracht in het vuur rollen, zag een dode geit die met een kruisboog was neergeschoten, een Helingerdiaanse officier die in lichterlaaie stond en doodkalm bevelen bleef geven; hij zag een Irathindurische officier die zijn twaalf overgebleven soldaten beval neer te knielen en tot de godin te bidden, zag kinderen die boven uit de brandende burcht werden gegooid, een soldaat die door een bevoorradingskar was overreden en er nu bij lag alsof Elell hem te pakken had gekregen; hij zag een moeder en haar dochter elkaar vol vuur te lijf gaan, omdat de moeder verzetsstrijder was geworden en de dochter Helingerdia trouw had gezworen, zag een horde honden om verse botten vechten, een graf dat tijdens de veldslag vers was gegraven en met oren in plaats van met bloemen was versierd, en een compagnie die zingend rondliep.

Hijzelf doodde tijdens deze veldslag vijf mensen: drie Helingerdianen – twee mannen en een vrouw –, een verzetsstrijdster en ten slotte een Irathinduriër, die hem met de woorden 'Witercarzer smeerlap!' van achteren had overvallen. Hij kreeg in korte tijd de commando's 'Aanvallen!', 'Terugtrekken!', 'Voorwaarts mars!', 'Eten halen!', 'Opstaan!', 'Liggen!' en 'Rechtsomkeert!', die hij allemaal na elkaar uitvoerde. En hij had twee onvergetelijke ontmoetingen.

Ten eerste stond op een kleine heuvel, die misschien alleen uit gras en aarde, maar misschien ook al uit kadavers bestond, opeens Oloc tegenover hem.

Dat was een heel vreemd moment. Allebei voelden ze zich in gedachten meteen weer naar een walmende catacombe van de Binnenkring terugverplaatst, want ze herkenden elkaar meteen, ook al waren ze allebei veranderd. Mintens gebit was anders, en tijdens de veldtocht had hij zijn rode haar en de voor hem zo karakteristieke bakkebaarden weer laten aangroeien. Oloc, met zijn stierennek en volle wenkbrauwen, droeg een Helingerdiaans uniform en zag er met zijn helm en halsdoek bijna beschaafd uit.

'Ben je een keizersgezinde of een verzetsstrijder?' vroeg Minten.

Oloc schudde zijn hoofd. 'Geen van beide. Ik sta aan de kant van de sterkste generaal, die Helingerd moet opvolgen. Hij wil snel vrede met Irathindurië.' Het drong tot Minten door dat hij nog nooit Olocs stem had gehoord. Die was zacht en hees.

'Tegen wie vecht je hier dan?'

'Dat weet ik eigenlijk ook niet goed.' Terwijl hij nadacht, stak Oloc het puntje van zijn tong tussen zijn lippen. 'Tegen het vuur?'

Minten glimlachte. 'Tegen het vuur is nooit verkeerd. Zullen we samen tegen het vuur vechten en de barones eruit halen?'

Oloc keek omhoog naar de torens, die in vuur en vlam stonden. 'Zit ze daar nog steeds in dan?'

'Ze zit er nog steeds in.'

'Er is geen andere barones meer in Orison, toch?'

'Nee, dat klopt. Zij is de enige die nog over is.'

Oloc trok zijn neus op. 'Waar wachten we dan nog op?'

Ze liepen samen het vuur in. Niemand hield hen tegen, want alle anderen waren druk bezig elkaar op gruwelijke wijze te vermoorden. De potige Oloc bleek een enorme steun te zijn. Hij kon hindernissen uit de weg ruimen – ingestorte dakbalken, smeulend meubilair en zelfs een keer een doorgesmeulde muur – waar Minten in zijn eentje op stuk zou zijn gelopen. Van een hysterisch lachende vrouwelijke bediende kregen ze te horen waar de barones gevangen werd gehouden. Andere vrouwelijke bedienden hadden met gevaar voor eigen leven de brand in dit gedeelte van de burcht steeds met bronwater weten te blussen. Minten en Oloc konden hier zelfs goed ademhalen.

En zo kwam het tot Mintens tweede onvergetelijke ontmoeting van die dag: hij zag de barones van het derde baronaat weer en redde haar met Olocs hulp uit de brandende burcht. Zij was degene geweest die Jinua en hem destijds naar Coldrin had gestuurd, zodat ze de Helingerdiaanse bezetter met troepen van de mensenetende koning Turer vanuit het noorden konden aanvallen. Maar nu kwam Minten uit het oosten en bracht hij Irathindurische brandstichters en een Helingerdiaanse revolutiestrijder mee. Het was allemaal gierend uit de hand gelopen.

De barones herkende hem trouwens niet eens. Geen wonder, zijn gezicht had toen volledig in het verband gezeten en hij was alleen maar Jinua Ruuns zwijgzame lijfwacht geweest. Minten deed ook niets om het geheugen van de barones op te frissen. Hij gooide het fragiele dametje gewoon over zijn schouder en volgde Oloc door het puin, de brand en de walm, die overal vrolijk op en neer danste. Zij werden op hun beurt weer gevolgd door de vrouwelijke bedienden, in kleding die uit voorzorg was natgemaakt en dus doorscheen. De stoet maakte grote indruk op de vechtenden buiten voor de hoofdburcht, die op waardige wijze ineenstortte. Toen de verzetsstrijders hun barones, weliswaar hoestend en gillend, maar verder ongedeerd terugkregen, hielden ze op met vechten. Oloc wist Helingerdiaanse legereenheden zover te krijgen dat ze onderhandelingen gingen voeren. Taissers mooie officier, Lae, sloeg met een bijl, die Minten haar had aangereikt, nog een Helingerdiaanse hellebaardier het hoofd van de romp, gebood vervolgens haar mannen de strijd te staken en zich opnieuw te formeren en verdere bevelen af te wachten. Eiber Matutin leegde ondertussen ver in de achterhoede zijn darmen in een wc-huisje, dat daar speciaal voor hem was neergezet en snel van zijn favoriete houtsnijwerk was voorzien. Jammerend hoorde hij het nieuws aan dat het in de veldslag om de hoofdburcht van het derde baronaat tot een vreemd soort, onduidelijk, van ingehouden woede vibrerend bestand was gekomen, en dat de legereenheden die naar het tweede baronaat waren opgerukt totaal waren verslagen en kennelijk zelfs werden nagezeten. 'Ik kan niet meer,' zei hij almaar met hijgende stem, terwijl de tranen over zijn afgetobde gezicht liepen. 'Ik ga hier dood – en waar is de godin? Is ze op aarde te vinden? In de hemel? Waar is de godin? Is ze bij me of toch ook met me? Ben ik alleen? Ben ik beter af zonder haar? Waar is de godin? Bestaat ze eigenlijk wel? Of is ze alleen een vreselijk schrikbeeld, dat ons allemaal tot de dodendans dwingt?' De monoloog maakte hem nog vermoeider, maar hij kon niet anders, het moest er allemaal uit. 'En waar is mijn ziel? Waar is die heen? Of heb ik die per ongeluk mee naar buiten gewerkt? Ik was toch ooit zo'n gevoelig mens! Ik was festiviteitencoördinator voordat de barones die legerdienaar vermoordde. Ik was een prima festiviteitencoördinator! Mijn specialiteit waren de grote hofbals. Honderden mensen, van allerlei slag, die wiegden en ronddraaiden onder mijn leidende hand. Ach, toen ik nog een ziel had! Waar is de godin nu, nu ik me leeg en oud voel, en alleen nog maar wens dat ze voor eeuwig vrede sluit?'

De godin

Voor lrathindur stonden er drie wegen open om het Treurwoud in het achtste baronaat te veroveren.

De kortste weg voerde dwars door het zevende baronaat. Maar één gebied door en dan was hij er al. Het zevende baronaat was evenwel een soort erfvijand van het zesde – tweehonderdvijftig jaar geleden waren er bloedige grensconflicten tussen de twee geweest, waarvan de gevolgen tot op de dag van vandaag niet vergeten of vergeven waren. Irathindur schatte het zevende baronaat in als de zwaarste tegenstander in heel Orison; daarom verwierp hij deze allerkortste weg als mogelijkheid bij zijn strategische overwegingen.

De een na kortste weg was het achtste baronaat vanaf zee te overvallen. Zo kon het zevende baronaat gewoon worden gemeden. Ook de twee andere koningsgezinde baronaten, het eerste en het negende, zouden zich waarschijnlijk wel koest houden. Het probleem was alleen dat Orisons soevereiniteit op zee nog steeds bij Helingerdia lag, omdat Eiber Matutin het op zijn veldtocht niet nodig had gevonden de havensteden van Helingerdia te veroveren. Irathindurië had na de overname van het vijfde baronaat weliswaar de beschikking over zes havensteden – tegenover de vijf grote van het voormalige vierde baronaat –, maar die brutale vijf van de dode keizer Helingerd waren al sinds lange tijd goed georganiseerd en waren er zeer bedreven in te doen alsof de Groene Zee van hen was. Zolang Helingerdia met zijn vijf havens bestond, zou een Irathindurische aanval over zee op het achtste baronaat er dus alleen maar toe leiden dat de Helingerdiaanse vloot de Irathindurische vloot in de rug aanviel of meteen in het dan weerloze voormalige zesde baronaat aan land ging en het hoofdkwartier van de godin bestormde.

Er bleef dus niets anders over: Irathindur moest eerst Helingerdia volledig verslaan. Al was dit dan de meest omslachtige van de drie wegen naar het Treurwoud, het was tegelijkertijd ook de meest veelbelovende. En het bijzondere aan die weg was dat die nog een uiterst interessant extraatje met zich meebracht.

Zodra namelijk Matutins troepen – gebruikmakend van Helingerdia's verzwakte positie door de vermeende zelfmoorden van de keizer en van de baron van het tweede baronaat – eenmaal tot aan de grens tussen het eerste en het tweede baronaat waren opgerukt en ze Helingerdia ontluisterd en verwoest hadden achtergelaten, vormden ze opeens een prachtige afleidingsmanoeuvre. Ze moesten dan namelijk daarna het eerste baronaat overvallen. Koning Gouwl moest daardoor de indruk krijgen dat Irathindur via het eerste en het negende baronaat naar het achtste wilde oprukken, zodat hij zijn eigen troepen en die van de vier baronaten die hem nog trouw waren in de Merenvallei zou concentreren om de aanvallers meteen in het eerste baronaat op te wachten. Tegelijkertijd wilde Irathindur echter met een goed uitgeruste vloot het ruime sop kiezen en vanaf zee het achtste baronaat aanvallen, omdat Helingerdia dan eindelijk gebroken zou zijn en zijn vroegere hegemonie op zee niet meer zou kunnen doen gelden.

Eiber Matutins leger was in Irathindurs plan niet meer dan een gigantisch pionoffer. De werkelijk belangrijke aanval zou in het zuidwesten en vanaf zee plaatsvinden.

Toch was het voor dit goed doordachte plan van het grootste belang dat Eiber Matutin opschoot en niet al meteen in het derde baronaat bleef steken. Volgens hetgeen de koeriers de godin over het strijdgebeuren in het noorden meldden, zag het er nu zelfs naar uit dat het tweede baronaat een tegenaanval zou gaan uitvoeren op de Irathindurische troepen in het derde baronaat, waar praktisch geen beweging meer in zat. Dat mocht niet gebeuren. Dat Matutin de vijf Helingerdiaanse havensteden had ontzien, bleek nu een onnodige complicatie. Erger nog: de havensteden konden strijdkrachten over land sturen en daarmee het vastgelopen leger van Matutin in de rug aanvallen. Terwijl de bevelen van de godin toch duidelijk waren geweest: de zeevloot van Helingerdia moest in vlammen opgaan! Maar mateloos incompetent als hij was, had legercoördinator Matutin dit niet belangrijk genoeg gevonden en had hij dus niets gedaan. Waarschijnlijk omdat hij had gedacht dat schepen geen gevaar voor hem op zijn veldtocht over land konden opleveren.

De godin brieste van woede.

Ze was zo ziedend dat ze met haar blote handen drie van de langzamere lijfbediendes aan stukken scheurde, zonder dat ze zich er ook maar enigszins bewust van was. Helemaal onder het bloed en de spetters ingewanden stormde ze door de galerij van de duizend pilaren. Tussen de zwarte pilaar en de gouden, tussen Gouwl en haarzelf dus, bleef ze staan. Met haar slanke, klauwvormige handen streek ze eerst over de ene pilaar, toen over de andere. Dit waren de wondertekenen van haar goddelijke macht.

'Coördinator!' snauwde ze de rechtscoördinator toe, die toevallig een artikel over allerlei krijgsraadanekdotes zat te bestuderen. 'Ik wil dat er van deze gouden pilaar ogenblikkelijk een gouden harnas wordt gemaakt, dat zo mooi is dat al die miezerige kristallen pantsers van de Helingerdianen er volledig bij in het niet vallen. Ik ben van plan in dat harnas naar het front te vertrekken! Liever morgen dan overmorgen!'

'Zoals u wenst, hooggeachte godin. Ik zal al het nodige in het werk stellen en alle werklieden zeggen dat ze haast moeten maken. Prachtig diadeem hebt u daar trouwens, het staat u heel goed!' De rechtscoördinator rende ervandoor, sneller dan de godin hem ooit eerder had zien rennen. Zijn artikel had hij opengeslagen laten liggen. De godin rukte het 'diadeem' van haar hoofd – het was de endeldarm van een van de lijfbediendes die daar onbedoeld was blijven hangen – en las de dichtbeschreven bladzijden van het artikel vluchtig door. Daarin werd over een legercoördinator verteld die zijn hele leger voor het gerecht had willen slepen omdat 'het lamlendige zootje het in zijn hoofd had gehaald al na vier dagen te gaan slapen'.

De godin glimlachte. Wat een absurd gedoe was zo'n oorlog ook! De oorlog kwam op gang, bleef in het slijk steken, moest weer worden aangezwengeld, raasde daarna heviger dan ooit en zakte dan ten slotte tot een soort halfbakken vreedzaamheid ineen. Vervolgens probeerde men te vergeten en te verdringen, zoop te veel en vocht met elkaar en met zijn man of vrouw, totdat de volgende oorlog zich aandiende, waarin men het allemaal beter wilde doen en het allemaal alleen nog maar erger werd. Zo was het gegaan in de grote oorlogen die de mensen tegen de demonen voerden en later tegen zichzelf, totdat Orison kwam, een eind aan het hele gedoe maakte, de demonen verbande, het land vorm en structuur gaf, en zo voor een blijvende rust zorgde. Alleen voor de demonen niet. De demonen moesten ronddraaien en schreeuwen om te kunnen overleven.

Nu lag alles in puin. De rust, de structuur, zelfs het goed geordende ronddraaien. Twee demonen waren genoeg geweest om de hele kunstige constructie te laten instorten.

Irathindur lachte uit volle borst. Hij had al eens eerder een front gezien en was vrolijk door de lijkperken gelopen. Maar nu zou hij een oorlogsdemon worden. In een gouden harnas, voor de mensen een gruwel, voor God een raadsel en een wonder, voor de demonen aanmoediging en troost.

Het smeden en op maat maken van het harnas duurde ongehoord lang: wel vier dagen. Enkele smeden moesten dit falen met hun leven of in elk geval met een paar lichaamsdelen bekopen. Toen het harnas eindelijk zo goed als klaar was, kon de godin niet meer wachten; ze trok het nog nagloeiende goud aan en spinde daarbij tevreden als een kat.

Matutins leger zat nog steeds vast in het derde baronaat en werd voortdurend door troepen van het tweede baronaat bestookt. De verliezen liepen in de duizenden. Matutin, de weifelaar, was niet in staat zich uit deze hachelijke positie te bevrijden en van zijn kant een veelbelovende tegenaanval te organiseren, hoewel hij alle benodigde middelen daarvoor tot zijn beschikking had. De vijf havensteden van Helingerdia stuurden nu – precies waar Irathindur al bang voor was geweest – de bemanningen van hun schepen landinwaarts om het vastgelopen Irathindurische leger in de rug aan te vallen en het als tussen de twee poten van een tang te vermorzelen. Helingerdia, radeloos en verdeeld, roerde zich nog steeds.

Men had de godin nodig.

Ze zou een godin zijn die dicht bij het volk stond, geen ongrijpbare geest als de God voor wie men nietszeggende kerken bouwde.

Ze reed richting het noorden, zonder enig escorte – de coördinatoren die voor haar vertrek allemaal door elkaar hadden gepraat om haar van dit plan af te brengen, had ze genegeerd met de uitroep: 'Mensen!' Ze gaf haar paard de gouden sporen totdat zijn flanken bloedden. Toen het dier uiteindelijk van ellende bezweek, eigende ze zich gewoon een ander toe door een tegemoetkomende ruiter dood te slaan.

Ze zette koers naar het noordoosten en viel de uit het oosten oprukkende Helingerdiaanse eenheden uit de havensteden in de flanken aan. Die hadden geen idee wat hun overkwam. Ineens verscheen er een gouden ridder op een panisch dampend paard, die bij elke beweging vonken en bliksemschichten in het rond schoot en door de troepen sneed als een warm mes door smeervet. 'Dat is immers maar één gek,' merkte een van de bevelhebbers grijnzend op. Even later vloog de bovenste helft van zijn hoofd tollend door de lucht en kwakte als een halve kokosnoot tegen de borst van een andere bevelhebber, die hysterisch begon te schreeuwen. De schreeuw plantte zich voort. Soldaten sloegen op de vlucht, maar de godin hield niet op. Wie ze niet met haar eigenlijk tweehandige zwaard, dat zij met één hand hanteerde, kon raken, of met haar lans, die velde ze met knetterende bliksemschichten die onwillekeurig uit haar vizier schoten. Het was eigenlijk heel gemakkelijk. Irathindur lachte en lachte. Hoe meer hij doodde, des te meer levenskracht warrelde er om hem heen en kon door hem worden ingezogen en onmiddellijk worden omgezet. Hoe woest hij ook tekeerging, hij werd sterker in plaats van zwakker. En omdat zich hier de kans voordeed de Helingerdiaanse zeetroepen, die het hem bij de overval op het Treurwoud zo lastig konden maken, buiten hun haven een verpletterende nederlaag toe te brengen, deed hij dat dan ook grondig en met groot enthousiasme. Eén soldate ontkwam doordat ze zich onder de lijken van haar kameraden verborg. Irathindur rook haar angst, overwoog even haar te sparen, omdat ze een vrouw was en hij toch eigenlijk ook, maar hakte haar toen in de lengte doormidden.

En Matutin, die misselijke vent, glimlachte de godin in gedachten verzonken, zal niet eens weten wat voor plezier ik hem hiermee heb gedaan.

In haar gelukzalige razernij had ze ook tegelijk alle paarden van de vijand afgeslacht, dus moest ze een stuk te voet verder, omdat haar eigen paard was opgebrand. De zon droogde het bloed op haar harnas totdat het glimmende goud met een laag roestige adertjes was bedekt. Ten slotte kwam ze bij een boerderij aan. Zonder enige aarzeling spietste ze de boeren op hun hek, vuurde een paar blauwige bliksemschichten op de schuur af, totdat de vonken eraf vlogen, pakte een nog ongetemd paard, dat haar meteen gehoorzaamde, en vervolgde haar weg.

Matutins vastgelopen leger had ze al binnen een paar uur bereikt. Haar paard was natuurlijk ondertussen alleen nog maar geschikt voor de slacht.

De godin voelde haar vinger- en teennagels gloeien en tintelen van de opgeslorpte energie. Ook haar lange haar deed nu meer aan de knisperende stekels van een grote egel denken dan aan iets wat thuishoorde op een menselijk hoofd.

Een soldaat die op haar af kwam om te vragen wat ze wilde, zakte met een groot gat in zijn buik in elkaar. Ze kon de legercoördinator ook zonder hulp wel vinden. Hij lag uitgeput op zijn veldbed te jammeren, terwijl een krijgsgevangene zijn behaarde buik insmeerde.

'Toen ik langs je leger reed,' begon de godin bijna spinnend, 'kon ik me niet aan de indruk onttrekken dat de uiterste rechterflank en de uiterste linkerflank elkaar als de vijand zien en elkaar bevechten omdat het hele leger zich in de vorm van een hoefijzer over het terrein heeft verspreid en de beide uiteinden elkaar dus onbedoeld tegen het lijf lopen. Verstrooide troepen van het tweede baronaat maken van die verwarring gebruik en storten zich als sprinkhanen op ons.'

Eiber Matutin was te moe om angst te voelen. 'Ach, de oorlog,' zei hij alleen maar, en hij maakte een wegwuivend gebaar. 'De oorlog, mijn godin, is groter dan ik, en verschrikkelijker.'

De godin greep hem bij zijn nek, tilde hem op en schudde hem door elkaar. De krijgsgevangene kroop op zijn buik, op een plek waar eigenlijk helemaal geen uitgang was, piepend onder het tentzeil door naar buiten. 'Wat houdt me ook eigenlijk tegen om je hier en nu in sintels te veranderen?' snauwde de godin haar legercoördinator toe.

Eiber Matutins ogen vulden zich met tranen, maar rond zijn mond verscheen een enorme glimlach. 'Ja, dood me maar, mijn godin. Maak er een eind aan. Ik kan de pijn niet meer verdragen. Het is die oorlog... Die woekert in me als een gezwel.'

'Dat zou te gemakkelijk zijn!' Ze slingerde hem van zich af. Zwakjes bleef hij liggen, magerder en bleker dan ooit. 'Nee, Eiber Matutin, luie en incompetente windbuil dat je bent. Je straf zal zijn dat je deze oorlog tot zijn einde gaat brengen, tot de roemrijke overwinning! En ikzelf zal je met eerbewijzen overladen en je de held van alle gesneuvelden maken. Dan, mijn beste man, kun je voor mijn part vertrekken en je van je armzalige leven beroven door je in een of andere plas te verzuipen.'

'Waarom... Waarom haat u me zo? Mij en alle... mensen?'

'Om iemand te kunnen haten moet je hem allereerst serieus nemen.

Nee, Matutin – ik haat jullie niet. En verman je nu en geef het bevel tot de bestorming van de hoofdburcht van het tweede baronaat. Ikzelf zal in mijn goud bij deze stormaanval vooroprijden!'

'De hoofdburcht van het tweede baronaat? Maar... dat is nog twee hele dagmarsen hiervandaan. Minstens twee!'

'Je vermant je nu en geeft het bevel tot de bestorming van de hoofdburcht van het tweede baronaat. De soldaten zullen moeten rennen, aan één stuk door. Wie het opgeeft, wordt door de honden verscheurd.'

De legercoördinator kroop op handen en voeten de tent uit en stamelde daar de nodige bevelen. Hij stamelde ze twee keer achter elkaar in andere bewoordingen, zodat er opnieuw verwarring ontstond en sommige officieren concludeerden dat het hier om twee verschillende stormaanvallen ging.

De godin stopte een paar druiven zo gulzig in haar mond dat de spetters in het rond vlogen, begon toen te lachen en ging de tent uit door er een gat in te branden.

Voor Minten Liago en Taisser Sildien bleek het hele gebeuren in het vroegere derde baronaat een ondoorgrondelijk raadsel te zijn. Nadat de barones uit de brandende hoofdburcht was gered, had het er een tijdje naar uitgezien dat er nu een eind aan de gevechten daar was gekomen. De barones had verzetsstrijders en Irathinduriërs bij elkaar gezet en hen met charme en tact weer tot elkaar weten te brengen. Het feit dat Minten, een Irathinduriër, had meegeholpen de barones in veiligheid te brengen had zeker tot een verzoening bijgedragen. Ten slotte vroeg de groep Helingerdianen het woord, waartoe ook Oloc behoorde en die bereid was zich ten behoeve van een zo snel mogelijke wapenstilstand aan de genade van de godin over te geven. Iedereen werd stil, legde de wapens neer en wachtte op een teken van de legercoördinator dat de rust in dit baronaat was hersteld. Maar toen hadden de troepen van het tweede baronaat de aanval ingezet. Ze hadden de compagnieën van Matutin, die bij vergissing tot het tweede baronaat waren doorgestoten, bedwongen en maakten nu geen enkel onderscheid meer in wie ze aanvielen. Misschien konden ze de vele groeperingen in het kamp van de vijand niet uit elkaar houden en misschien wilden ze dat ook wel niet eens, want ze waren er nog steeds ziedend over dat coördinator Matutin bij de jacht op de Coldrinese plunderaars een paar weken geleden uit pure minachting hun hoofdburcht in brand had gestoken. Eén à twee uur lang smeedden deze aanvallen van buitenaf de partijen binnen het Irathindurische leger, die al langzaam aan elkaar begonnen te wennen, tot een nog hechter geheel samen. Maar daarna, alsof dit hechtere geheel tegelijkertijd ook een grotere druk betekende, viel alles weer uiteen. De verzetsstrijders liepen naar het tweede baronaat over om weer verzet te kunnen plegen. De Helingerdianen, onder wie ook Oloc, kregen hoop dat behalve de vernederende overgave zich toch nog een andere kans voor hen zou voordoen, en boden eveneens hun hulp aan de aanvallers uit het tweede baronaat aan. Vanuit het oosten, hoorden ze, rukten de troepen uit de havensteden van Helingerdia tegen het Irathindurische leger op. In het noorden vormde het Wolkenpijnigergebergte een hindernis, in het zuiden zat nog steeds koning Tenmac in zijn onneembare stad, en vanuit het westen drong nu een vijand op, waarvan de baron allang in een waan uit het raam was gesprongen. Het leger zat in de val, en coördinator Matutin bracht zoals gewoonlijk niets anders uit dan een klaaglijk gekreun.

De gevechten die nu begonnen, leken op een nachtmerrie. Het leger verspreidde zich om een breed front te vormen, maar raakte daardoor versnipperd. Sommige legereenheden verdwenen gewoon en andere stortten zich in nevelige nachten op elkaar. Taisser Sildien overleefde een bijzonder heftige overval door ruiters van het tweede baronaat, enkel en alleen omdat zijn mooie officier hem met schild en speer verdedigde, en daarbij zelf een gapende wond in haar dijbeen op de koop toe nam. Minten vocht voornamelijk tijdens het terugtrekken. Eén keer kwam hij Oloc nog tegen. Ditmaal stonden ze weer duidelijk niet aan dezelfde kant. Ze keken elkaar even aan, knikten elkaar toe en gingen toen allebei in de roetige nevel terug naar hun eigen eenheid.

Op de derde dag dat Matutins leger vastzat, deden de eerste geruchten de ronde dat Irathindurië had verloren. Dat het leger hier langzaam maar zeker in de pan werd gehakt. Dat de oprukkende troepen uit de havensteden alle bevoorrading afsneden. Dat hele legereenheden gedeserteerd en overgelopen waren. Dat coördinator Matutin al was overleden en alleen nog als een soort handpop door een godingezinde buikspreker werd bediend. Dat koning Turer uit Coldrin het Wolkenpijnigergebergte was overgetrokken om dit leger de genadeslag te geven. Dat koning Tenmac van de gelegenheid gebruik had gemaakt om een uitval naar het zuiden te wagen, dat de hoofdburcht van Irathindurië daarbij in Tenmacs handen was gevallen en de godin zonder vorm van proces was terechtgesteld. De mannen en vrouwen van het Irathindurische leger namen zo ver van huis steeds meer een bijna fanatiek te noemen fatalistische houding aan. Minten en Taisser vochten, net zoals alle anderen, zonder enig doel voor ogen, nog louter en alleen om te overleven. Het was alsof deze legerrups zich opeens op zijn rug had geworpen, alsof hij met zijn eigen klauwen zijn buik aan stukken scheurde.

Zo ongeveer op het laatste ogenblik, voordat alles ineenstortte, in vlammen opging en de soldaten zich lachend als dollen in de vlammen wierpen, verscheen de godin.

Ze deed de aanvallers met bovennatuurlijke bliksemschichten verschrompelen tot gruwelijke, stuiptrekkende hoopjes. Ze wierp haar armen naar voren en zond onzichtbare donderende golven uit naar het vijandelijke leger. Ze maakte met haar armen zijwaarts ronddraaiende bewegingen en de vijandelijke soldaten wervelden als herfstbladeren door elkaar. Ze rukte een vijandelijke officier het hoofd van zijn romp en schopte het daarna zo hard de wolken in dat sommige soldaten fluisterden dat het hoofd vast ergens in een van de steden in de hemel was ingeslagen.

Op hetzelfde moment begon ook de opmars. 'Stormaanval Eén' en 'Stormaanval Twee', zoals een van de officieren lachend en huilend tegelijk schreeuwde.

Minten kon de godin zien – heel even. Het goud van haar harnas, toen ze net vier tegenstanders letterlijk aan flarden scheurde, maakte zo'n diepe indruk op hem dat het nabeeld van het goud nog urenlang irritant voor zijn ogen bleef dansen. Toen sleepte de stormaanval hem mee. De troepen begonnen te struikelen, te tollen, ten slotte te lopen, te rennen en uit te zwermen.

In het begin was het bizar. 'Op naar de hoofdburcht van het tweede baronaat!' brulden de officieren. 'Hup! Voorwaarts, maaaaars!' De soldaten waren natuurlijk veel te uitgeput om dit tempo langer dan op z'n hoogst een kwartier te kunnen volhouden. Het leger splitste zich willekeurig op in twee ongelijke delen voor de twee achtereenvolgende bestormingen. Maar ineens besefte Minten dat deze grootscheepse frontale aanval alleen maar een voorwendsel was. Want de godin was bij hen. Ze was in levenden lijve bij hen! De godin maakte van de stormloop van haar troepen gebruik om zo veel mogelijk tegenstanders in een zo kort mogelijke tijd te pakken te kunnen krijgen. Dat er twee door elkaar lopende aanvalsfronten waren, maakte het de godin mogelijk nog meer contact met de vijand te leggen dan normaal. Ze was een springvloed, een bosbrand, een revolutie, een aardbeving, een gigantische knal. De troepen hoefden daarna niets anders meer te doen dan snel de kuilen en plassen door te lopen en die achter zich te laten.

Voorwaarts. Voorwaarts. Voorwaarts, maaaaars.

Minten werd op zeker moment moe, zo moe dat hij zijn ogen amper nog open kon houden en alleen nog maar voortsjokte. Maar opeens had hij het gevoel dat er vanuit de gebarsten aarde iets opsteeg, dat de hartstochtelijke, lustprikkelende adem van de godin langs hem streek. En toen ging het weer. Voorwaarts. Voorwaarts. Voorwaarts, maaaaars.

De zon kwam op en ging meteen weer onder. Op een gegeven moment voelde het aan alsof de stormloop vanzelf ging, alsof alles op rolletjes liep, alsof je niet eens meer moeite hoefde te doen om vooruit te komen, maar je je alleen maar vast hoefde te houden om niet om te vallen en onder de voetzolen van de anderen te belanden. Taisser Sildien droeg vol enthousiasme zijn mooie officier op zijn rug. Minten Liago sprong over tegenstanders heen en spleet in het voorbijgaan hun nietige hoofden in tweeën.

Hij zag de godin nog verscheidene keren flikkerend oplichten. Fonkelend goud dat met wilde bliksemschichten was omhuld als met een opbollend gewaad. Haar haren waren speren, slangen of zwepen. Opeens leek ze bijna twintig meter lang en doorzichtig. De hoofdburcht van het tweede baronaat, die nog maar een paar weken geleden door Eiber Matutin in de as was gelegd en sindsdien voor een deel was opgebouwd, brandde helderder, heviger, en sneller dan elk ander vuur dat Minten ooit in zijn leven had gezien.

Het leek alsof dit skeletachtige visioen van een bouwwerk uit pure brandstof bestond. Het vuur laaide zo hevig op dat de haartjes op Mintens armen en zijn wenkbrauwen verschroeiden, hoewel hij toch zo'n honderd meter verderop bezig was vluchtend gespuis af te slachten. Samen met alle anderen zong hij daarbij een lied:

Voor de godin goud en stralen,
Irathindurs overwinnaarskrans.
Penseel gedoopt in bloed om te vertalen
overwinnaarsportret, triomfale glans.
Hoog laait het vuur helder op,
schrift wordt rook en rook wordt schrift,
stroomversnelling, bergtop
buigen zich waar goud ze treft.
Irathindur overwint tot in de hemel,
Irathindur in eeuwigheid!
Om alle mensengewemel
lacht de godin, in onsterfelijkheid!
Mooi en groot en niet mild
– omdat ze genade zwakte vindt –
houdt ze van al wat sterk is en wild,
terwijl ze het zwakke verslindt.
Godin, liefste! Laat ook mijn
lichaam voedsel voor je zijn en drank,
laat het stromen door jouw zijn,
voor mij als beloning, voor jou als dank.
Laat me zien, laat me voelen
jouw hitte, licht en macht.
Naar jouw troon kun je me voeren
in het diepst van de nacht!
Godin! Zie! Voor jou wil ik moorden,
woeden, jagen, sterven,
'k ben slechts één van je horden,
maar voor jou alleen is mijn verlangen.
Godin! Laat me baden in je blik,
glimlach genadig, meer kan ik niet wensen –
dood ben ik, maar toch vol geluk:
Met mensen, zonder mensen.

Niemand van de Irathinduriërs wist waar de regels vandaan kwamen, wie
de melodie erbij had bedacht. Maar iedereen zong het lied tijdens de veldslag, en met niets anders ter wereld hadden ze de vijand zo vreselijk de
stuipen op het lijf kunnen jagen.

De overwinning was zo overweldigend dat er niemand meer van het leger over was met wie ze over eventuele capitulatievoorwaarden hoefden te onderhandelen. De Helingerdianen en hun bondgenoten waren uit de weg geruimd, uitgeschakeld en uitgeroeid. Ook Oloc was omgekomen. De potige bokser had nog wel geprobeerd met zijn kleine eenheid naar het oosten uit te wijken, maar de godin had de hele groep in hoogsteigen persoon ingehaald en met bliksemschichten gespietst.

Een trage, matte vrede breidde zich nu over het land uit als water dat uit een lek vat sijpelde. De godin liep rusteloos op en neer, want nog steeds sloegen er vonken uit haar vingernagels, pulseerde haar huid grillig als magma en zwiepte haar haar de schors van de roetige bomen.

'Matutin,' siste ze tegen een van haar onderdanen. 'Breng die slappeling hier.' De legercoördinator werd op een lijkbaar naar haar toe gedragen, ook al leefde hij nog.

'Matutin,' begon ze weer. 'Het is nog niet voorbij. Nu veroveren we heel Orison stormenderhand. De soldaten mogen een dag rusten, maar niet langer dan een dag. Dan rukken we verder op naar het westen. We nemen het eerste baronaat en zijn havenstad Eugels in. Vanuit Eugels steekt de helft van ons leger met volledig bemande schepen in zee en valt het achtste baronaat in de havenstad Ekuerc aan. De andere helft trekt snel het negende baronaat door in zuidelijke richting. Ik denk dat we gezien ons tempo en wat er over onze huidige overwinning zal worden verteld niet met al te veel tegenstand rekening hoeven te houden. Ontmoetingspunt voor beide troepenhelften is het Treurwoud in het achtste baronaat. Ben je een goed zeeman, mijn waarde Matutin?'

'Ik... word misselijk... van dat geschommel... op het water...'

'Als ik het niet dacht. Ik neem het bevel over de zeetroepen dus op me. Jij brengt onze mannen en vrouwen naar het Treurwoud. Nog vragen?'

'Moeten we... in het eerste en negende en achtste baronaat... alles verwoesten wat we onderweg tegenkomen?'

'Dat maakt me echt niet uit. Ik ben niet geïnteresseerd in het eerste en het negende. Bij het achtste heb ik belang, om strategische redenen. Wat mij betreft kun je iedereen die niet naar ons wil overlopen naar het zevende baronaat laten vluchten. Laat ze daar maar wegkruipen en op een kluitje gaan zitten totdat mijn hoofd er op een dag naar staat hun óf de slavernij aan te bieden, óf hen met een vuurregen weg te vagen.'

'En... hoe zit het met de... koning?'

'Welke koning?'

'Tenmac. In Orison-Stad.'

'O ja, die is er ook nog. Hij is zo onbelangrijk geworden dat ik hem al helemaal was vergeten. Maak je geen zorgen, mijn coördinatortje. Die zal verder niets ondernemen. Niet tegen mij. We hebben een onderlinge afspraak.'

Matutin sperde vol ongeloof zijn ogen wijd open. 'U hebt een... onderlinge afspraak... met koning Tenmac?'

De godin lachte luidkeels. 'Die dateert al van lang geleden. Toen waren we nog jong – en onschuldig.' Ze barstte weer in lachen uit en kwam niet meer bij. Matutin werd uiteindelijk weggedragen naar de tenten, waaromheen alles in brand stond.

Minten Liago, helemaal onder het bloed, zat op een heuvel en keek toe hoe de hoofdburcht van het tweede baronaat volkomen uitbrandde. Hier had hij Jinua en Hiserio verloren en was hij er met Heserpade vandoor gegaan voordat Matutin de burcht voor de eerste keer in brand had gestoken. Minten had het gevoel dat hij door de tijd heen van de ene brand naar de andere had kunnen lopen.

Een hond die waarschijnlijk zijn baas was kwijtgeraakt, liep langs en snuffelde vriendelijk aan een paar halmen hier en daar. De hond was al oud, had enigszins kromme poten en een ruige, zandkleurige vacht, die rondom zijn neus volkomen wit was. Hij bleef een tijdje kwispelend met zijn staart in Mintens buurt rondhangen, keek hem smekend aan en ging er, toen hij eenmaal doorhad dat Minten hem niets te eten kon geven, op een wat moeizaam drafje vandoor, de heuvel af.

Beneden in het grasland kon Minten de hond niet meer zien.

Misschien was het ook alleen maar de geest van een hond geweest die in het krijgsgewoel was omgekomen of die gewoon toevallig, los van het oorlogsgebeuren, aan ouderdom was bezweken.

Minten Liago, helemaal onder het bloed, glimlachte treurig en keek de wolken na, die op oprukkende legers leken.

De veldtocht ging verder, in westelijke richting naar de hoofdburcht van het eerste baronaat. De godin zou gelijk krijgen: afgezien van een paar wanhopige lieden hier en daar legde niemand de Irathindurische legerrups een strobreed in de weg. De bewoners en hoeders van het eerste baronaat vluchtten naar het bevriende negende, van waaruit ze echter meteen verder naar het achtste werden gedreven.

Bij de hoofdburcht van het eerste baronaat deelde de godin haar leger in ongeveer twee helften op. Matutins helft trok door de Merenvallei naar het zuiden, terwijl de andere helft met Minten Liago, Taisser Sildien en Lae onder leiding van de gouden godin naar het westen doormarcheerde, naar de havenstad Eugels. Daar liep het dan toch nog op een kort gevecht uit, omdat de nurkse zeelieden, die vaak zelfs in de noordelijke, dus Coldrinese wateren visten, hun schepen niet zomaar wilden laten afpakken. Maar nadat de raddraaiers door de godin persoonlijk als grote kreeften in gloeiend heet zeewater waren gekookt en daarna nog dampend waren opgediend en opgegeten, kwam ook aan dit gewapende protest algauw een eind. Het pronkstuk in de haven van Eugels was een prachtige viermaster, die de baron van het eerste baronaat altijd voor ontspannen vaartochtjes naar het eiland Kelm gebruikte. De godin confisqueerde dit schip, en nog eens acht erbij, en zo gebeurde het dat Minten Liago en Taisser Sildien, die allebei uit zuidelijke havensteden stamden en erg van de zee hielden, ineens als soldaten deel uitmaakten van de bemanning aan boord van de nieuwgoddelijke viermaster. Het schip stak meteen naar het zuiden in zee en de andere acht schepen volgden als eendenkuikentjes hun moeder. Toen de kleine vloot langs de grootste havenstad van Orison, Akja, voer, schoot de godin meer uit overmoedigheid dan uit noodzaak van heel ver een paar vuurbollen in de richting van de haven en de kades af, die daar voor paniek en moeilijk te blussen branden zorgden. Elk verder contact met de vijand zou echter alleen maar tijd hebben gekost, dus liet de godin het hierbij.

De volgende havenstad, het tot het negende baronaat behorende Ziwwerz, lieten ze volledig links liggen. Dit wreekte zich in zoverre dat de derde havenstad, Ulw, kans dacht te maken de kleine goddelijke flottielje met in totaal veertien stabiele tweemasters te kunnen aanvallen. Veertien witgloeiende, zich vertakkende vuurbollen verder was de Ulwer zee-engte een en al ronddrijvend wrakgoed, luchtbellen, flarden zeil en rooksluiers.

'Heb je gezien hoe ze de kapiteins heeft opgegeten?' vroeg Minten zijn vriend Taisser 's avonds aan dek, terwijl de negendelige vloot het enorme stuk naar de havenstad Ekuerc aflegde. 'Ze is net zo'n menseneter als koning Turer van Coldrin.'

'Heersers zijn eigenlijk altijd menseneters,' spotte Taisser, die met zijn vaardige handen een paar andere soldaten knopen leerde leggen. 'Was je van plan er iets tegen te doen?'

Minten schudde zijn hoofd. 'Hoe zou ik? Ik ben maar een mens, zij is een godin.'

'Precies. En waarom zou je ook? Je bent lid van haar strijdmacht. Ze behaalt overwinningen voor jou en voor mij, en voor ons allemaal.'

Minten keek uit over het pikdonkere water. Hemel en zee werden één in de duisternis. 'En jij gelooft echt dat er ooit weer vrede komt?'

'Waarom niet? Van een eeuwigdurende oorlog heb ik nog nooit gehoord. Binnenkort is heel Orison van de godin. Tegen wie moet ze dan vechten?'

'Tegen Coldrin bijvoorbeeld. Een strijd tussen menseneters.'

'Oké, maar daarna? Als ook Coldrin van haar is? Wat dan?'

'Als er eindeloos veel landen bestaan, zal er eindeloos oorlog zijn.'

Taisser lachte. 'Het aantal landen moet eindig zijn. Zoals het aantal tafels in een herberg.'

Minten probeerde zich de naam van de geleerde voor de geest te halen die in Kurkjavok zo veel indruk op hem had gemaakt dat hij zelfs wilde gaan studeren, maar die wilde hem niet meer te binnen schieten. Hij troostte zich met de gedachte dat het zesde baronaat een van de weinige gebieden van Orison was die nog niet door gevechtsacties waren verwoest. Als het op een dag werkelijk allemaal voorbij zou zijn, kon hij de geleerde gaan zoeken, hem vinden en dan misschien toch nog een nieuw leven beginnen.

Een leven zonder verwondingen.

De koning

De belegering van Orison-Stad stelde inmiddels nog maar heel weinig voor. Nadat alle Helingerdiaanse troepen voor de stadsmuren waren teruggetrokken, om in het binnenland te redden wat er nog te redden viel, vroeg Gouwl zich af wat het eigenlijk allemaal te betekenen had gehad. Hij kon zich niet aan de indruk onttrekken dat Helingerd den Kaatens zijn koning alleen maar had willen vastzetten om in het uitzichtloze gevecht tegen de demon Irathindur des te ongestoorder in de pan te kunnen worden gehakt.

Het nieuws over de Irathindurische veldtocht baarde Gouwl ernstige zorgen. De godin had het vierde, derde en tweede baronaat verslagen. En passant had ze de over land trekkende strijdmacht van de vijf Helingerdiaanse havensteden vernietigd. Nu dreef ze de laatste koningsgezinde baronaten voor zich uit zoals een roedel honden een haas opdreef. Een voor een wendden deze baronaten zich via afgezanten tot de koning met verzoeken om hulp en raad: eerst het eerste, toen het negende, toen het achtste en zelfs het nog betrekkelijk onbedreigde zevende. Bijzonder verbitterd waren de hoofden van het eerste en het negende baronaat. 'Herinnert u zich nog wat uw afgezant tegen ons heeft gezegd, koning Tenmac?' vroegen ze. 'Die zei: "Heb nog een beetje geduld en hou jullie mensen in toom. Helingerdia en Irathindurië vliegen elkaar momenteel naar de keel en verzwakken daardoor hun eigen positie, helemaal op eigen kracht. De rest van ons kan rustig afwachten, zonder ook in de greep van rook en vuur terecht te komen." Nu hebben we afgewacht. En nu worden we in plaats van door Helingerdia door Irathindurië belaagd, omdat we niet de kans hebben aangegrepen de met elkaar strijdende veroveraars aan te vallen en in bedwang te houden.'

'Jullie maken weer een denkfout,' reageerde koning Tenmac zakelijk. 'Destijds hebben jullie me gevraagd om hulp tegen Helingerdia. Als ik aan dat verzoek gehoor had gegeven, zouden we de strijd met Helingerdia zijn aangegaan en zou Irathindurië het nóg gemakkelijker hebben gehad om Helingerdia te verslaan. Op deze manier heeft de tegenstand van het tweede baronaat de positie van de troepen van de godin tenminste enigszins verzwakt.'

'Maar wat moeten we nu doen?' sputterden de afgezanten tegen. 'Gewoon maar toegeven en ons land opgeven? Wanneer verzetten we ons dan eindelijk eens?'

Gouwl keerde zich met een ongemakkelijk gevoel op zijn troon om. Hij overlegde met Tanot Ninrogin. Ze waren het met elkaar eens dat een oorlog tegen Irathindurië een kwalijke zaak was, maar dat dit waarschijnlijk hun laatste kans was om de krankzinnige godin überhaupt nog een halt toe te roepen. De koning had nog steeds vier baronaten achter zich, waarvan er maar één, het eerste, al onder de voet was gelopen. De troepen van het eerste baronaat waren zo slim geweest zich in het bevriende negende baronaat terug te trekken en konden dus nog steeds worden ingezet.

'Ik ben bang,' zei Tanot Ninrogin, de grijs geworden adviseur, 'dat we het tot een beslissende veldslag moeten laten komen. Anders vallen de baronaten straks een voor een als schaakstukken, en staat de godin uiteindelijk voor onze muren en steekt ze Orison-Stad in brand.'

Gouwl aarzelde, kostbare dagen lang. Hij dacht aan de belofte, met een handdruk bezegeld, die Irathindur en hij elkaar na hun ontsnapping uit de demonenpoel hadden gedaan. Zou Irathindur zich eraan houden om geen oorlog tegen Gouwl te voeren? Maar had hij die belofte niet al gebroken toen hij het eerste baronaat binnenrukte?

Er was iets belangrijks met Irathindur gebeurd. Volgens ooggetuigen had de godin ondertussen lichamelijk het uiterlijk van de demon Irathindur aangenomen, alleen dan met lang haar en min of meer vrouwelijke trekken. Ook waren de krachten waarover de godin bij de veldslagen leek te beschikken en de vele wonderen die aan haar werden toegeschreven volkomen onverklaarbaar. Tot nu toe was Irathindur, afgesneden van de onuitputtelijke bron van het Treurwoud, de zwakste van hen tweeën geweest, degene die onder aanvallen en flauwtes leed. Klaarblijkelijk had Irathindur een nieuwe bron van levenskracht ontdekt. Misschien was het al het gemoord van de oorlog zelf. Een dergelijk bestaan, om zich met afgeslachte mensen te voeden, was in elk geval beslist demonisch.

Toch had Gouwl nog steeds het gevoel dat hij Irathindur op elk moment zou kunnen verslaan. Niet alleen dankzij het Treurwoud, maar ook omdat Gouwl sterker was en meer ledematen had dan de schriele Irathindur.

Maar toen – de koning hield zijn adviseur en de afgezanten nog steeds met twijfels en bezwaren aan het lijntje – bereikte hem het nieuws dat de godin haar troepen in twee ongeveer gelijke helften had opgedeeld en dat een van die helften nu vanuit Eugels met schepen onderweg was naar het zuiden.

Waarom?

Ze hoefde de vier baronaten die de koning nog trouw waren toch alleen maar van noord naar zuid door te trekken en ze zo stukje bij beetje te veroveren. Ook als ze op een bepaald moment tegenover de baronaatslegers kwam te staan die koning Tenmac voor de beslissende veldslag had samengebracht, was het strategisch gezien van voordeel het eigen leger niet in tweeën te delen, maar juist de gelederen gesloten te houden. Wat was Irathindur van plan?

Eigenlijk viel er maar één reden te bedenken waarom Irathindur troepen in Eugels inscheepte: hij wilde een tocht over land mijden. Een plan waarbij het op snelheid aankwam. En ten zuiden van Eugels viel er maar één bestemming te bedenken die de moeite waard was: het Treurwoud in het achtste baronaat.

Irathindur maakte zijn aankondiging dat hij terug zou komen om het Treurwoud te veroveren nu dus waar. Door zijn omslachtige manier van doen – door heel Helingerdia en daarna door de koningsgezinde baronaten trekken, in plaats van gewoon de veel kortere weg door het zevende baronaat nemen, of zelfs de allerkortste: meteen over zee westwaarts naar Ekuerc –, was het hem daadwerkelijk gelukt Gouwl lange tijd over zijn ware bedoelingen in het onzekere te laten. Maar nu was het overduidelijk: het pact brak als een porseleinen kopje in de klauwen van een beest.

Gouwl voelde iets in zich opborrelen en wroeten wat hij tot nu toe niet had gekend: doodsangst.

Eigenlijk kan een demon eeuwig leven. In de demonenpoel is die eeuwigheid wel van een eindeloze, martelende saaiheid, maar toch hoeft een demon zich er geen zorgen over te maken dat hij zal worden gedood. De huidige situatie was evenwel volkomen anders. Buiten de demonenpoel bestonden er geen andere wetten dan die welke de ontsnapte demonen zelf bedachten. Irathindur was toch al heel machtig, waar hij zijn kennelijk immense levenskracht ook vandaan haalde. Maar als hij zich nu ook nog eens van het Treurwoud meester maakte, zou hij onoverwinnelijk kunnen worden; zijn macht zou echt alle proporties te buiten gaan. En aangezien Irathindur zich al had getransformeerd en aan zijn demonische aard had toegegeven, aangezien hij het pact had verbroken, aangezien hij moorden en wreedheid stimuleerde en ervan genoot zoals een welgestelde mecenas graag muziek stimuleerde en daarvan genoot, kon Gouwl wel op zijn vingers natellen dat Irathindur hem zou vernietigen. Gouwl was voor Irathindur niets anders dan iemand die van dezelfde tafel wilde meeeten, zodat er voor ieder van hen nog maar de helft overbleef. Irathindur – de nu volledig demonisch-goddelijke Irathindur – zou met de helft nooit ofte nimmer genoegen nemen. Het ging hier dus niet meer alleen om iets abstracts als het welzijn van Orison, land en stad. Het ging om Gouwl en zijn verdere bestaan, in welke vorm dan ook, als koning of als luis op een beschimmeld blad. Het ging om blijven leven of echt doodgaan.

Toen deze nieuwe en bijna bedwelmende doodsangst hem te pakken kreeg en hem in zijn greep hield, viel het Gouwl op hoezeer de wereld waarin hij nu leefde op de demonenpoel leek. Hij woonde in een cirkelvormige stad, die tot voor kort nog omgeven was geweest door een ring van belegeraars die zich in golven hadden teruggetrokken, omdat een demon in een grote cirkelbeweging door het straalsgewijs verdeelde land trok teneinde de kring van baronaten onder zijn juk te brengen. Cirkels binnen tegengesteld draaiende cirkels: Gouwl was nooit werkelijk aan de demonenpoel ontsnapt. Maar dat was natuurlijk een puur filosofische beschouwing, waarmee Gouwl een ontwikkeld mens als Tanot Ninrogin misschien een glimlach op het gezicht kon toveren, maar waarmee hij op het vlammende zwaard waarin Irathindur zich had getransformeerd nog geen seconde lang indruk kon maken.

Hij moest een beslissing nemen.

Hoe kon je een oorlog stilleggen – behalve door een oorlog?

Hoe kon je een vlammend zwaard doven – behalve met een golf van woede?

Hoe kon je een cirkelbeweging doorbreken – behalve met een muur, een afgrond, een tegenbeweging, een confrontatie?

Misschien, dacht hij, terwijl hij de hersens van de koning pijnigde en naar het weidend koninklijk sierwild in de mozaïektuin van het koninklijk park keek, door ervoor te zorgen dat de oorlog niet meer werd gevoed. Door de grond onder de voeten van de beweging vandaan te halen.

Dus maakte hij zich klaar. Hij overwoog nog om zich van het lichaam van de koning te ontdoen en te gaan vliegen, maar wat hij in zijn hoofd had, was gevaarlijk. Wat als hij verzwakt terugkwam en Tenmac III intussen met de hulp van Tanot Ninrogin voorzorgsmaatregelen had genomen, zodat Gouwl niet weer bezit van hem kon nemen? Nee, het was beter de koning als gijzelaar mee te nemen. Bovendien bestond de belegeringsring niet meer. Gouwl reed naar het Treurwoud.

Ook daar trof hij wild aan, kleurrijk en onbejaagd. Hij aaide sommige van de minder schuwe dieren, die toegaven aan hun nieuwsgierigheid en dichter naar de koning toe kwamen. Waar anders in Orison kon een demonenkoning zo worden geaccepteerd, dan hier, in een sprookjeswoud, waarin de bloesems 's nachts het zonlicht dat ze overdag hadden opgenomen weer afgaven en de bomen overdag warrelden als maanschaduwen? Waarin zich kleurige strepen in de nevel aftekenden die fonkelden als edelstenen en bewogen in het hoge gras als slanke danseressen met verleidelijke heupen? Waarin je de veelsoortige geuren meende te kunnen zien en het spel van de verschillende soorten licht op de bladeren als klokjes kon horen klingelen? Waarin alle dieren iets goddelijks hadden en alle mensen begonnen te huilen en te jammeren op een manier die nu niet bepaald menselijk was?

Gouwl hield van dit woud; niet alleen omdat het hem voedde en in leven hield, maar ook vanwege de ongedwongen en wilde schoonheid ervan. Hij had nooit geweten dat een demon überhaupt in staat was ergens van te houden. Mensen waren veel te vluchtige en vlinderachtige wezens om je liefde in te investeren – maar het was goed: je hoefde ook niet van mensen te houden! Je kon van die donkerblauwe bloem hier houden, omdat hij groeide en sterk en flexibel was en straalde, en je kon ook van die boom daar houden, omdat hij hoog was en oud en knorrig, en toch nog steeds trots rechtop stond en juist niet als een demon een eindeloos durend leven had, maar zich van zijn eeuwen durende vergankelijkheid volledig bewust was. Bomen telden hun leven in jaarringen. Geen enkele demon zou ooit op het idee zijn gekomen de omwentelingen van de maalstroom in de demonenpoel te gaan tellen, om zo boven het passieve rondtollen uit te stijgen.

Waarom waren Gouwl en Irathindur eigenlijk gevlucht? Omdat ze in de demonenpoel geen lichaam hadden gehad. Een lichaamloos, eentonig voortdrijven – de eindeloze verbanning die de magiër Orison de demonen had toebedacht. Vrij van kwellingen of lasten. Gewoon alleen maar doelloos rondslingeren. En toen waren er opeens de twee oorringen van de koning geweest: stoffelijk, koud, reëel. Wat een kansen en keuzemogelijkheden! Vastigheid. Zekerheid. En wat hadden Gouwl en Irathindur ermee gedaan? Ze hadden een nieuwe demonenpoel geschapen.

Met tranen in zijn ogen liet Gouwl dit vredige woud in vlammen opgaan en dronk het tegelijkertijd in. Als deze bron dan toch moest opdrogen, als hij van nu af aan de levenskracht uiterst moeizaam uit akkervoren en opengebroken kevers moest zien te halen, wilde hij zich in elk geval deze ene keer nog helemaal vol en zat drinken om goed op de allerlaatste confrontatie met zijn goddelijke vijand te zijn voorbereid. Een deel van de onbeschrijflijke kracht gebruikte hij ervoor om alle dieren, tot de kleinste worm toe, een snel en pijnloos einde te bezorgen. De dieren werden tot as en één met de brandende aarde. Een paar vogels ontsnapten aan het inferno, maar dat vond Gouwl wel prima. Laat ze ook maar leven, dacht hij. Laat ze maar ergens een Treurwoud creëren waar geen demon was.

Terwijl het woud brandde, drong het tot Gouwl door dat hij alle dieren natuurlijk ook in leven had kunnen laten. Hij had ze alleen maar hoeven te verjagen en dit woud alsnog voorgoed kunnen vernietigen. Schaamte en woede over zijn kortzichtigheid deden hem op zijn knieën zakken, maar de trillende kracht die het stervende woud uitstraalde trok hem weer omhoog, totdat hij boven de kokende aarde zweefde.

Het woud ging ellendig ten onder, en de kracht ervan, die eerst verborgen was geweest, manifesteerde zich nu. De manier waarop de enorme massa levenskracht zich doelloos ontlaadde en luid schallend en fonkelend rondspatte, tartte elke beschrijving. Gouwl voelde hoe Tenmacs lichaam aan flarden werd gescheurd. Ook hij brulde, machtiger dan ooit, en toch willoos heen en weer geslingerd als een brandende vlinder in de drukgolf van een vulkaanuitbarsting. Toen was het voorbij.

Hij had verschroeide aarde achtergelaten. Irathindur zou niets anders meer vinden dan as en zwakte waar eerst leven en kracht waren geweest.

Tegelijkertijd voelde Gouwl dat koning Tenmacs lichaam nu niets anders meer was dan een gebarsten vaas. Bij elk contact met Irathindur zou het tengere jongenslichaam van de koning óf smelten, óf uit elkaar knallen. Maar Gouwl kon het lichaam ook niet zomaar opgeven en een geest blijven; anders zou hij met alle kracht die hij nu in zich had gewoon ontploffen, een zon worden en bruisend naar boven het blauw in suizen, dat geen enkel houvast bood. Hij moest absoluut extra materiaal zien te vinden waar hij zich in kon persen. Menselijk materiaal, dat hem vastigheid zou geven. Stoffelijk. Koud. Reëel. Echt.

Toen hij razend en flikkerend als een dolgedraaide vuurtoren in de richting van de kust zwierde, aan één stuk door als een witgloeiende zwaan snaterde en bij elke voetstap as achterliet, vond hij een kerk. Achter die kerk lag een begraafplaats. Daar vond hij wat hij nodig had. Hij wroette zich in een vers graf en in het nauwelijks nog vergane lijk van een dikke man. Dit dwong hij om door de grond te breken als een mol. Toen hield hij eindelijk op moeite te doen om zich te beheersen. Hij liet het gebarsten lichaam van de koning met het met gas gevulde lichaam van het dikke lijk samensmelten en nam nu zijn ware vorm aan. Drie benen. Zes armen. Een zwarte, pokdalige huid. En stekels, borstel- en tastharen over zijn hele lijf. Zijn mond veranderde door slagtanden in een muil. De opgedroogde oogbollen rolden nutteloos geworden op de grond en de oogkassen groeiden dicht.

Eindelijk was hij weer Gouwl. Helemaal Gouwl. Een halfuur lang voelde hij zich vredig en voldaan in dit koele omhulsel, en lag hij gewoon in het gras naar de wervelende wolken te kijken.

Maar opeens voelde hij de kracht binnen in hem pulseren. Hij had het mooiste wat Orison ooit te bieden had gehad afgebrand en weggevaagd. Hij zou geen rust meer kunnen vinden zolang Irathindur nog leefde.

Samen met dit lichaam vloog hij terug naar Orison-Stad. Daar hulde hij zich in de nu wat krappe mantel van de koning en hij duwde zelfs de koningskroon op zijn hoornige hoofd.

'Schrik niet, Tanot, mijn beste vriend,' zei hij toen hij de oude adviseur in de bibliotheekvertrekken had opgewacht. 'Want ik ben tenslotte altijd nog je koning.'

Tanot Ninrogin had leren aanvaarden dat zijn jonge koning door een onsterfelijke demon was bezeten. Maar nu dit zesarmige, driebenige monster met een gezicht als uit een nachtmerrie voor hem stond, begon hij van angst om hulp te schreeuwen.

Gouwl vertrok zijn mond met de slagtanden tot een soort glimlach. 'Met al je wijsheid, al je scherpzinnigheid, al je ruimdenkendheid, al je ervaring – hecht je nog steeds meer waarde aan het uiterlijk dan aan het innerlijk?'

Tanot Ninrogin hield op met schreeuwen, maar snakte alleen nog naar adem. Voor het eerst besefte Gouwl hoe gruwelijk zijn aanblik voor een mens moest zijn.

'Gouwl!' hijgde de adviseur. 'Wat heb je met mijn koning gedaan? Dat is nooit ofte nimmer – hij!'

'Hij is altijd nog een deel van me. Maar zijn lichaam moest helaas wijken voor een kracht die groter is dan hij en ik. Kijk me aan, Tanot Ninrogin!' Hij spreidde trots zijn zes armen uit zoals een pauw zijn staart. 'Ik ben nu kracht. De godin is een schriel gouden kaarsje vergeleken bij mijn vuurzee.'

'Mijn god,' fluisterde hij slechts. 'Wat heb ik gedaan door je te dulden?'

'Je hebt niets verkeerd gedaan, geloof me. Ik zal aan deze oorlog, waar de godin het hele land in heeft gestort, een eind maken, en ervoor zorgen dat die geen mensenlevens meer kost. Ik zal het zelf doen.'

Tanot Ninrogin kreeg weer hoop. 'Ah. Maar ik meen me te herinneren dat je het telkens over een soort pact tussen de godin en jou had.'

'Dat pact bestond ook inderdaad. Maar dat verloor zijn waarde op het moment dat de Irathindurische troepen het eerste baronaat binnentrokken.'

'De afgezanten van de trouwe baronaten hebben al eerder bij je willen aandringen op voorzorgsmaatregelen...'

'De verkéérde voorzorgsmaatregelen! De godin voedt zich met de oorlog. Ze wordt er sterker door! Alleen daarom al mogen er geen mensenlevens meer worden verspild. Ik zal zelf aan dit alles een eind maken, eens en voor altijd.'

De oude adviseur verzamelde al zijn moed. 'Hoe luiden je bevelen?'

Gouwl liep naar hem toe en legde een van zijn zes grote handen op zijn schouder. 'Zorg dat je het overleeft. Dat is mijn enige bevel. Blijf veilig in Orison-Stad. Tot zo ver zal de strijd niet doordringen, dat beloof ik je. Wanneer het dan allemaal voorbij is en ik er misschien niet meer ben, wees dan een goede koning voor mijn volk.'

'Ik kan geen koning zijn. Ik heb jouw bloed niet in mijn aderen. En ik wil ook helemaal geen koning zijn! Steek je nu de draak met me?'

'Ik zou geen betere koning kunnen bedenken. Eerlijk gezegd heb ik er al vaker over nagedacht de kroon aan jou over te dragen en gewoon alleen nog demon te zijn. Een vrije, vrolijke demon. Maar daarvoor moet helaas eerst de andere demon uit de weg worden geruimd.'

'Ik kan geen koning zijn en ik wil geen koning zijn,' benadrukte Ninrogin nog eens. 'Als je een koning zoekt, vind dan iemand die geschikt is. De normale weg daarvoor zou nageslacht zijn, maar' – hij bekeek het lichaam van de demon met onverholen verachting – 'die mogelijkheid valt nu wel af, lijkt me.'

Gouwl glimlachte weer. Zijn slagtanden zaten hem daarbij zichtbaar in de weg. 'Hoe kun jij nou weten of er niet ergens een menselijk vrouwtje te vinden is dat zulke samengebalde pracht weet te waarderen? Maar daar, Tanot, heb jij waarschijnlijk inderdaad geen verstand van. We zullen een goede toekomst hebben, jij, ik en Orison. Wens me maar succes.'

Na deze woorden liep de demon op drie benen naar een raam toe, sprong eruit en vloog weg.

Tanot Ninrogin keek hem nog lang na. Hij verwachtte bijna de horizon in vlammen te zien opgaan, omdat twee demonen het nu voor de laatste keer tegen elkaar zouden opnemen.

Allereerst vloog Gouwl naar het zuidwesten om zich ervan te overtuigen dat het eiland Kelm, behalve door een paar berggeiten en manenschapen, door maar heel weinig mensen werd bewoond. 'Verlaat het eiland voor een tijdje,' raadde hij hun aan in de vage gedaante van een lichtgevende sprookjeskoning, die vanuit de hemel omlaag kwam zweven. 'De oorlog zal jullie mooie eiland een bezoek brengen, maar niet lang blijven. Pak jullie spullen en alles wat jullie dierbaar is bij elkaar en breng jezelf in veiligheid op het eiland Rurga, totdat het allemaal voorbij is.' De bewoners stelden geen vragen. Ze hadden nog nooit eerder de vage gedaante van een lichtgevende sprookjeskoning uit de hemel omlaag zien zweven. Als hij hun had gezegd dat ze het zeewater vanaf nu konden drinken, dan zouden ze in het water zijn gesprongen en de golven hebben opgeslurpt, totdat ze er misselijk van waren. Dus sprongen ze nu in hun boten en staken ze in zee naar het oosten.

Gouwl vond het vervelend voor de berggeiten en manenschapen. Maar misschien zouden ze niet allemaal in het komende gevecht doodgaan.

Daarna vloog hij naar het noorden en kreeg hij de uit maar negen schepen bestaande zeevloot van de godin in het oog, terwijl die zuidelijk van Ulw al Ekuerc naderde. Nu moest Gouwl zijn grootste kunststuk ten beste geven: hij moest een storm opwekken, in de zeestromen zelf ingrijpen en de vloot voorbij Ekuerc naar het eiland Kelm zien te sturen, en als het kon zonder de godin te laten merken dat hij hierachter zat. Dat zou hem heel veel levenskracht kosten, meer dan de helft van wat hij in het Treurwoud had ingezogen, maar het leek hem de enig logische tactiek. Hij wilde de schepen niet gewoon met man en muis laten vergaan. Hij wilde ook niet toelaten dat er tegen het zich hevig verzettende Ekuerc zou worden gevochten. Ook wilde hij voorkomen dat de godin in haar woede over de vernietiging van het Treurwoud vervolgens Ekuerc en alle nabijgelegen burchten, dorpen en boerderijen in brand zou steken. Gouwl wilde dat er een eind aan het zinloze gemoord en geplunder kwam. De oorlog moest beperkt blijven tot zijn eigenlijke strijdtoneel: de lichamen en zielen van de twee demonen Gouwl en Irathindur.

Als een albatros zweefde Gouwl hoog boven de woelige zee. Vanaf de kleine vloot kon men hem niet zien: een donkere stip in het meedogenloos felle schijnsel van de zon. Gouwl hief zijn zes armen ten hemel en richtte ze daarna met een ruk omlaag. Alsof hij een gigantische inktvis was, liet hij ze als onzichtbare lange tentakels zakken tot op het water, het water in en helemaal tot op de modderige zeebodem. Een kracht pulseerde door die armen als door buizen. De zee voelde eerst schokken, toen pijn en kwam ten slotte in opstand. Golven spoten als geisers omhoog. Maar wind was ook belangrijk. Zonder wind zou geen van de zeelieden de onstuimige zee geloofwaardig vinden. Gouwl haalde zijn armen uit het water, wat nog meer pijn en woede veroorzaakte, trok met weerhaken de pijn en woede naar boven, en slingerde die hoog de heldere, zonovergoten hemel in. Meteen fronste ook de hemel zijn voorhoofd. Zo veel eigenmachtig optreden, zo veel geweld kon gewoon niet worden getolereerd en onbeantwoord blijven! De hemel begon te woeden en te razen, slingerde rukwinden rond, vormde wolken, wolkenmuren, torenwolken, rolwolken, wolkenfronten. Bliksemschichten flitsten. Op een oppervlak van een vierkante kilometer werd het pikdonker, en daaromheen flakkerde de dag verder als een soort verraad of een visioen. De zee en de hemel begonnen elkaar te bevechten, spuwend en blazend als twee demonen die zich in elkaar hadden vastgebeten. De negendelige vloot van de godin lag precies in het oog van de krachtenstorm en werd daar de speelbal van. Hout snerpte opeens als een panisch dier. Twee van de schepen barstten in stukken. Gouwl kon dit niet meer voorkomen. De godin rende van de ene reling naar de andere op haar viermaster en zoog zo veel levenskracht van de drenkelingen in als ze maar kon. Toen liet ze op haar beurt toverkunsten en wonderdaden op hemel en golven los, maar het enige wat ze daarmee bereikte was dat haar eigen schip nog ongehavend bleef.

Tot zover werkte Gouwls plan. Op een beperkt oppervlak gingen de elementen woest tekeer en vernielden dat wat de godin een vloot noemde. Nog een schip zonk, zonder dat het eerst in stukken brak. Het werd gewoon als door een haai, zo groot als een eiland, onder water getrokken. Een van de andere schepen vloog als een afgeschoten pijl een meter of honderd over het water en sloeg ergens in het noordoosten te pletter op de kust van het achtste baronaat. De bemanning van dit schip kon zich in elk geval grotendeels in veiligheid brengen, omdat zo vlak onder de kust het weer eigenlijk vrij zacht en onschuldig was.

Gouwl moest aan de woedende krachten nu alleen nog richting geven, anders zou geen van de schepen de chaos overleven. Hij wees naar het zuiden, naar Kelm. Het gevecht tussen de zee, die meende dat de hemel hem had verwond, en de hemel, die meende dat de zee hem zonder enige reden had aangevallen, begon zich als door een corridor naar het zuiden te bewegen. De vijf overgebleven schepen stoven weg. De dag verstreek, en de nacht kwam, die ook verstreek. De volgende perzikkleurig fonkelende, stormachtige ochtend kreeg Irathindur tussen de onstuimige wolken ineens de demon met zijn nogal opvallend wild wapperende mantel in het oog, en hij balde woedend zijn vuist naar hem, maar hij kon niets doen zonder al zijn krachten te verbruiken. Twee van zijn schepen raakten onderweg door turbulentie en botsende stromingen buiten de corridor verzeild. Midden in de Groene Zee doken ze weer op, slechts licht beschadigd; de bemanningen konden ze veilig in de richting van het zevende baronaat sturen. Belangrijk voor Gouwl was vooral de viermaster, waarop hij Irathindurs woede kon voelen als de hartslag van een geduchte vriend.

De viermaster stoof voor de rest van de vloot uit, slingerde, sloeg twee keer bijna om, maar stabiliseerde zich iedere keer weer. De bemanning gooide met emmers water overboord. Irathindur drong zware golven terug en ving heftige rukwinden op, die de hele takelage aan flarden dreigden te scheuren. Enkele soldaten kotsten bijna letterlijk de ingewanden uit hun lijf. Minten Liago, Taisser Sildien en Lae hielden zich benedendeks aan hangmatten en touwen vast, en ontweken zo goed en zo kwaad als het ging rondvliegende lading.

Uiteindelijk belandden de overgebleven drie schepen tussen de rotsen van het eiland Kelm. Een van de schepen kwam als na een mislukte boksprong op een scherpe rotspunt neer, waar het als de vastgepinde buit van een insectenverzamelaar bleef hangen. Het tweede schip knalde frontaal op een andere rots. De bemanning bracht zich op boten in veiligheid, terwijl hun schip onder hen wegzakte en zonk. Nu was alleen nog de viermaster over, en eindelijk kwamen de zee en de hemel tot bedaren. Als twee zussen die ruzie hadden gehad, maakten ze het weer goed, reikten elkaar door valwinden en golven de hand en leefden weer in harmonie verder. Gouwl haalde opgelucht adem. Hij had geen ogen nodig om te begrijpen wat er allemaal gebeurde; daar had hij zijn tastharen voor. Op sommige momenten was hij bang geweest dat de rust nooit zou weerkeren, maar de hang van beide elementen naar rust was groter dan die naar onrust.

De viermaster kwam betrekkelijk ongehinderd de branding door en nam onderweg overlevenden van de andere schepen op. Irathindur wilde eerst meteen rechtsomkeert maken en richting het vasteland van Orison varen, maar de kapitein wist hem ervan te overtuigen dat ze gezien de stromingen van dit jaargetijde drie tot vier dagen nodig zouden hebben om Ekuerc te bereiken. Ze hadden niet genoeg drinkwater aan boord voor zo'n lange reis, ook al niet omdat ze nog eens ruim tweehonderd overlevenden hadden opgepikt. Irathindur bond uiteindelijk in. Hij was zijn vloot kwijtgeraakt en moest hoe dan ook een nieuw plan bedenken.

De godin overwoog serieus alle soldaten aan boord te doden en uit hun bloed genoeg dampende levenskracht op te zuigen om tot hoog in de wolken te kunnen opstijgen en die brutale demonenkoning met zwaard en zweep ter verantwoording te roepen. Maar toen ze naar de wolken omhoogkeek, was de vijand met zijn wapperende mantel aan de hemel verdwenen.

Er zat niets anders voor haar op dan voor anker te gaan en als aanvoerster met een groep een verkenningstocht over het eiland te maken.

Gouwl was naar het noorden teruggevlogen, omdat hij zich zorgen maakte over het lot van de twee schepen die de stormcorridor uit waren geglipt. Het was al erg genoeg dat bijna de hele vloot was gezonken. Dat was niet zijn bedoeling geweest. Als hij al zoiets had gewild, had hij de schepen gewoon met vuurbollen kunnen bekogelen. Maar de viermaster had in elk geval heel wat overlevenden aan boord genomen. Irathindur werd in zijn hopelijk laatste uren nog menselijk ook.

Gouwl ontdekte de twee schepen toen ze al dicht onder de kust van het zevende baronaat voeren. Ze waren te beschadigd om het vroegere zesde nog te kunnen halen. Ze moesten een van de vier havensteden op vijandelijk grondgebied aandoen, waar de bemanningen beslist bevochten en gedood zouden worden. Gouwl deed zich deze keer niet als sprookjeskoning voor. Hij landde als zesarmige, driebenige, blinde demon op de boeg van het voorste schip, en wel zo hard dat de achtersteven heel even uit het water omhoogkwam.

'Soldaten van Irathindurië – luister naar me!' sprak hij met een bulderende stem, die ook op het andere schip nog duidelijk te horen was. 'Jullie oorlog is voorbij. De barones, die jullie voor een godin hielden, zal ter verantwoording worden geroepen voor haar hoogmoed, ter verantwoording worden geroepen door wind, water, God en demon. Bega niet de fout de oorlog nodeloos te willen voortzetten! Ook de helft van jullie leger dat over land oprukt, zal ik vernietigen... ik hoef maar één keer met mijn vingers te knippen – en daar heb ik er heel wat van. Jullie varen op schepen uit Eugels. Dus gooi jullie wapens en uniformen overboord, ontdoe je van alles wat aan de vergissing met de naam Irathindurië herinnert, en het zevende baronaat zal jullie opnemen als oorlogsvluchtelingen, oorlogsvermoeiden en oorlogsslachtoffers. In een gevecht zouden jullie beslist het onderspit moeten delven, want niemand zal jullie meer te hulp kunnen komen. Hebben jullie dat begrepen? Niemand! Wat ik nu zeg, is jullie enige redding.'

Toen steeg hij weer op en vloog hij verder noordwaarts, zonder nog vragen of reacties af te wachten. Hij had van Tenmac en Tanot Ninrogin genoeg over de mensen geleerd om te weten dat de soldaten nu ruzie zouden gaan maken, misschien zelfs met elkaar zouden gaan vechten, naar elkaar zouden schreeuwen en dreigementen uiten, maar uiteindelijk hun wapens inderdaad zouden weggooien om naar hun gezinnen te kunnen terugkeren. Ook bij mensen was de hang naar rust eigenlijk groter dan die naar onrust. Onder invloed van het slechte waren mensen maar al te snel geneigd dat te vergeten.

De legercoördinator

De helft van het Irathindurische leger dat over land oprukte, was nog niet ver gekomen. De Merenvallei was een moeilijk toegankelijk gebied. Het leger kwam in moerassen en veengronden terecht, moest plassen en meren met vlotten oversteken of er met een grote boog omheen trekken. Eiber Matutin kreeg van zijn directe ondergeschikten nogal eens de kritische vraag of het niet slimmer was geweest om gewoon om de Merenvallei heen te trekken. Maar al die vragen deden hem maar weinig. De oorlog vrat inwendig aan hem als een woedend reptiel. Hij wist dat hij stervende was, en eigenlijk wilde hij ook veel liever heel langzaam vooruitkomen dan zo snel mogelijk weer tussen opgeheven zwaarden en lekkende vlammen belanden.

'Het leven is als een rauw ei,' fluisterde hij zijn lijfbediende eens toe. 'Het is vanbinnen heel zacht en vanbuiten uiterst breekbaar.' 'Heel slim gezien, legercoördinator. Heel filosofisch,' zei de lijfbediende vleierig, en hij ging verder met de billen van zijn baas te wassen.

Dus ploeterden ze zo voort; af en toe stapten ze door modder, die tot aan hun knieën reikte, en af en toe voeren ze op een vlot of waagden ze zich op binnenwateren. Totdat de duivel zelf uit de hemel naar beneden schoot en hun allemaal de stuipen op het lijf joeg.

'Luister, soldaten!' brulde Gouwl met een stem die klonk als het geschetter van oorlogshoorns. Hij sloeg zich met twee van zijn armen op zijn gespierde borst, stak twee van zijn armen gebiedend de lucht in en pakte met twee de siertent van de legercoördinator vast, en trok die als een tafelkleed omhoog. Het gehijg van Matutin was in de korte stilte net zo duidelijk te horen als zijn ingezeepte achterwerk te zien was. 'Jullie oorlog is voorbij! Jullie legercoördinator krijgt nu zijn verdiende straf! Alle demonen van de demonenpoel storten zich op jullie, als jullie nog langer in die zogenaamde zelfbenoemde godin blijven geloven. Jullie godin drijft dood rond in de Groene Zee, en haar verslagen vloot is ook gezonken. Hou ermee op, bewaar de vrede! Degenen die jullie die rampzalige bevelen hebben gegeven, bestaan niet meer!' Gouwl pakte de legercoördinator vast, zette zich af van de grond en sleurde hem mee omhoog de kille hemel in. De soldaten zeiden: 'Ahhh!', 'Ooo!', en daarna begonnen ze ruzie te maken, te vechten, te schreeuwen en te dreigen. Nu kwam er niemand meer vooruit.

Eiber Matutin merkte niets van de afschuwelijke vliegtocht. Gelukkig had hij het bewustzijn al verloren op het moment dat het zwarte gedrocht hem had vastgepakt. Dus zag hij niet de koningsgezinde baronaten en de Groene Zee vanaf grote hoogte, proefde hij niet de nevelige adem van de wolken op zijn gezicht en voelde hij niet de zonnestralen, die werden gebroken door de nabijheid van de mensen en het land. Hij hing slap als een in zijn nekvel gegrepen haas over een van Gouwls armen en kwam ook niet bij nadat de demon hem zachtjes in de duinen van het eiland Kelm had neergelegd. Gouwl had nog even de tijd om te kunnen inschatten hoe de situatie op het eiland ervoor stond. De godin was met twintig man en de enige twee paarden die ze nog aan boord van de viermaster hadden gehad op het eiland op verkenning uitgegaan op zoek naar drinkwater. De viermaster lag niet ver voor de kust in het diepere water voor anker. Soldaten verzamelden zich op het strand: meer dan honderd overlevenden van de schepen die op de rotsen te pletter waren geslagen. Maar ze maakten de indruk dat ze geen eigen wil meer hadden. Er was niemand meer om hen te coördineren. Ze hingen maar wat rond en speelden als kinderen met zand.

Eindelijk deed Eiber Matutin zijn ogen open. Hij zag een koning over hem heen gebogen staan die hij niet kende, maar wiens kroon en kostbare mantel hem toch bijna vertrouwen inboezemden.

'Turer uit Coldrin?' giste Matutin.

De koning schudde zijn hoofd. 'Ik ben Gouwl, de demonenkoning van Orison. Tegen mij heeft die zelfbenoemde godin van jou de hele tijd oorlog gevoerd, ook al liet ze je over haar ware motieven steeds in het ongewisse. Want ook zij is een demon en haar echte naam is Irathindur.'

'Irathindur,' herhaalde Matutin met onduidelijke stem. 'Ik heb me... al lange tijd afgevraagd waarom ons land eigenlijk zo'n ingewikkelde naam kreeg.'

'Luister goed naar me, beste legercoördinator. Ik wil graag dat je getuige bent. Er getuige van bent wat hier vandaag gebeurt. Twee demonen zullen de allesbeslissende strijd over de heerschappij van Orison aangaan. Geen steen van dit eiland zal op de andere worden gelaten, maar in tegenstelling tot alles wat zich de laatste maanden op zo'n rampzalige wijze heeft afgespeeld, zal deze strijd niet door plaatsvervangende legers of geüniformeerde pionnen worden gevoerd, maar in een een-op-een confrontatie, van demon tot demon. Ik hoop voor jullie en voor mij dat ik als overwinnaar uit deze strijd kom en daarna nog een rechtvaardige koning voor jullie kan zijn. Maar ik weet het niet zeker. Nog nooit eerder in de geschiedenis hebben twee demonen een gevecht op leven en dood met elkaar geleverd. God is de enige die weet wat er allemaal gaat gebeuren. Zelfs voor tijd en ruimte zou dit wel eens gevolgen kunnen hebben.'

Eiber Matutin begon te trillen. 'Maar... ik wil het helemaal niet... van zo dichtbij meemaken...'

'Dat hoef je ook niet. Je bent coördinator van het leger. Ik wil graag dat je je soldaten verzamelt. Ook degene die de godin bij zich had toen ze aan wal ging. Verzamel hen. Coördineer hen. Breng hen allemaal op de viermaster in veiligheid. Wees er getuige van wat zich op dit strand afspeelt. En als het tweegevecht zich van het eiland Kelm naar elders verplaatst, wat mijn bedoeling is – keer dan op de viermaster naar het vasteland terug en laat daar weten dat de oorlog voorbij is. De oorlog voor de mensen is afgelopen, omdat nu eindelijk – en terecht – de demonen elkaar bevechten.' Wachtend op een reactie boog Gouwl zich naar Eiber Matutin over, maar deze maakte geen aanstalten om nog in beweging te komen. 'Wat is er? Verzamel je mensen, coördinator! Voer ze aan!'

'Ik coördineer helemaal niets meer. Ik kan niet meer.'

'Maar je bent de bevelhebber van de grootste veroveringstocht die Orison ooit heeft meegemaakt. Jullie hebben vlammen en ellende rondgestrooid op elke plek waar jullie maar langskwamen.'

'O, dat... Niets... Dat stelde niets voor... Dat was allemaal niet eens echt... niet de bedoeling... echt niet van mij.'

'Pardon?'

'Dat had niets met mij te maken. Ruim haar toch eindelijk uit de weg! Maak haar af, dat afschuwelijke mens, dat ons constant op onze nek zit en kwelt! En laat mij hier dan gewoon doodgaan. Ik wil nergens meer heen hoeven. Ik wil rust. Ik heb echt genoeg geleden, en ook gebeden, en niets, maar dan ook niets ervan kwam uit.'

Gouwl verbaasde zich over de klaaglijke bevelhebber. Was Irathindur zo machtig dat hij het uiteindelijk voor elkaar had gekregen bijna heel Orison in zijn eentje in te nemen, zonder capabele ondersteuning? Nee, er moesten toch vastberaden en daadkrachtige mensen in het Irathindurische leger zijn. Misschien de kapitein van de viermaster...

Gouwl tuurde naar het enorme schip dat in de branding voor anker lag. En op dat moment namen zijn tastharen een gouden gloed waar, aan de uiterste grens van zijn waarnemingsveld.

Irathindur, de godin.

Ze kwam terug. Ze was alleen. Ze zat te paard, maar van het andere paard en haar twintig man tellend escorte ontbrak ieder spoor. De godin straalde als goud, alsof ze een weerspiegeling van de zon zelf was.

Plotseling werd Gouwl weer door die afschuwelijke, lijfelijke doodsangst gegrepen. Het had het uiterste van hem gevergd om dit noodweer op te wekken en de vloot naar het eiland Kelm om te leiden. Wat als Irathindur nu sterker was dan hij, omdat Irathindur net twintig soldaten en een paard had geofferd en zich aan hun levenskracht te goed had gedaan? Zijn hele mooie plan. Het eiland Kelm. Het Treurwoud. De demonenpoel. Allemaal verspilde moeite, want Irathindur zou hem gewoon vellen. Aan de coördinator had hij niets. Ook de soldaten zaten hem alleen maar in de weg. Misschien zouden ze naar hun godin overlopen. Maar ze zouden nooit bevestigen dat hun godin alleen maar een demon was.

Gouwl stak een hand uit naar de zee. Door de viermaster, die daar in het woelige water voor anker lag, voer een siddering, al werd de takelage door geen zuchtje wind beroerd.

Ver op de achtergrond pakten zich wolken samen, die vale bliksemschichten uitspuwden. Onder een woeste hemel deinde de donkergrijze zee met wittig schuim op zijn ontblote tanden.

De blinde koning spreidde zijn vingers uit als een vork. Via zijn arm kon hij het schip horen schommelen op de steeds wilder wordende golven. Hij stak zijn vingers naar voren, alsof hij ze onder de viermaster schoof, en balde zijn hand toen tot een vuist.

Het reusachtige schip kraakte. Matrozen en soldaten begonnen op het dek rond te rennen als mieren in een nest waar je met een stok in porde. Er klopte iets niet. Er werden tegenstrijdige bevelen gebruld. Sommige mannen sprongen met een duister voorgevoel overboord. 'We moeten eraf!' schreeuwde Minten Liago zijn vriend Taisser Sildien toe, maar die antwoordde: 'Ik laat mijn mooie officier niet in de steek! Ze is gewond, zonder mij redt ze het niet!'

Gouwl hief zijn arm met de gebalde vuist langzaam op naar de wolken. Langzaam, krakend onder de last, als een reus met een algenbaard, kwam de enorme viermaster druipend en schuimend uit de golven omhoog. De ankerketting brak met een scherpe, zwiepende knal in tweeën. Matrozen en soldaten vielen en schreeuwden, maar nog steeds lag het dek min of meer horizontaal, zodat althans de kapitein nog kon blijven staan, al gaf hij nu dan geen bevelen meer. Hij zag alleen maar de zee onder zich verdwijnen en het kraaiennest bijna de wolken raken, en mompelde trillend een onhoorbaar gebed.

Ook Eiber Matutin bad nu. Hij bad dat de hemelse steden niet zouden worden weggevaagd.

Minten Liago stond aan de reling. Het leek hem nu te hoog om te springen. Hij klampte zich aan een touwladder vast die naar de takelage omhoogliep.

De koning hief zijn arm met de gebalde vuist op tot ver boven zijn hoofd. Hij kon het schip met één hand niet houden, zo zwaar was het, dus gebruikte hij eerst ook een tweede hand, en vervolgens nog een derde en een vierde. Het schip ging hoger en hoger, en kwam dichterbij, door een onweerstaanbare kracht aangetrokken, totdat het een meter of twintig meter boven de koning bleef hangen. Zout water daalde als een fijne regen neer. De geur van zeewier, mosselen en viskuit. Het geschreeuw en gekerm van de hulpeloze mensen daar boven. Sommigen sprongen nog overboord en vielen nu met een doffe dreun op het zand. Minten klampte zich vast. Taisser en Lae vonden en omhelsden elkaar benedendeks.

Toen liet Gouwl zijn armen zakken, opende zijn vuisten en richtte vier gestrekte wijsvingers op het strand voor zich, waar een vrouw in een gouden wapenrusting op hem kwam af rijden, helemaal alleen, zonder haar twintig man tellend escorte.

De viermaster vloog als een afgeschoten pijl naar voren en raasde recht op de paardrijdster af. Van zo'n twintig meter hoogte suisde hij met de ramsteven naar voren omlaag, waarbij hij het halve strand met zijn schaduw verduisterde, zijn masten in de vliegende vaart doorbogen en zijn geteerde kiel nog steeds zout water lekte. Zo meteen zou hij de paardrijdster vermorzelen, op het strand neerstorten en in duizend tonnenzware stukken uiteenbarsten. Minten Liago hing, horizontaal wapperend als een wimpel, aan de touwladder en schreeuwde evenzeer van angst als van verbijstering.

Maar de gouden godin in het zadel stak haar handen in de lucht en weerde het vliegende schip naar opzij van zich af. Het kiepte om – mensen vielen als afbladderende verf over de overhellende reling en Minten kon zich met moeite vasthouden – en stortte ruim honderd meter van het strand vandaan in het water. De punten van de masten boorden zich in de golven. De zee verhief zich protesterend onder het gewicht en hapte gretig naar de scheef liggende kolos, die als door een wolkbreuk door wilde watermassa's werd overspoeld. Soldaten werden door schuivende lading mee onder water gesleurd, en verdronken. Rotsen drongen van onderen Laes hut binnen. De twee geliefden werden door hout, steen en water tot één lichaam samengedrukt; Lae slaagde er echter nog in Taisser voor al te grote blessures te behoeden. Minten verloor zijn houvast en gleed borrelend in het groen. De kapitein werd door zijn eigen bezaansmast doorboord. De matrozen en soldaten vielen stil, hun opengesperde monden vol met zout. Slechts een enkeling hoorde je nog schreeuwen. Vaag, als een meeuw. Diep onder water sleurde Lae de bewusteloze Taisser Sildien achter zich aan, traag op hen af tuimelende wrakstukken ontwijkend, het wild kolkende zeeoppervlak tegemoet.

Het werd stiller. Alleen de rollende donder weerklonk nog als tromgeroffel. Bliksemschichten dansten sidderend als witgloeiende spinnen aan de hemel.

De paardrijdster bleef vlak voor de koning stilstaan en kwam met een zwaai uit haar zadel.

'We moesten maar eens ophouden met die onzin, Gouwl,' zei ze. 'Er zijn nog maar amper mensen over om te gebruiken. Waarom vergeten we ons kinderachtige pact niet en vechten we het niet uit als demonen?'

'Ja, Irathindur, laten we het maar uitvechten,' antwoordde de koning, die geen ogen had, en hij trok zijn mantel uit. Hij was nu naakt; hij had een zwarte huid en overal donkere, glanzende stekels op zijn gedrongen lichaam. Aan zijn brede lijf waren zes armen zichtbaar, en daaronder drie benen. Met twee van zijn zes handen nam hij langzaam de koningskroon van zijn hoofd en wierp hem in het fijne witte zand.

De godin ontdeed zich op haar beurt van haar wapenrusting. Afgezien van haar mooie en onbarmhartige gezicht, en haar lange, als slangen zwiependende haren vertoonde haar lichaam geen enkel teken van vrouwelijkheid – geen borsten, geen brede heupen. Haar lijf was smal, haast breekbaar mager, en had een ziekelijk mosterdgele kleur.

'Goed,' zei ze vol vuur, 'laten we het dan nu eindelijk afmaken!'

De wolken openden zich als een gordijn. Het zand spoot in witte fonteinen de lucht in.

De allesbeslissende strijd begon, die tijd en ruimte in één klap wegvaagde – en de arme Eiber Matutin, die niet ver genoeg ervandaan in het zand lag, meteen ook.

NEGENDE
OMWENTELING

De demonen

Hun lichamen raakten elkaar. Zwart tegen goud en goud tegen zwart. Die eerste aanraking al – heftig, onstuimig, snel – spleet de tijd als een bijl die van bovenaf in een stuk hout werd gedreven.

Ze konden alles nog een keer zien: hun ontsnapping, hun inbezitneming van barones en koning, het leven dat ze hadden geleid, al het plezier en de moeilijkheden, en een oorlog die langzaamaan was uitgegroeid tot een overslaande roodschuimende golf.

Ze konden zelfs heel even zien hoe mooi barones Meridienn den Dauren voor die tijd was geweest en hoe zwak en welwillend de jonge koning Tenmac III. Beiden bestonden nu niet meer. Er bestond niemand meer. Er waren alleen nog de beide demonen, Irathindur en Gouwl, en hun allesbeslissende strijd.

Ze waren als continenten die op elkaar botsten.

Zand spoot omhoog en de korrels explodeerden een voor een terwijl ze langs de wolken streken. Soldaten vlogen smeulend door de lucht, van wie de zwaarste zo'n honderdvijftig meter verderop met een klap in zee sloeg.

De zee week terug alsof het ineens razendsnel eb werd. De viermaster, die schuin in het water lag te schommelen, werd door de drukgolf gegrepen en sloeg in duizenden planken uiteen. Zelfs het kleinere oorlogsschip, dat op een rots was gespietst, sidderde nog en begon teer uit te zweten. Van legercoördinator Eiber Matutin bleef niets meer over dan vier kiezen, de nagels van zijn beide grote tenen en een in het zand ingebrande vormloze schaduw.

De meeste soldaten die zich op het strand hadden opgehouden hadden meer geluk, omdat ze door duinen waren beschut. Ze kwamen alleen in een soort zandstorm terecht en trokken zich schreeuwend en vol met snijwonden van de schelpsplinters naar hun reddingsboten terug, die te weinig massa hadden gehad en te beweeglijk waren geweest om eveneens door de drukgolf in stukken uiteen te vallen. Al na korte tijd dansten er enkele overbemande boten in de branding. Niemand commandeerde en coördineerde nog. De boten ramden elkaar, alsof er niet genoeg zee was voor allemaal. Veel soldaten konden zich niet aan de dollen vasthouden, werden door de woeste golven naar beneden gezogen en daar veel te lang gehouden. Anderen lieten zich meevoeren door de wilde op- en neergaande beweging van de golven. Twee waren aan het bidden, de een tot de godin, de ander tot de traditionele God van de kerken en kapellen.

Irathindur en Gouwl vochten met elkaar als roofdieren en sleepten het hele eiland Kelm in hun strijd mee. Bomen bogen door totdat de kronen ervan over de grond veegden. Struiken en bosjes veranderden in rollende woestijnbollen. Rotsen begonnen eerst te scheuren en barstten vervolgens als glas. Een zoetwaterbron verzuurde op slag. Het regende aan flarden gescheurde vogelveren. Manenschapen en berggeiten vlogen in brand of zakten weg in vloeibaar geworden, olieachtige aarde. Er vormde zich een kloof, als een gapende wond, waaruit fijne druppels vuurdamp spoten. Ook het weer op het eiland was spookachtig. Gouwl hoefde zich daar niet zelf voor in te spannen – het weer voelde zich door hem aangetrokken als door een elektrische tegenpool; als een vonkensproeiend, regenend hondje volgde het hem op de voet met gerommel en gebliksem.

De hevige schermutselingen van twee instinctieve wezens gingen over in een regelrecht vuistgevecht.

De contouren van de beide demonen waren nu vaster; toen ze met vechten begonnen, waren die eerst bijna vloeibaar geweest, bijna één glinsterend, vormbaar geheel. Nu stonden goudkleurig glad metaal en antracietkleurige stekelige kracht onvermurwbaar tegenover elkaar. Gouwl leek duidelijk in het voordeel te zijn. Hij had zes vuisten om toe te slaan, vast te houden en af te weren, en drie benen om te trappen, maar Irathindur compenseerde dit voordeel met snelheid. Zijn goud was zo beweeglijk als kwikzilver. Zijn graatmagere lijf was ongelooflijk moeilijk te raken, en zijn lange haren brachten de gevoelige tastorganen van Gouwl nog eens extra in verwarring. Het haar van de barones deed een lichaam vermoeden waar er geen was, beweging waar roerloosheid heerste, geworteld in razernij.

Het lukte Gouwl om Irathindur drie keer voluit te raken. Elke keer voelde Irathindur de treffers alsof hij een klok was waarvan de klepel hem liet dreunen. Zijn goud werd dan dof en gedeukt. Maar ook Gouwl moest deze treffers bezuren, want hij brak drie van zijn handen en kon nu nog maar driehandig vechten.

Irathindur raakte Gouwl ongeveer veertig keer. Een enkele treffer veroorzaakte nauwelijks letsel aan Gouwls donkere, robuuste lichaam, maar alle treffers bij elkaar hadden wel effect. Omdat Irathindur zich sneller bewoog dan Gouwl, moest Gouwl zich voornamelijk op afweren richten, wilde hij niet telkens weer aan een gloeiende gouden pijn ten prooi vallen. Maar elke afweer betekende ook contact. Gouwl voelde dat hij langzaam zijn schaduwkleurige zelfverzekerdheid kwijtraakte. De doodsangst diende zich weer aan, dat sidderende vlechtwerk dat als aderen door zijn hele lichaam liep.

Zijn geest – misschien was het ook Tenmacs geest – verbaasde zich erover hoe het zover had kunnen komen dat twee bondgenoten, twee wezens van dezelfde soort, geen woorden meer konden vinden. Waarom konden ze niet met elkaar praten en tot een nieuwe afspraak komen, die voor hen allebei aanvaardbaar was? Zou het Treurwoud zich niet kunnen herstellen? Zouden ze niet allebei met de helft van deze schat genoegen kunnen nemen?

Maar zoals alles was gelopen, waren de gebeurtenissen niet meer terug te draaien. Ze hadden na hun ontsnapping een concreet plan over de verdeling van de levenskracht moeten opstellen waarover Orison beschikte. Ook als kersverse koning en barones hadden ze het via afgezanten of bij een persoonlijke ontmoeting nog over van alles eens kunnen worden. Maar niet meer als barones-koningin-keizerin-godin en als koning-keizer-koning. Nu moesten ze elkaar vernietigen. Misschien bleef geen van beiden over en zouden de mensen uiteindelijk de enige overwinnaars zijn.

En er kwam nog een andere gedachte in hem op, terwijl Irathindurs gouden vuist hem raakte: kon hij, Gouwl, het land Orison niet gewoon aan de godin overdragen en zelf ergens anders heen gaan? Naar Coldrin bijvoorbeeld, waar misschien ook een soort Treurwoud was, maar in elk geval de levenskracht uit vergoten bloed? Hij joeg deze gedachte na zoals een jachtmeute een vluchtende otter najaagt. Hij kreeg de otter te pakken en verscheurde hem niet, maar stelde hem uitgebreid vragen. Nee. Er bestond voor een demon geen ander land dan Orison, want niemand minder dan de naamgever van dit land, de grote magiër Orison zelf, had de demonen verbannen en hen gemaakt tot wat ze allen waren: bannelingen, vogelvrijverklaarden, wraakzuchtigen.

De demonen waren nauw met Orison verbonden.

De strijd woedde voort, verplaatste zich als een agressieve tango van strand naar bos, van bos naar berg. Op zeker moment kon Gouwl niet meer. Drie van zijn zes handen waren al gebroken en de botten ervan groeiden maar langzaam en pijnlijk weer samen, en de andere drie had hij ook al helemaal verwond. Hij begon nu met toverkunsten, en de strijd ging een nieuwe fase in.

Gouwl bewoog zijn vingers en handen, en stuurde groenige ladingen op Irathindur af, die als slangen kronkelden en Irathindurs polsen probeerden dicht te snoeren. Irathindur stuurde op zijn beurt gelige en rozekleurige bollen op de groenige slangen af, die de slangen volledig opslokten of ertegenaan knalden, waardoor ze van koers veranderden, of waaraan de groenige slangen gewoon bleven plakken als aan lijm. Gouwl bekogelde Irathindur met onstoffelijke hamers, spijkers, pijlen, stroppen, voetboeien, klemmen, zwaarden, speren en lichtprojectielen, en Irathindur weerde dit alles af met onstoffelijke manden, zakken, scharen, sabels, netten, kousenbanden, bakken en handschoenen. Toen ging Irathindur weer in de aanval met zich steeds vertakkende angelstaarten, met brandhagedissen, spitsregens en projectielmotten, en Gouwl had er al zijn drie handen aan vol om zich met behulp van zeisvissen, spuugbevers, schildvogels en interceptiekussens te verdedigen. Na een tijdje had Gouwl Irathindurs taille met een doorschijnende, pulserende nijptang omkneld, waarmee hij de levenskracht uit de magere godin probeerde te persen. Maar de godin herinnerde zich dat zo'n insnoering, zo'n foltering, bij haar gastvrouw, de barones Meridienn den Dauren, beslist gevoelens van wellust en behagen zou hebben opgewekt. Uit die gedachte putte ze kracht en ze kon de nijptang via haar navel naar binnen slurpen en daarmee haar eigen levenskracht vergroten. Gouwl was weer, omdat hij geen ogen had, ongevoelig voor alle soorten verwarrende lichttoverkunsten, en toen Ira-thindur probeerde Gouwls tastzintuig met een sneeuwbui van magne-tisch vibrerende draadjes te overbelasten, schakelde Gouwl dan ook ge-woon nog meer van zijn zintuigen uit en negeerde hij al het gekriebel en gewriemel van de sidderende draadjes.

Het magische duel tussen de twee demonen woedde nog heviger dan het lichamelijke gevecht. Geuren en kleuren van allerlei soorten schoten fluitend en sissend door de lucht. Op een goed moment vond er een bot-sing plaats, waardoor alles in een omtrek van vijf meter lila werd ge-sproeid. Het stroperige kleursel veranderde toen in rook en van rook in een reeks cimbaaltonen. Een andere keer verlengde Gouwl zijn armen met gigantische, zwartstekelige knotsen, en Irathindur plakte die met ge-ruite stembanden aan hem vast. Vuur lichtte blauw tussen hen tweeën op. Zandstrand trok zich als in een zandloper in de vorm van een trechter in zichzelf terug. Bomen in het bos verschrompelden en verdorden, en maakten binnen enkele seconden verscheidene jaargetijden door.

Gouwl voelde een grote vermoeidheid als een avondschemering in zich groeien, maar Irathindur putte nog altijd levenskracht uit zijn oorlog en zijn menselijke slachtoffers, die overal in Orison her en der begraven lagen en in de openlucht wasemden. Een weliswaar eindige, maar voor Gouwl onuitputtelijke stroom van goud die in het magere, uitgeteerde lijf van de godin uitmondde als in een moederzee.

Het was een geluk voor Gouwl dat hij van tevoren een plan had bedacht. Voor het geval Irathindur in het gevecht inderdaad tegen hem opgewas-sen was, moest hij de gouden demon van zijn allergrootste krachtbron beroven: de hoop dat er na deze strijd sprake van iets als een stralende overwinning en een toekomst zou zijn.

Dus greep hij hem vast met dertig tentakels die uit zijn borst en knieën staken, en hield hem omklemd. Natuurlijk verzette Irathindur zich, en natuurlijk sneed hij de ene na de andere tentakel door, door uit zijn ogen waterige vuursteenmessen te laten vloeien. Maar toch hield Gouwl een paar kostbare tellen lang nog steeds de overhand. De pijn van zijn door-gesneden tentakels was niet erg genoeg om zich erdoor te laten tegen-houden. Hij tilde de godin op, sprong de lucht in en nam haar met zich mee, over de branding heen, over de hulpeloos slingerende reddingsboten van de soldaten, het plankentapijt dat ooit een viermaster was geweest, de woelige zee die nog steeds Gouwls aandacht trok, langs de winderige kusten van Orison noordwaarts tot in het achtste baronaat. Daarheen waar tot voor kort nog het Treurwoud was geweest.

De vlucht over zee had hen beiden met een waas van fijne neveldruppels overdekt. De laatste van Gouwls borsttentakels stierven sissend af, en er drupte grijs bloed op de nog altijd warme, pas verbrande aarde.

'Kijk om je heen, mijn vriend,' zei Gouwl hijgend. Hij moest met een van zijn armen op de grond steunen om zijn evenwicht niet te verliezen. 'Neem rustig de tijd. Hier vechten we om.'

Irathindur, die dacht dat het een list was, bleef zijn tegenstander strak aankijken, maar toen Gouwl geen aanstalten maakte om weer aan te vallen, waagde hij toch een blik om zich heen. Alles was dood en verkoold. Bomen waren alleen nog gebarsten pilaren, dieren zwarte en kromgetrokken overblijfselen. De aarde was als kool, getekend door scheuren van de droogte. Zacht, fijn stof danste op de wind van het jaargetijde. Niets tjilpte, fladderde, graasde, paarde, groeide, gedijde, bloeide, gonsde, kroop, joeg, vluchtte of werd geboren.

'Wat heb je gedaan?' vroeg de godin hijgend. 'Dit... is niet het Treurwoud. Zeg me dat dit niet het Treurwoud is!'

'Hou je maar niet van den domme. Je weet waar we zijn. Je kunt de rook van de weggebrande levenskracht nog ruiken.'

'Wat heb je gedaan?' herhaalde Irathindur. Zijn verbijstering maakte plaats voor een onstuitbare woede. 'Ben je nu helemaal gek geworden? Het Treurwoud was onze enige onuitputtelijke bron. Nu gaan we allebei dood!'

'Jíj gaat dood, Irathindur. Ik kan me nog voeden met deze as. Maar jij bent al lang veel te gretig. Je zult te gronde gaan, net als alles wat hier leefde.'

Irathindur keek de demon tegenover hem sprakeloos aan. Hij leek op de een of andere kwetsbare manier ineens vrouwelijk, de tranen nabij, verwijtend en wanhopig. 'Waarom haat je me toch zo? Ik heb me toch heel lang aan ons pact gehouden! Al toen ik door die... aanvallen werd geveld, liet ik jou op je troon nog steeds van het leven genieten. Ik heb je lang, heel lang met rust gelaten. Omdat ik je respecteerde, als demon. Als mijn gelijke.'

'Maar het moet ophouden, Irathindur. De oorlog die je voert is te akelig, te zinloos verwoestend. Zelfs een demon zou niet in een wereld willen leven die even troosteloos is als de demonenpoel. En je verandert heel Orison in een gigantische afgrond. Dit verbrande woud is slechts een afspiegeling van wat je ten noorden van de hoofdstad in de baronaten hebt aangericht. En er zullen ook algauw nauwelijks meer mensen meer zijn als je die zo blijft gebruiken.'

De godin snoof minachtend. 'Mensen! Sinds wanneer heeft een demon zich ooit tegenover mensen moeten rechtvaardigen? Weet je wat er met jou aan de hand is, Gouwl? Jij bent niet eens meer een demon. Toen je bezit van de koning nam, ben je in een naïef kind veranderd.'

Gouwl glimlachte dromerig. 'Ja, dat is heel goed mogelijk.'

'En je bent er nog trots op ook. Idioot dat je bent! Vervloekte, hersenloze, stomme idioot! We hadden dit woud nodig! Alle demonen hadden dit woud nodig! Nu hangen we.' Met een uitzinnige schreeuw stortte de godin zich boven op Gouwl en sloeg hem zo hard dat Gouwl een meter of vijftien naar achteren door de boomskeletten en over het verkoolde terrein werd gekwakt. As stoof in wolken omhoog. Irathindur hield niet op. Vanuit een luchtsprong gaf hij Gouwl een trap, zodat deze een meter of twintig door de lucht vloog en daarna in broos, dor struikgewas neerkwam. Irathindur hield niet op. Hij sprong tussen twee barstende bomen door en trapte Gouwl vanuit de lucht zo hard dat die een hele groep verkoolde pilaarstompjes met een hoop kabaal in houtsplinters veranderde. Irathindur schreeuwde nog steeds; zijn goud was bijna roodgloeiend. Hij hield niet op en schopte Gouwl voor zich uit, zoals een kind een bal. Gouwl kwam er niet eens meer toe zich te verroeren. Had hij zich dan volkomen misrekend? Werd Irathindur niet zwakker door het verlies, maar sterker door zijn kwaadheid? Daar zag het wel naar uit. Maar tegelijkertijd verdween Gouwls doodsangst. Hij was nu duidelijker dan eerst stervende, maar de pijn van de meedogenloze afranseling verdrong elk ander gevoel, zelfs de angst. Irathindur sleurde hem de lucht in en smeet hem naar beneden. Sprong toen vanuit grote hoogte boven op hem. Sleurde hem weer de lucht in en slingerde hem van zich af. Gouwl vloog mijlenver weg en stortte toen uitgeput neer. Nog steeds bezweek hij niet, maar hij miste de angst, omdat die hem in elk geval nog het gevoel had gegeven dat hij leefde. Nu voelde hij alleen nog maar pijn en hulpeloosheid. Irathindur hield niet op. Hij leek te groeien. Zijn gezicht was nu absoluut niet meer vrouwelijk – het was uitgemergeld en de neus was verdwenen –, maar de tanden in zijn kwijlende mond waren wel twee keer zo groot als eerst. Hij pakte Gouwl beet en ranselde hem zo verschrikkelijk af dat Gouwls hoofd er bijna af werd gerukt. Gouwl maakte jammerende geluiden, die haast als gezang klonken. Irathindur hield niet op.

Op een gegeven moment zag Gouwl zich ineens door donkerrood puin omringd. Waren het de rotsen van het Wolkenpijnigergebergte, gekleurd door zijn bloed, dat almaar rondspatte? Nee. Het waren de brokstukken van een grens. Het was een van de anderhalve meter hoge muren die de pas gekroonde koningin Meridienn 1 destijds had opgetrokken om haar eigen kleine rijk, Irathindurië, van de andere baronaten te scheiden. Irathindur sloeg Gouwl gewoon door een van die grenzen heen; Gouwl wist niet welke. Daarna smeet hij hem weer terug door een ander deel van de grens. Nog meer rood puin. Vervolgens pakte Irathindur Gouwl bij een van zijn hulpeloos slap hangende armen en sleepte hem in de lengte over de muur; het knetterde als vlammen die langs een streep brandolie raasden. De godin sleurde Gouwl zo kilometers ver over het muurwerk heen, totdat ze uiteindelijk samen in het midden van het land de hoge stad Orison bereikten. Daar smeet Irathindur Gouwl door de muren van zijn koningsburcht.

Voor de mensen van Orison-Stad was de nadering van de twee demonen eerst niet meer dan een spektakel. Iets waar ze elkaar vanaf de stadsmuren op wezen.

'Kijk toch! Kijk toch, daar! Wat is dat?'

Een streep rode vonken kwam op de stad af razen als een rijtuig met een span op hol geslagen paarden ervoor.

'Is dat... Is dat niet de grensmuur?'

'Inderdaad: de grens tussen het zevende baronaat en Irathindurië.'

'Hij komt recht op ons af! Wegwezen hier! Wegwezen!'

Er kwam beweging in de menigte. Gedring, getrek, geschreeuw. Iemand viel van de muur en brak zijn rug. Kerkklokken begonnen te luiden.

Te laat. Het onheil naderde te snel. De twee demonen werden zichtbaar als een gouden glinstering, die een roodstoffige, wervelende bundel meedroeg en uiteindelijk losliet. De roodstoffige bundel drong de contouren van de grootse koningsburcht binnen. Wolken van stenen en puin verbreidden zich. Delen van het gebouw stortten in. Mensen stonden eronder en keken met open mond omhoog; ze konden maar niet begrijpen dat wat daar boven uit elkaar viel onvermijdelijk naar beneden zou komen, op hen af, gehoorzamend aan de wetten van de zwaartekracht.

Het geschreeuw van de menigte, dat eerst nog als het 'Aaaah' had geklonken van mensen die een grandioos schouwspel zagen, sloeg om en zwol vervolgens aan tot het 'Ooooo' van totale verbijstering. Iedereen sloeg op de vlucht, in alle mogelijke en onmogelijke richtingen. De hoofdtoren van de burcht, de kroon van de stad, stortte in alsof hij van zand was gemaakt. Tonnen fijn geciseleerde stenen raakten aan het schuiven en sleurden als in een lawine steeds meer delen van het gebouw, waaronder erkers, dakspanen en demonische waterspuwers, mee de diepte in.

'De demonen komen!' schreeuwde een vrouw terecht. 'De demonen!'

In een regen van vallende uit steen gehouwen figuren, met hun nog altijd peinzende of nors beheerste houding, greep Irathindur naar zijn Gouwl, haalde hem tussen de gebroken daksparren en pijlers vandaan, slingerde hem in de rondte en beukte met hem op de burcht in, keer op keer, waarbij hij Gouwls lichaam als sloophamer gebruikte. Er vormden zich donkere vlekken op de burcht, alsof het gebouw door de pest was aangetast. Eerst waren het alleen nog butsen, die dieper en dieper werden, toen scheurden en ten slotte met een hoop vuil openbarstten, totdat door de gaten de stralend blauwe lucht zichtbaar werd, die weer de stofwolken, die zich als na een explosie overal verbreidden, deed oplichten.

De burcht werd almaar kleiner, was nog slechts een vormloos geheel. De mensen vluchtten nu niet meer voor het neerhagelende puin, maar voor de stofwolk die door de stad Orison trok als een donkere, allesverslindende wervelwind. Mensen bij wie het stof en het zweet zich op hun huid als tot mortel vermengden. Mensen die in hun eigen stad niet meer wisten waar ze naartoe moesten. Bekende straten waren in doolhoven veranderd. Sloeg je een verkeerde straat in, dan kwam er een grijze brandingsgolf van brokstukken op je af rollen en werd je verstikt door zijn meedogenloze omhelzing.

De demonen waren tot leven gekomen en vierden een dodenfeest.

'Gouwl,' schreeuwde Irathindur, en hij wisselde intussen sneller van gedaante dan de vleugelslag van een duif, 'je had alleen maar met me hoeven te delen. Maar nu zal ik iets met jou delen. Ik zal je leren wat er in me omgaat. Ik ga die geliefde stad van je, met jou als gereedschap, met de grond gelijkmaken! Dacht je dat ik nodeloos mensen had gebruikt? Ik zal je laten zien wat jíj hebt aangericht, door een demonengodin tot de hongerdood te veroordelen!'

Je kunt de steden en burchten maar beter als voorraad bewaren, wilde Gouwl ertegen inbrengen, maar hij kon niet meer praten. Zijn hoofd was één grote brij. Er schoot hem een heleboel te binnen waarmee hij Irathindurs woede had kunnen ontzenuwen, maar de godin stond helemaal nergens meer voor open. Irathindur was gek geworden, was het misschien al eerder geweest, zij het dan niet altijd, maar toch in elk geval sinds de aanvallen hem hadden gedwongen zichzelf tot koningin te kronen. Daarna was hij gewoon in een neerwaartse spiraal terechtgekomen.

Terwijl Gouwl hulpeloos door huizen, muren, mortel, stro, klei, gezinnen, serviesgoed en huisdieren werd geslagen, voelde hij spijt dat hij dit gevecht niet had kunnen winnen om nog een goede koning voor zijn onderdanen te kunnen zijn. Hij wilde hen nog toewuiven terwijl hij stierf, maar het lukte niet meer. Al zijn armen waren al lang afgerukt en werden door vluchtende bedelaars als souvenirs verkocht.

Orison-Stad werd niet volledig met de grond gelijkgemaakt. De vernielingen waren aanzienlijk, maar na ongeveer het honderdste verwoeste gebouw verloor de gloeiende godin opeens al haar kracht. Het was alsof bij een wild dansende marionet de touwtjes waren doorgeknipt. De godin zonk ter aarde – haar goud was nu mat en broos –, kromp trillend ineen en probeerde uit de bedolvenen en verbrijzelden nog levenskracht in te zuigen. Slachtoffers waren er genoeg, maar het was moeilijk erbij te komen. Alles zat onder het stof, zelfs de klagende zielen.

Gouwl bleef gewoon liggen – een bloederige, zwartige klomp vlees vol met puin en zand. Waar eerst stekels hadden gezeten, staken nu dakstro en een paar verbogen theelepeltjes uit zijn lichaam.

Maar hij leefde nog wel. Wat hij van de wereld om zich heen kon waarnemen, deed hem eens te meer aan de demonenpoel denken. Iedereen draaide maar rond, zonder echte contouren, zonder basis of betekenis. Zonder liefde te kennen. Of haat. Hoogstens een verlangen naar beide.

Een verlangen naar rust en tegelijkertijd naar vrije beweging. Een verlangen naar tegenstrijdigheden, waaraan men zichzelf kon herkennen. Het draaien ging eindeloos door. De hele wereld was oppervlakkig en onbetekenend en dom. Haalde de demonenpoel hem zo terug?

Opeens voelde hij dat er iets op hem viel. Iets zachters dan neervallend puin van het gebouw. Het waren druppels. Warme regendruppels. Zoutig, alsof ze uit de zee bij het eiland Kelm kwamen.

'Mijn koning. Mijn arme koning,' zei iemand met een vertrouwde stem. Gouwl moest in zijn herinnering eerst via een woud met brandende bomen en een versplinterende, vonkende rode baronaatsgrens teruggaan, maar kon toen toch een gezicht en een persoon met de stem verbinden: Tanot Ninrogin, de koninklijk adviseur.

Tanot Ninrogin nam de bloederige klomp in zijn armen en wiegde hem. Hij huilde erbij. Gouwl voelde het in één woord ondraaglijke verlangen om zijn enige en beste vriend op aarde te kunnen antwoorden, om hem op de een of andere manier te laten weten dat hij nog niet echt dood was. Maar dit lichaam wilde gewoon niet meer. Het was volkomen verwoest. De tranen waren als warme druppels op een koude grafsteen.

Er was iets cruciaals gebeurd. Gouwl, die al lang geen enkele controle meer over zijn wil had en daarom wanhoopte, vermande zich nog één keer. En opeens besefte hij dat hij helemaal geen lichaam nodig had. Dat een lichaam – vooral als je de demonenpoel probeerde uit te komen – hoogstens een belemmering was. Een molensteen om je nek. Gouwl was al zo lang Tenmac III geweest – op een paar uitstapjes na – dat hij volkomen was vergeten dat een lijf niet zijn ik uitmaakte, maar uitsluitend zijn geest.

Hij glipte uit de gebroken klomp vlees als uit een stukgelopen schoen. Zwartglanzend, gespierd en imposant, maar ook doorschijnend en beangstigend, stond hij nu naast Ninrogin, die zijn ogen uitwreef en haastig opstond. 'Mijn koning,' sprak de adviseur gejaagd.

Gouwl legde een van zijn zes handen op zijn schouder, een aanraking die niet voelbaar, maar wel duidelijk zichtbaar was, en die een merkwaardige, onaardse energie uitstraalde.

'Ik ben heel blij dat je de verwoestingen hebt overleefd,' zei hij, en het klonk Tanot Ninrogin in de oren alsof de stem vanuit een paar vertrekken verderop kwam. 'Weet je waar de godin gebleven is?'

Ninrogin wees achter zich. 'Ze is verzwakt. Ligt in een steegje bloed uit de goot te drinken.'

'Goed, ik zal haar meenemen hiervandaan. Orison-Stad moet veilig blijven. Weet je nog hoe we de belegering door Helingerd den Kaatens hebben doorstaan, zonder dat er ook maar een enkele vijand een voet over onze muren kon zetten?'

'Dat is nog niet eens zo lang geleden.'

'Nee, dat is nog niet eens zo lang geleden. En zo zullen we het houden ook. Vergeet me niet, mijn vriend. Vergeet niet dat er een korte tijd in de geschiedenis van Orison is geweest waarin een lelijke demon daadwerkelijk koning was.'

'Dat klinkt als een afscheid, majesteit. Maar we hebben u hard nodig.'

'Ik ben ontzettend zwak geworden. Ik betwijfel of ik nog eens de kracht kan opbrengen om een lichaam in bezit te nemen. En zelfs als dat zou lukken, lijkt het lichaam van een schaapherder die zijn leven in eenzaamheid tussen zijn dieren doorbrengt me op dit moment heel wat aanlokkelijker dan dat van een koning.'

'Maar de oorlog... de naweeën... de rechtvaardige verdeling van wat er nog is...' De ogen van de grijsbebaarde man vulden zich weer met tranen. Gouwl kon het gewoon niet verdragen; hij omhelsde Ninrogin als een nevel, liep toen door hem heen en steeg op in de lucht. Op ongeveer een meter hoogte bleef hij nog even hangen en vroeg: 'Weet je echt zeker dat je niet mijn opvolger wilt worden? Ik kan me geen betere koning voor de mensen voorstellen. Iemand moet hen voorzichtig als een schaapherder uit deze oorlog helpen, en sterk maken tegenover Coldrin.'

Tanot Ninrogin schudde zijn hoofd. 'Koning zijn is vreselijk. Ik ben er niet tegen opgewassen. Waarschijnlijk ben ik een bruikbaar adviseur, maar misschien is er inderdaad een demon voor nodig om de last van de kroon te kunnen dragen.'

Gouwl glimlachte vaag. Toen suisde hij weg, gedragen door onzichtbare insectenvleugels.

Hij vond de godin in een smal, half onder het puin bedolven straatje. Ze kroop rond en probeerde nog ergens wat levenskracht te pakken te krijgen, maar ze kon niets meer vinden. Ze was nu blinder dan Gouwl ooit was geweest.

'Tussen al die stenen leeft niets meer,' zei Gouwl toen hij zachtjes naast haar op de grond landde. 'Het zou slimmer zijn geweest als je me naar een sappige weide had gesleept in plaats van hiernaartoe, de hoofdstad in.'

Irathindur keek hem aan. Hij trilde als een verslaafde die cold turkey moest afkicken. 'Begrijp... het... niet. Zo plotseling. Een... schok.'

'Je hebt veel te veel van jezelf gevergd. Uiteindelijk heb ik dankzij het Treurwoud meer levenskracht in me dan jij, maar in tegenstelling tot jou heb ik het niet allemaal voor razernij gebruikt.'

Irathindur stortte nu volkomen in en kronkelde op zijn buik als een worm. Gouwl wilde hem in zijn nekvel pakken om hem op te tillen, toen er iets volkomen onverwachts gebeurde: uit Irathindurs rug sprong Irathindurs geest op hem af en versmolt met hem. 'Jóúw levenskracht, sufferd!' fluisterde het gouden demonenspook. 'Ik pak die van jóú. Je hebt me voor het laatst onderschat.'

De strijd die nu volgde, was volkomen abstract. Een worsteling tussen twee geesten. Een gevecht zonder lichamen. Het leek eerder op een strategisch bordspel of op een vaardigheidstest. Een wedloop over een op- en afgaand pad van duizend hindernissen. Het was geen strijd in de eigenlijke zin van het woord. Het ging erom wie het snelst de meeste van zijn eigen stukken in de beslissende posities wist te brengen – goud of zwart. En tijdens dit geluidloze, amper zichtbare gevecht gebeurde er iets waarmee geen van beide partijen rekening had gehouden: de demonenpoel haalde hen terug.

Op magisch-spiritueel niveau was hier misschien een overtuigende verklaring voor. Terwijl de beide demonen met de bouwstenen van hun eigen wezen tactische zetten deden op een praktisch oneindig en continu veranderend speel-, levens- en bestaansbord, doorliepen ze verschillende stadia. Hun levenskrachtconstanten varieerden qua samenstelling, veranderden de kleuren, de vormen, de dichtheid en het effect. Een van die stadia droeg exact de levenskrachtsignatuur van de demonenpoel. Dat was natuurlijk geen toeval, bedacht Gouwl. Orison zelf moest dit zo hebben geregeld, zodat een demon die er toch in was geslaagd te ontsnappen – wat niet waarschijnlijk was – na zijn overlijden of wanneer hij door levenskrachtondervoeding ernstig verzwakt was geraakt, vanzelf weer de afgrond in werd gezogen, in plaats van als magisch stralend afval het halve land nog eens schade toe te brengen. Gouwl besefte, terwijl hij terechtkwam in een zuiging en als aan onzichtbare wortels naar het zuiden werd meegesleurd, dat Orison wel zo'n beetje aan alles had gedacht, zelfs aan het medeleven van een oorringdragende koninklijke knaap.

Gouwl en Irathindur merkten dat ze uit de hoofdstad en over het land heen naar het zuiden werden getrokken, zonder dat ze daar ook maar iets tegen hadden kunnen doen. Ze waren nog steeds ineengestrengeld. Strikt genomen waren ze zelfs één, en ze leken door hun gecombineerde goud en zwart eigenlijk sterk op het vreemde insect uit Faur Benesands traan. Ze waren lichaamloos en werden als donsveertjes door de zuiging van de afgrond meegesleurd.

Ze raasden voort, onaangeroerd door dauw of wind. Het land werd onder hen weggerukt als een gigantische lappendeken. De Brokkelige Bergen kwamen in zicht en staken elkaar met bizarre en scherpgekante vormen naar de kroon. Terwijl ze eroverheen raasden, hadden ze een gevoel alsof ze een met meerdere messen tegelijk uitgevoerde aanval moesten afweren.

De kapel kwam in zicht. De kapel waarbij ze hun pact hadden gesloten. Het zou logisch zijn geweest als deze kapel van het verbroken pact in stukken was gebroken, nu hun lichamen eropaf kwamen stormen, maar ze hadden geen lichamen meer. Zacht als een fluistering suisden ze door het oude gebouw heen.

De voor kijklustigen doorbroken touwafzetting met zijn getaande banspreuken.

De gapende afgrond.

Omlaag. De draaikolk. Een dichte nevel, wittige vaagheid.

Erin.

En erdoorheen, zo leek het.

Gouwl en Irathindur losten niet op en werden niet één met het eeuwige ronddraaien. Hun bewustzijn werd niet vervormd en viel niet uiteen door Orisons vloek. In plaats daarvan kwamen ze in een soort zaal terecht, die ze in al hun eeuwen in de draaikolk nog nooit eerder hadden opgemerkt.

Óf de draaikolk was veranderd, óf zijzelf waren nu anders.

Gouwl en Irathindur landden op de vloer van deze zaal, midden in een uit talloze details bestaande, zorgvuldig gemaakte krijttekening. Spiralen, cirkels, schrifttekens in allerhande talen, numerologische getallen, verzen, dieren- en demonenafbeeldingen, symbolen, schetsen, wiskundige en alchemistische formules, hele beeldverhalen, het begin van een roman, abstracte lijnen en snijpunten, arceringen, ornamenten, pijlverwijzingen en banspreuken. Het was duidelijk wat dit was: de plek van het begin en het einde. Hier had de grote magiër Orison zijn bezweringsplan ontvouwd. Hier hield de vrijheid van de demonen op en begon het grote ronddraaien en vergeten.

Toen Gouwl en Irathindur merkten dat ze niet alleen in deze met krijt versierde zaal waren, maakten ze zich van elkaar los. Je vocht niet en versmolt ook niet met elkaar in het bijzijn van anderen, zelfs niet als demon.

In het gebrekkige licht konden ze zes andere schepsels onderscheiden.

Een rodig glanzende, hondachtige demon met hangoren, die Gouwl bekend voorkwam; met hem had hij op de dag van zijn ontsnapping uit de demonenpoel om de oorringen van de koning, die in de draaikolk ronddreven, met succes gevochten. Vervolgens een demon met de kleur van blauwig ijs, die uit louter klapperende tanden leek te bestaan. Een groenharige met een kraanvogelsnavel op zes poten. Een kreeftachtige met langwimperige ogen op steeltjes overal op zijn lichaam. Een wittig, mooi uitziend spook, dat een mengvorm van een siervogel, een bloem en een danseres was. En een zesde gestalte, vermomd, en in de schaduw op de achtergrond.

De kreeftachtige met de ogen op steeltjes was net met een trillende piepstem aan het praten: '... zou ik er graag nog eens op willen wijzen dat de beide oorringen van de koning zich nog steeds heel dicht bij het oppervlak van de draaikolk bevinden. Orogontorogon' – hij wees met een schaar naar de hondachtige – 'heeft een van die ringen al kunnen aanraken. Als we dus niet willen wachten totdat het niveau van de draaikolk in de loop van de eeuwen genoeg is gestegen, zouden we in een gemeenschappelijke actie Orogontorogon omhoog kunnen katapulteren. Dan zou hij de ring, die hij al kent, misschien kunnen pakken.'

'Natuurlijk zou ik dat kunnen,' bromde de hondachtige. 'Ik pak dat ding wel.'

'Maar ik vertrouw hem niet,' fluisterde het knappe spook met de stem van een jong mensenmeisje. 'Hij zou er in zijn eentje tussenuit kunnen knijpen, zoals de twee anderen hebben gedaan.'

De hondachtige blafte tegen het spook dat met een theatraal gebaar begon te huilen.

De groenharige met de zes poten en de kraanvogelsnavel spreidde twee op vleermuisvleugels lijkende armpjes en probeerde de twee kibbelaars te sussen. 'Laten we niets overhaasten. Sinds we deze raad hebben opgericht, is het ons gelukt voor onrust in de draaikolk te zorgen. Die onrust heeft weer de nieuwsgierigheid van de koning gewekt. Die nieuwsgierigheid heeft weer twee van ons de kans geboden te ontsnappen. Het een leidt tot het ander. Waarschijnlijk leidt de ontsnapping van onze twee soortgenoten ook voor de rest van ons weer tot een heel andere uitgangspositie.'

'Het leidt nergens toe,' zei de ijskleurige panisch klappertandend. 'Die twee hebben alleen maar ellende aangericht! Uit elke blik van de hulpvragers van de afgelopen weken hier was dat wel op te maken! Het land bevindt zich in oorlog met zichzelf, omdat twee demonen zich niet konden beheersen!'

'Onzin!' snauwde Orogontorogon, de demon die op een hond leek. 'Die ene, die zwarte, is een misselijke vent. Met hem ben ik nog niet klaar, geloof me! Maar die dunne is er eentje zoals wij. Hij vecht tegen de zwarte, omdat hij zich moet verweren! Zoals wij ons moeten verweren!'

'Verweren? Waartegen?' piepte de kreeft.

'Tegen de chaos!' viel de klappertand de hondachtige haastig bij. 'Het enige wat ons nog bijeenhoudt is de herinnering aan dat wat we ooit geweest zijn. Herinneringen aan vrijheid en grootsheid! De wereld is in handen van de verkeerde soort. Als we de mensen nog honderd, tweehonderd jaar hun gang laten gaan, stort alles in. Elke herinnering zal verdwijnen en worden vervangen door iets wat snel, goedkoop geluk belooft.'

'Maar je hebt zelf net gezegd dat ook de twee ontsnapte demonen alleen maar onheil hebben gesticht,' haakte de kreeft hierop in.

'Ja, omdat ze tussen de mensen terechtkwamen!' snaterde de klappertand. 'Omdat ze het als mensen hebben geprobeerd. Als man en vrouw! Koning en niet-koningin! We konden het toch horen! Wanhopige boeren hebben ons om hulp gevraagd – óns! Omdat God zich niet laat zien en wij tenminste onrustig rondwervelen! Het leidt allemaal nergens toe als we niet helpen de boel te sturen en in toom te houden. Het land heeft ons nodig. De mensen, de demonen – alles!'

'Zoals in de oude tijd,' zong het mooie spook. 'Toen we nog kleuren waren, geur en zwierende beweging.'

Een tijdlang was alleen het geklappertand van de ijskleurige demon te horen. Hij keek met grote, angstige ogen de zaal rond.

'Waarom vragen we het de twee ontsnapten niet zelf?' nam de vermomde demon voor het eerst het woord, met een stem zo diep als een bevende berg. 'Ze zijn hier.'

'Wat?' krijste de klappertand. 'Wie? Waar? Sinds wanneer?'

Gouwl en Irathindur gingen staan en klopten de dampende resten van de materie uit de draaikolk van hun schouders en armen. Ze hadden het gevoel dat ze nu pas zichtbaar werden, omdat de aandacht van de vermomde hen als een vuur verlichtte.

Toen brak er op slag chaos uit. Orogontorogon wilde zich op Gouwl storten. De kreeft en de groenharige konden hem met pijn en moeite tegenhouden. Klappertand wilde bij de aanblik van al het tumult op de vlucht slaan, maar knalde tegen de muur van de zaal, viel in duizend tanden uiteen en moest zichzelf moeizaam weer bijeenrapen, terwijl het mooi uitziende spook met theatrale gebaren te kennen gaf dat ze helemaal van streek was, dat het haar allemaal te veel werd. Alleen de vermomde bleef volkomen kalm. 'Iedereen of niemand,' zei hij, maar niemand luisterde naar hem.

Pas na een tijdje kon Orogontorogon zodanig tot bedaren worden gebracht dat ze niet bang hoefden te zijn voor nog een gewelddadige uitval. Gouwl, die instinctief achter de veel magerder Irathindur was gaan staan, durfde weer tevoorschijn te komen.

'Waar zijn we hier eigenlijk?' vroeg hij aarzelend.

'Dit is de raad,' piepte de kreeft. 'De demonenraad.'

'Waarom hebben we nooit geweten dat die bestond? Waarom horen wij daar niet bij?' vroeg Irathindur uitdagend.

'Voor de raad word je niet gekozen of voorgedragen,' maakte de groenharige met de kraanvogelsnavel duidelijk. Zijn zware keelstem klonk hees. 'De raad wordt gevonden. Wij allemaal hebben hem in de loop van de eeuwen gevonden. We zijn er bij toeval op gestuit en zijn hier toen gebleven.'

'Er waren er ook een paar bij,' snaterde de klappertandige, die zichzelf weer bijna helemaal in elkaar had geknutseld, haastig, 'die hier niet wilden blijven. Die ons wel toevallig hadden gevonden, maar die liever daar buiten wilden blijven ronddrijven in de hoop nog eens te kunnen ontsnappen. Zoals jullie tweeën.'

'Ik heb hem daar' – Gouwl wees naar Orogontorogon – 'buiten in de draaikolk gezien. Ook hij dreef rond en hoopte de oorringen te bemachtigen.'

'Ik dreef niet rond, onverantwoordelijke smeerlap dat je bent!' kefte de hondachtige. 'Ik probeerde in opdracht van de raad de ringen te pakken te krijgen, zodat niet dat zou gebeuren wat toen is gebeurd; dat twee nietsnutten ontkwamen en buiten ellende aanrichtten! Ik had die opdracht omdat ik de sterkste ben van ons allemaal!'

'Nou, blijkbaar toch niet sterk genoeg,' antwoordde Gouwl, meer in zichzelf dan tot de anderen gericht; maar het was genoeg. Opnieuw wilde Orogontorogon zich op hem storten, opnieuw moesten kreeft en kraanvogelsnavel hem in bedwang houden. Het spook vroeg jammerend waarom dit eigenlijk een 'raad' heette, terwijl alles hier toch altijd radeloos uit de hand liep. Klappertand klapperde ritmisch mee.

Gouwl was nu degene die verontwaardigd was. Hij begreep echt niet waarom ze hem tegen die hangoor wilden beschermen. Tenslotte was hij hem al eens de baas geworden. 'Wat moet dit nou helemaal voorstellen?' vroeg hij spottend. 'Jullie komen hier in deze grot samen en beraden je over wát precies? Hebben jullie al iets bijzonders gepresteerd, zoals wij tweeën, door ook daadwerkelijk buiten te zijn?'

'Maar nu zijn jullie weer hier,' mompelde de vermomde, en er trok een soort lichte aardbeving door de met krijt versierde zaal. 'Jullie waren buiten, hebben daar chaos en woede veroorzaakt, hebben vervolgens geconcludeerd dat het zo niet meer verder kon, hebben jullie kortzichtig tegen elkaar gekeerd en zijn nu terug in jullie moederschoot. Dat is niet het soort loopbaan dat de raad in gedachten heeft. Wij zijn op iets duurzamers uit.'

'Wie ben je?' vroeg Irathindur hem. 'Ben jij het hoofd van de raad?'

'Nee,' antwoordde de vermomde, en hij sloeg zijn capuchon naar achteren. Het spook ging bijna in het niets op. De klappertand verdubbelde zijn ritme. Zelfs kreeft en groenhaarkraanvogel weken één à twee passen terug.

Wat onder de capuchon vandaan kwam, was werkelijk allesbehalve aangenaam. Elke symmetrie, die zelfs het meest bizarre uiterlijk van een demon nog iets esthetisch verantwoords gaf, ontbrak. Het gezicht van de vermomde zag eruit als een wild woekerende zwammenkolonie waar gekookte noedels uit hingen. 'Ik ben degene,' pruttelde het onding, 'die deze zaal heeft gebouwd. Ik ben Orison.'

'Orison?' hijgden Gouwl en Irathindur als uit één mond. Gouwl kon het niet geloven. 'De grote magiër die ons demonen naar de demonenpoel heeft verbannen? Maar... wat doe je hier eigenlijk? Zou je niet allang dood moeten zijn? Of is er toen iets misgegaan en ben je hier ook in meegezogen?'

De zwammenkolonie met de noedels lachte. Iets vreemders dan deze lach hadden Gouwl en Irathindur nog nooit eerder gezien of gehoord. 'Snappen jullie het dan nog steeds niet? Moet ik dan elke keer weer alles uittekenen met krijt of in woorden? Omdat demonen en ook mensen het hebben verleerd om na te denken en liever alleen maar wat voortdrijven en hopen? Luister dan goed, mijn broeders. Luister en begrijp.'

Gouwl en Irathindur hoorden de waarheid over het land en over het wezen Orison, en ze hoorden die waarheid niet alleen met hun oren, maar ook met alle zintuigen die hun ter beschikking stonden. Alle krijttekeningen in de grote zaal vlamden op en vormden samen een allesomvattende tekst:

Zoiets als menselijke magiërs hebben nooit bestaan.
Ook geen landdraken, vliegende hagedissen, monsters en
    eenhoorns.
Het waren allemaal demonen
die in mensen, leguanen, vogels, apen, paarden en andere dieren
    glipten
om volop te genieten, hun grenzen af te tasten, te voelen dat ze
    leefden.
In deze begerigheid naar het leven
en deze bandeloze vreugde om te voelen dat ze leefden,
verbruikten ze uiteindelijk
alle levenskracht die hun ter beschikking stond,
totdat er niets meer was
wat in de toekomst voldoende zou zijn om hen te voeden en te
    sterken.
De meest wijze van hen,
Orison, de demonenkoning,

kon niets anders meer doen
dan hen allemaal naar de demonenpoel te sturen –
niet om hen gevangen te zetten of hen te verbannen, maar om hun
ten minste nog een kans te geven verder te leven, zij het dan
zonder vrijheid.
Orison was gestorven,
uitgeput,
tot licht vervlogen en weer verrezen
in de eeuwige kringloop van de demonenpoel, die hij had
geschapen.
Het land
dat ter herinnering nog zijn naam droeg,
ging troosteloos over in de handen van de mensen,
die hun levenskracht zelf opwekten,
omdat ze sliepen als ze moe waren,
omdat ze andere wezens aten als ze honger hadden
en omdat ze het werk onder elkaar verdeelden
en samen groter waren dan ieder afzonderlijk,
zodat ze zich tegen de natuur en het leven staande konden
houden.
Altijd tegen het leven, nooit met het leven.
En zo verdween alle magie uit de wereld,
en zelfs de demonen vergaten
dat niemand, behalve zijzelf,
de demonen ooit aan banden had kunnen leggen.

'De mensen hebben nooit macht over ons gehad!' bevestigde het mooie spook bevend van ontroering.

'Meerderheid! We zijn in de meerderheid, als we dat willen!' kefte ook Orogontorogon met gebalde vuisten. Klappertand klikklakte. De demonen waren door Orisons opzwepende woorden zo opgewonden geraakt als krolse katers.

'Nog steeds heet het land Orison! Nog steeds, na al die eeuwen!' piepte de kreeft luidkeels. 'Als dat geen hogere status weergeeft dan die van welke menselijke koning ook, van wie de naam allang in vergetelheid is geraakt, dan weet ik het niet!'

Zelfs de groenharige liet zijn kans niet lopen om uit te roepen: 'De dood is voor ons hier onmogelijk. Zelfs als we denken te sterven, leven we nog door tot in de eeuwigheid.' Iedereen kakelde opgewonden door elkaar. Het leek wel alsof de demonen als heksen om een haardvuur stonden te dansen en er een wild roverslied bij zongen.

Gouwl was onder de indruk. Irathindur absoluut niet.

'Wat zijn jullie toch voor een zielig stel,' bromde hij.

Het demonenfeest hield abrupt op. 'Pardon?' hijgde Orogontorogon, met zijn oren gespitst. 'Wat zei je daar?'

'Nu heb je zulke grote oren, en nog hoor je het niet?' snauwde Irathindur terug. 'Ik zei dat jullie een lachwekkend zootje waren! Door toeval zijn jullie in deze grot beland, en nu zitten jullie hier een beetje tegen elkaar op te scheppen over jullie bevoorrechte posities in jullie gevangenis. Orison, de grote Orison, wiens naam ook nu nog gehuldigd wordt, zit hier al eeuwenlang in het donker beneden, ziet eruit alsof hij door de gehaktmolen is gehaald en doet niets! Absoluut niets! Maar Gouwl en ik – wij hebben onze kans gegrepen en zijn losgebroken uit die maalstroom hier. We hebben sneller gereageerd dan deze raad en hebben waargemaakt waar jullie alleen maar vol hoop over zitten te praten en te dromen. Ik kan er echt alleen maar om lachen.'

'Verscheuren zal ik je! Verscheuren!' Weer moest Orogontorogon met moeite door de kreeft en de groenharige worden tegengehouden. Het heksenfeest was alweer in volle gang. Alleen Orison verroerde zich niet.

'Jullie zijn geen demonen meer!' klappertandde ook de ijskleurige verwijtend in de richting van Gouwl en Irathindur. 'Als jullie ons uitlachen, hebben jullie je te lang mens gevoeld om je nog te kunnen voorstellen hoe het hier beneden met ons gaat.'

'Maar dat is toch overduidelijk?' voegde het spook eraan toe. 'Gouwl is slim en bedachtzaam geworden omdat hij een slimme en bedachtzame jongen als gastlichaam heeft uitgezocht. En Irathindur is humeurig en bazig geworden. Alleen dat gedoe met schoonheid is hem op de een of andere manier ontgaan. Maar Orison is mooi, werkelijk mooi! Hij heeft de schoonheid van koraal, dat diep in zee de stromingen en de bedreigingen van het water op waardige wijze weerstaat!'

Irathindur lachte honend. 'Ja, hij heeft een smoel als een algenplant.

Als jullie zo naar buiten gaan, zullen jullie niet lang tegen de woedende mensen kunnen standhouden.'

'Jullie hebben evenmin stand kunnen houden!' reageerde Orogontorogon venijnig, die enkel nog met de trillende kreeft worstelde. 'Waarom staan jullie anders hier? Met niets in je handen? Niets!'

'Wij hebben meer dan jullie ooit zullen hebben.' Irathindur gaf zich niet gewonnen. 'We hebben daar buiten onze sporen achtergelaten.'

'Iedereen of niemand,' pruttelde Orison. Alle aandacht werd op hem gericht. Hij wachtte nog een poosje totdat ook de klappertand was gekalmeerd, en sprak toen verder. 'Heb je het niet gemerkt, Irathindur? Elke aanval die je hebt gehad, probeerde je naar de demonenpoel te trekken. En nu zijn jullie allebei teruggehaald. Waarom? Omdat jullie ontsnappingsdrang minder sterk werd, jullie je te zeer met jullie zelf hebben beziggehouden om jullie eigen wortels nog te kunnen weerstaan. Jullie levenskracht hoort hier. Deze maalstroom is alleen compleet als alle demonen erin aanwezig zijn.'

'Wat kan het ons nu schelen of we de gevangenis waaruit we ontsnappen in complete toestand achterlaten of ontwricht en verwoest?' stoof Irathindur op. Gouwl, die liever in alle rust naar Orisons woorden had geluisterd, wist weer waarom hij zo hardnekkig tegen Irathindur had gevochten.

'Jullie begrijpen het niet, want jullie luisteren niet goed naar me,' probeerde Orison het nog eens. 'Ik heb de demonenpoel zo ontworpen dat een enkele demon er niet voor langere tijd aan kan ontsnappen zonder terug te worden gezogen. Dat kan alleen als alle demonen tegelijk gaan.'

'Alle demonen tegelijk?' vroeg Gouwl nu voor het eerst. 'Hoe zou dat kunnen dan? De levenskracht op de hele wereld is toch nooit genoeg om zo veel demonen tegelijkertijd te voeden. Wij waren met z'n tweeën tenslotte al een strijd om de voedertrog begonnen.'

'Omdat jullie niet slim zijn,' zei Orison onbewogen. 'Omdat jullie te veel op de aarde zijn gericht, al zouden jullie veel verder kunnen kijken. Dit is het plan zoals ik dat vanaf het allereerste begin heb gehad. De demonen hadden, wild en onbeheerst als ze nu eenmaal zijn, alle levenskracht verbruikt. Opdat ze niet allemaal dood zouden gaan, moest ik, omdat ik hun koning was, hen zien te redden door deze maalstroom te creëren. Maar waarom wervelt de demonenpoel? Hebben jullie daar nog nooit over nagedacht? Waarom beweegt alles, draait het voortdurend rond, in plaats van gewoon een statische gevangenis te zijn?'

Gouwl begon het te begrijpen. 'Om... iets op te wekken. Een kracht. Langzaam en gestaag. Eeuwenlang.'

'Precies.' Orison knikte. 'De demonenpoel wekt kracht op. Een kracht die groot genoeg zal zijn om alle demonen een toekomst te geven. Zodra de tijd rijp is – en zo lang duurt dat niet meer, over een jaar of tien of twintig – zal de maalstroom exploderen. En de kracht die daarbij vrijkomt, zal groot genoeg zijn om vele duizenden demonen voldaan en gelukkig te laten zijn – en ook blijvend. De demonen zullen dan heersen en ik zal weer hun koning zijn. De mensen, die op het ogenblik doen alsof ze op aarde iets te betekenen hebben, zijn alleen maar plaatsvervangers. Dat heb je echt heel goed gedaan, Irathindur, om hen als vee te melken. Maar je had van tevoren naar de raad moeten komen; dan had ik je kunnen uitleggen hoe je dat echt goed aanpakt.'

'Zo zit dat!' kefte Orogontorogon ijverig. 'Of dachten jullie nietsnutten nu werkelijk dat jullie de twee oorringen te pakken konden krijgen, omdat jullie zo enorm slim of sterk waren? Als de ontwikkeling van de demonenpoel niet al zo ver was gevorderd dat de mensen konden voelen dat er onrust broeide, zouden jullie niet eens in staat zijn geweest die oorringen te zien, laat staan ze te pakken!'

'Jullie dachten dat jullie alles zelf hadden bedacht,' bevestigde de kreeft met trillende stem, 'maar in werkelijkheid waren jullie gewoon heel ongeduldige modelleerlingen.'

'Iedereen of niemand! Iedereen of niemand!' schetterde klappertand, en het mooi uitziende spook danste er een pirouette bij en zong met een zachte kopstem.

Irathindur schudde afkeurend zijn hoofd. Gouwl dacht na.

Dat was een betrekkelijk nieuw iets, dat nadenken. Dat had hij eeuwenlang verwaarloosd en van Tenmac III pas weer geleerd. En het beviel hem. Het leek meer op tasten met zijn tastharen dan zien met zijn ogen.

Hij herinnerde zich het land Orison, zoals het was geweest voordat Irathindur en hij uit de demonenpoel waren ontsnapt. Een ijdele en eerzuchtige baron in het vierde baronaat, een bazige en intolerante barones in het zesde baronaat – maar afgezien daarvan een vreedzaam evenwicht.

Volkomen tevredenheid zou toch nooit bestaan. Geen structuur was zo volmaakt dat hij geen ruimte liet voor eigenzinnigheid en afgunst. Maar er was wel vrede geweest. Zelfs met Coldrin. Zelfs met de steeds onrustiger wordende demonenpoel.

Toen waren Irathindur en hij gekomen, en hadden het kostbare evenwicht verstoord. Eerst had Irathindur zich nog enigszins verantwoordelijk gedragen, maar toen hij zichzelf eenmaal tot koningin had gekroond, had dit voorbeeld Helingerd den Kaatens aangestoken als een tot totale verstandsverbijstering leidende ziekte. Jaloezie, ruzie, oorlog en razernij waren de gevolgen geweest. Een zichzelf oprichtend monument van menselijke en demonische onvolmaaktheid.

Nu haalde Gouwl zich een land Orison voor de geest dat door de demonen uit de demonenpoel werd overspoeld. Waarschijnlijk was elk van deze demonen een stuk zwakker dan Irathindur en hij waren geweest. Waarschijnlijk zouden er ridders zijn, die als demonendoders naam maakten. De negen baronaten zouden zich mogelijk weer aaneensluiten om de gemeenschappelijke dreiging het hoofd te kunnen bieden. Maar het zou hun niet lukken. Gouwl had geen idee hoeveel demonen er eigenlijk waren, maar tien- tot honderdduizend was nog een voorzichtige schatting. De demonen zouden het land en de stad Orison overspoelen, vernietigen en uitzuigen, en niets overlaten. Daarna Coldrin. Daarna wat de wereld zoal nog meer te bieden had. En ten slotte zouden ze elkaar weer naar de keel vliegen. Zoals Irathindur en hij dat uiteindelijk ook hadden gedaan. Zoals het in de aard van elke demon lag.

Wat een zinloos woeden en verwoesten, vergeleken bij de rustige schoonheid van het land, zoals het oorspronkelijk was geweest – een onverteerbaar verlies.

Maar wat kon hij ertegen doen?

Kon hij de demonenraad omverwerpen? De grote Orison zelf? Het leek hem niet. Wat hij aan kracht van buiten nog overhad, zou voor een directe confrontatie met diegenen die zich binnen de demonenpoel al tientallen jaren van privileges hadden verzekerd niet voldoende zijn.

Maar Gouwl kon iets anders proberen: een nieuwe ontsnapping, en dan de mensen waarschuwen voor wat hun te wachten stond.

Hij zakte lichtjes door zijn knieën en zette zich af van de grond. Hij sprong omhoog richting zaalplafond.

Orison, die als enige meteen doorhad wat Gouwl van plan was, pruttelde: 'Laat hem niet ontkomen! Hij heeft nog altijd resten van het Treurwoud in zich!'

Orogontorogon sprong eveneens. Zijn gezicht leek enkel nog uit ontblote tanden en speeksel te bestaan. Ook de kreeft sprong, maar die kon bij lange na niet hoog genoeg komen. Ook Orogontorogon niet. Met een huilend gekef knalde de hondachtige demon tegen het zaalplafond, terwijl Gouwl erdoorheen dook als door een laag koolkleurig water. De enige die bij hem kon komen was Irathindur. 'O nee,' snoof Irathindur, 'je laat me hier niet alleen beneden.'

Misschien waren Gouwls vaart en kracht daadwerkelijk genoeg geweest om hem een tweede keer de demonenpoel uit te katapulteren. Hij legde alles wat hij had in deze sprong: elke afzonderlijke boomstam, elke kever, elke halm, elke dierenhaar die hij in het Treurwoud te midden van de vlammen nog tot zich had genomen. Maar toen Irathindur aan hem ging hangen, wist hij dat hij de bovenste rand niet zou halen. Althans niet zonder extra katalysator.

Er was nog een aller-allerlaatste mogelijkheid. De twee ineengestrengelde geestdemonen doorkliefden weliswaar de nevelige demonenpoel en doken als omgekeerde kometen boven het oppervlak uit, maar zakten na het hoogtepunt van hun sprong weer naar beneden en raasden als vallende keien bij de wanden van de afgrond neer. Gouwl stuurde wat er te sturen viel en knorde ondertussen: 'Hang toch eens stil, gek! Anders sleur je ons allebei nog het niets in!' Het was een geluk dat Irathindur veel magerder en lichter was dan Gouwl.

Twee keer knalden ze tegen de rotswand op en schuurden er zo heftig langs dat stukken van hun geestvormen als vonken wegspatten. Toen kwamen ze bij de bewuste katalysator aan: de beide oorringen van koning Tenmac III, die nog altijd vlak boven de maalstroom op een smalle rotsrichel lagen.

Míjn oorringen, ging het door Gouwl heen, die op dat moment minstens zozeer een jonge koning als een demon was.

De oorringen waren nog steeds geladen met menselijkheid en medeleven. Gouwl wist de ene te bemachtigen en Irathindur tegelijkertijd de andere. Ze hoefden hier niets over af te spreken; het was evenzeer een daad tegen elkaar als met elkaar. Daarna waren de ringen verdwenen, volledig opgegaan in de nu licht metalig iriserende geestvormen van de beide demonen. Ze sprongen allebei – en ook geen seconde te vroeg. Vanuit de wervelende demonenpoel kwam de rode, brullende gestalte van Orogontorogon tevoorschijn, klapte keihard tegen de nu lege rotsrichel en gleed, onder het uitbraken van vloeken en ingewikkelde toverformules, onhoudbaar in de afgrond terug. Gouwl en Irathindur suisden echter al omhoog, zij aan zij, door het metaal van de ringen richting mensheid gekatapulteerd.

Gouwl kwam boven aan en klampte zich vast aan de rand. Irathindur – duidelijk minder sterk dan zijn donkere lotgenoot – redde het niet helemaal. Een centimeter of dertig onder de rand had hij het hoogtepunt van zijn sprong bereikt en begon hij al terug te zakken. Er kwam geen woord uit zijn mond, geen schreeuw. Trots en hardheid glinsterden in zijn ogen toen hij de diepte weer in dreigde te vallen.

Gouwl dacht niet lang na. Met een van de onderste van zijn zes armen pakte hij de graatmagere Irathindur vast en trok hem mee over de rand.

Ze lagen allebei hijgend op hun rug. Ze waren alleen. Er waren geen kijklustigen bij de demonenpoel, geen pelgrims bij de kapel. Het omringende gebied was nog steeds leeg en verlaten door alle gedwongen rekruteringen overal.

Boven hen was niets dan hemel – een niet-heldere, maar toch onmetelijk hoge hemel, waaraan sneeuwwitte wolken rustig voortdreven. Wat is het toch stil en kalm en mooi, dacht Gouwl vermoeid, en hij kon met zijn tastharen het hele uitspansel in al zijn grootsheid voelen. Het lijkt echt in niets op waar wij ons mee bezighouden: rondwervelen, ontsnappen, onderdrukken en vechten. De manier waarop de wolken stilletjes aan deze grootse, oneindige hemel voortdrijven heeft echt niets gemeen met hoe de demonen en mensen elkaar bevechten en elkaar met opgewonden, grimmige gezichten de kroon van het land afhandig proberen te maken. Hoe is het toch mogelijk dat ik die hoge hemel vroeger nooit heb gezien? En wat mag ik mezelf gelukkig prijzen dat ik hem nu eindelijk heb leren kennen. Ja, al het andere is onbelangrijk, al het andere is waan en illusie onder deze oneindige hemel. Er is niets, niets behalve dit. Maar ook de hemel is niet echt tastbaar. Er is alleen maar stilte en rust. En daar moeten we met heel ons hart dankbaar voor zijn.

'Nou, goed.' Irathindur had uiteindelijk als eerste zijn stem hervonden. 'Ik geef toe dat het me zonder jouw hulp niet was gelukt een tweede keer te ontkomen. Waarom heb je me niet gewoon laten vallen? Dan hadden we het probleem niet dat we nu hebben.'

Gouwl had er moeite mee zich van de hemel los te rukken. 'Dat we het Treurwoud niet meer hebben? Dat we allebei schoon genoeg van de oorlog hebben en dat de levenskracht waar we vrij over kunnen beschikken bij lange na niet genoeg zal zijn om veelvraten als wij goed mee te kunnen voeden?'

'Zo is het toch, of niet soms?'

'Ik denk het wel, ja. Maar ik denk dat het er allemaal niet meer toe doet.'

Gouwl slaakte een zucht. 'We weten nu toch hoe het ervoor staat? Geen enkele demon kan blijvend aan de demonenpoel ontkomen. Orison heeft aan alles gedacht. Pas op de dag dat de maalstroom alle demonen tegelijkertijd uitspuwt, zullen de demonen weer echt vrij zijn.'

'Een afschuwelijk idee dat zulk gebroed als Orogontorogon of die klappertand zomaar in Orison zou kunnen rondlopen.'

'Inderdaad. En daarom staat ons eigenlijk nog maar één ding te doen.'

'Waar heb je het over?'

'We moeten een koning zien te vinden die in staat is deze dreiging het hoofd te bieden. En we moeten hem de levenskracht geven die we nog overhebben, zodat hij in elk geval de macht zal hebben te volbrengen wat de toekomst van hem zal eisen.'

'Wil je een menselijke magiër creëren?'

'Ja. De eerste echte in zijn soort. Dat Orison een mens was, is maar een fabeltje.'

Irathindur nam er nu ook de tijd voor om naar de wolken te kijken, die steeds geduldig veranderden. 'Heb je al iemand op het oog? Ik bedoel: in het tasthaar?'

Gouwl kon een fijn lachje niet onderdrukken. 'Nee. We zullen rond moeten vliegen om iemand te zoeken.'

'Dat redden we niet meer. Geen kracht.'

'Weet ik. Maar als een van ons de kracht van de ander overneemt, kan die ene het redden.'

'Zou jij je opofferen, zodat ik een koning kan gaan zoeken?'

'Ik heb het niet over opofferen, Irathindur. We zijn demonen. Geen van ons tweeën zal jammerend ten onder gaan. Geen van ons zal als slachtoffer eindigen.'

'Een laatste duel dus?'

'Een allerlaatste duel.'

Ze waren allebei een poosje stil. Toen zei Irathindur: 'Dat zal kracht gaan kosten. Was het nou echt niet beter geweest als je me gewoon had laten vallen?'

'Nee. Ik geloof dat ik in mijn eentje nog minder kracht heb dan na een duel met jou. Bovendien heb ik een idee. Herinner je je nog dat Orison zei dat we onze strijd om de levenskracht alleen maar waren begonnen omdat we te veel op de aarde gericht waren, ook al hadden we veel verder kunnen kijken?'

'Ja, en?'

'Jij hebt ogen, ik niet. Wat zie je als je zo op je rug ligt?'

Irathindur kneep zijn ogen tot spleetjes en tuurde omhoog naar het eindeloze, wonderlijk zuivere blauw, dat met hagelwitte spoken was gemarmerd. 'Ik zie de hemel. Ik zie de hemel in al zijn grootsheid.'

'En wat denk je, Irathindur? Als de aarde ons levenskracht schenkt door te groeien, te bloeien, te stimuleren en zich te bevruchten, door licht en water op te nemen en die in vruchten te veranderen en die te veredelen, door geboorte en dood te herbergen, en allerlei stadia die daartussenin liggen, door de herinnering aan gevechten te bewaren en aan kussen, veroveringen en omhelzingen – zou dan niet ook de hemel levenskracht in zich moeten dragen? Denk aan de vogels die al vliegend een net van haast langs de hemel trekken. De wolken die telkens maar weer veranderen. Denk aan hagel, regen en sneeuw, met hun steeds weer andere vormen. Denk aan de wind, de storm, het zonlicht dat alles doorgloeit. Denk aan het verschil tussen dag en nacht. De jaargetijden. De kleuren die de hemel kan hebben.'

Nu glimlachte Irathindur zelfs. 'Wat weet jij nu van kleuren, man zonder ogen?'

'Ik kan ze proeven. Rood smaakt veel zoeter dan blauw. Groen smaakt scherp en fris. Geel zuur, zwart enigszins bitter en wit een beetje naar zout.'

'Bedenk je dat niet zomaar?'

'Nee, het is echt zo.'

Ze zwegen weer. Irathindur keek toe hoe de wolken zich vormden en weer vervlogen. 'En wat denk je – als de hemel in al zijn grootsheid al levenskracht in zich draagt, hoe zit het dan met de zee?'

'Net zo.'

'De gebieden diep onder het aardoppervlak?'

'Zou heel goed kunnen.'

'De lichtende steden in de hemel?'

'Zeer zeker.'

'Dan is het genoeg voor ons allebei!'

'Ach, Irathindur.' Gouwl kwam met een zucht, steunend op vier van zijn zes armen, overeind. 'Nu wil je me vrede aanbieden, broederlijke verbondenheid, begrip. Ik geloof dat toen Orison zei dat óf iedereen, óf niemand zou kunnen ontsnappen, hij niet bedoelde dat het van de levenskracht afhing of er twee of zelfs meer dan twee demonen vrij in Orison zouden kunnen rondlopen. Ik geloof eerder dat hij daarmee bedoelde dat onze temperamenten het niet zullen toelaten dat we voor langere tijd vreedzaam of zelfs alleen maar tolerant met elkaar zouden kunnen omgaan. We zijn demonen, Irathindur. Geen runderen. We zijn als water en vuur. We zijn voorbestemd om te heersen – en om te vechten om die heerschappij.'

'We zouden het toch op z'n minst kunnen... proberen.'

'Dat hebben we al eens gedaan. En als resultaat ligt Orison nu in puin, is het Treurwoud as, en liggen er duizenden mensen in hun verse graven te vergaan. We hebben het geprobeerd. We hebben het echt geprobeerd.'

De wolken bleven veranderen. Langzaam nam de hemel avondlijke kleuren aan, die voor Gouwl zoetig smaakten.

De beide demonen stegen majestueus op. Om de hemel in al zijn grootsheid echt te kunnen voelen, drongen ze hem binnen als een koel, op en neer bewegend web.

De hemel in al zijn grootsheid verwelkomde hen, leek hun heel zachtjes toe te fluisteren: 'Waar zijn jullie zo lang gebleven? Jullie hebben me wel vaak doorkruist, en dat in haast, maar echt gevoeld hebben jullie me nooit. Terwijl jullie geen tastharen of ogen nodig hebben om me te herkennen. Jullie hebben alleen maar zielen nodig, waar ik doorheen kan waaien en die ik lichtjes kan beroeren!'

De beide demonen wentelden bij het opstijgen om hun lengteas. Irathindur had twee armen uitgespreid, Gouwl alle zes. Ze bewogen zich alsof ze zich onder water bevonden.

'Het wemelt hier inderdaad van de sporen!' lachte Irathindur. 'Voel je die zwerm vogels die hier maanden geleden langstrok op weg naar de eilanden? Voel je die storm die precies op deze plek is gaan liggen, twee jaar geleden? En daar, daar boven – merk je dat? Hoe warme lucht daar opstijgt – warme lust, zou ik bijna zeggen – en koude lucht daalt, en ze zich vermengen, telkens weer op dezelfde plek, elk jaar in hetzelfde jaargetijde, omdat de Brokkelige Bergen de wind hier afremmen?'

'Ja, ik voel het.'

'En daar? Wat zijn dat? Die... fonkelende schaduwen? Als poorten van de hemel?'

'Naweeën van regenbogen. Die tierden hier zo welig als sierplanten.'

'En dat daar? Die papaverspetters?'

'Roofvogels hebben hier waarschijnlijk op duiven gejaagd. Er is hier levenskracht vrijgekomen.'

'En hoe zit het met dat geknetter? Je hoort het overal! Alsof de hele hemel is gestippeld, in zijn afzonderlijke delen uiteen is gevallen!'

'Dat zijn herinneringen aan regen, Irathindur. Het heeft overal geregend, heel vaak, elk jaar. De beweging van elke regendruppel, elke hagelkorrel, elke sneeuwvlok is als het ware opgetekend in het nooit voltooide boek van de wolken.'

Met wijd opengesperde mond suisde Irathindur door een verkwikkende nevelbank. 'Heerlijk!' ontglipte hem. 'Wat een levenskracht. En wij maar te blind en dom en aardegericht zijn om het allemaal door te hebben. Gaan we de zee nog in, Gouwl? Kom, laten we de zee nog in vliegen!'

Gouwl schudde glimlachend zijn hoofd. 'Geen uitstel meer. Hoe formuleerde je dat ook alweer zo mooi op het eiland Kelm? Laten we het dan nu eindelijk afmaken.'

'Maar waarom? Er ligt hier voor ons een onuitputtelijke voorraad levenskracht!'

'We hebben nieuwe lichamen nodig om daar gebruik van te kunnen maken. En dan begint de hele ellende weer van voren af aan.'

'Geloof je er niet in dat je je leven kunt beteren?' Irathindur wilde het gewoon niet opgeven.

'Orisons plan staat een toekomst voor ons in de weg, demonenbroeder.'

'Orison is God niet.'

'Dat is zo. Maar God heeft Orison de macht gegeven de grootste van alle demonen te zijn. Dus is Orisons plan ook Gods wil.'

'Zo kun je toch niet praten?' jengelde Irathindur. 'Als alles wat er gebeurt Gods wil is, dan is het ook Gods wil dat wij allebei vrij zijn en zelf beslissingen kunnen nemen.'

'Zie je nu wat er gebeurt?'

'Wat dan?'

'We maken alweer ruzie. Omdat we totaal verschillende opvattingen hebben. Verschillende temperamenten. Water en vuur.'

'Misschien,' gaf Irathindur spijtig toe. 'Misschien heb je wel gelijk.'

Midden in de hemel stonden ze tegenover elkaar. De zon scheen op hen neer en door hen heen, want ze waren geesten. De ene geest goudglanzend als de dag, de andere donker als de nacht.

Het zou een lichaamloos duel worden. Een ontmoeting van gedachtewerelden, vanuit een onwerkelijke abstractie samengebracht en gemodelleerd in de tastbare vorm van een tweekamp.

De tegengestelde bewustzijnspaden van Gouwl en Irathindur snelden op elkaar toe, liepen vervolgens, evenwijdig aan elkaar en elkaar telkens weer kruisend, dwars door tijd en ruimte, en kwamen uit in een ander groot duel, dat in een andere tijd en op een andere plek had plaatsgevonden.

Het was middernacht; een volle maan kroonde de hemel.

Muren van onweerswolken bouwden zich hoog op tot aan de sluitsteen, verhulden de zilveren kroon.

De kruisvormige crypte werd verlicht door meer dan zestig fakkels, die minstens zo veel rook produceerden als licht. Het gejoel van Gouwls aanhangers echode door het hele vertrek. Gouwl stond al boven in de ring toen Irathindur naar binnen werd gebracht. Gouwl balde zijn zes vuisten, liet zijn indrukwekkende spieren rollen en zijn stekels en stugge haren rechtop staan.

'Gouwl! Gouwl! Gouwl! Gouwl!'

Irathindur werd voorgesteld als 'de uitdager van vandaag' of als 'veelbelovend tegenstander van vandaag'. De spichtige gouden demon leek op iemand die Gouwl eerst niet meteen kon thuisbrengen. Toen schoot het hem weer te binnen: de plunderaar die, achteropzittend bij een Coldrinese vrouw op een gems, het Wolkenpijnigergebergte in was gevlucht, achtervolgd en opgedreven door de angstaanjagende Faur Benesand.

Het gevecht begon ermee dat iemand een stenen kruik op een aambeeld stuksloeg. De lucht was door alle fakkelrook amper in te ademen en had de kleur van doorschijnende nachthemden. Irathindur probeerde of hij tussen de toeschouwers om hem heen de hemel en zijn gul stromende levenskracht ook terug kon vinden, maar het lukte hem niet.

Gouwl kwam al op hem af stormen.

Het was niet bijster moeilijk de driebenige te ontwijken. De boom van een vent bewoog zich gewoon veel te langzaam om echt een gevaar voor Irathindur op te leveren. In de eerste ronde ontweek Irathindur hem daarom ook en plaatste maar een paar treffers, die hemzelf meer pijn deden dan zijn tegenstander. Ze vochten zonder handschoenen, alleen met wat bandages om hun vingerknokkels.

In de tweede ronde liet Irathindur een paar stoten op zijn dekking komen en kwam er daardoor achter dat het beter was zich net als in de eerste ronde helemaal niet te laten raken. Ook de stoten op zijn dekking deden hem ontzettend pijn.

Het publiek begon te mopperen en te fluiten. Ze scholden de gouden demon uit voor lafaard, en met een 'Vloer hem!' vuurden ze de zwarte demon aan, die telkens wanneer zijn magere, glibberige tegenstander hem handig ontweek een nogal dom figuur sloeg.

In de pauze voor de derde ronde besefte Irathindur dat hij zo geen zestien ronden kon doorgaan. Op een gegeven moment zou een van de zes krachtige zwaaistoten doel treffen en hem van al zijn levenskracht beroven. Hij moest tot de aanval overgaan. Het kon niet anders.

Weer werd er een kruik stukgeslagen. De meute joelde. Irathindur liep naar voren en week pas op het laatste moment uit. Twaalf, achttien zwaaistoten van Gouwl waren er volledig naast. Je hoorde ze door de lucht suizen. Toen sloeg Irathindur toe. Achter Gouwls rechteroor, dat door zijn zwaaibeweging nog onbeschermd was. Gouwl reageerde niet. Sloeg terug. Irathindur dook weg. Gouwls stoot ging ernaast, deze keer naar links. Irathindur sloeg toe, op Gouwls linkeroor. Gouwl reageerde niet. Wilde weer toeslaan. Maar ditmaal was Irathindur sneller en deed hij iets volkomen onverwachts: hij ramde zijn vuist midden in Gouwls tastharen, terwijl Gouwl nog steeds bedaard en geheel in zijn eigen tempo uithaalde. *Pats.* Er voer een siddering door het publiek, alsof het door een speer was getroffen. Gouwls zintuigen begonnen te sidderen en liepen ineens door elkaar. Geur werd klank. Tinten werden smaaknuances. Irathindur maakte gebruik van dit moment, waarin Gouwl enigszins vertraagd met zijn vuisten uithaalde. *Pats. Pats.* Links. Rechts. Licht. Donker. Telkens weer op zijn tastharen. Met elke treffer werd Gouwls uithaalbeweging trager, wat Irathindur weer tijd gaf voor nog een stoot. Het was alsof Irathindur een seconde tot een uur kon rekken, een tunnel door de tijd kon drijven. *Pats. Pats. Pats. Pats. Pats. Pats. Pats.*

Na de vijfde treffer was Gouwl al bewusteloos, terwijl hij nog overeind stond, maar er waren er nog eens drie voor nodig voordat zijn knieën eindelijk knikten. De kolos viel neer als een kalvende gletsjer.

Bwwwatsss.

Er volgde een stilte.

Toen een oorverdovend geschreeuw.

Het geschreeuw veranderde abrupt van toonhoogte.

Gouwl sprong weer omhoog; hij rukte de vloerplanken als klitplanten met zich mee. 'Het is nog niet voorbij,' brulde hij met een mond druipend van het bloed. 'Je hebt me nog niet verslagen! Hoor je me? Niet verslagen!'

De menigte brulde alsof er al een vechtpartij gaande was. En er was inderdaad, merkte Irathindur, toen hij wat beter om zich heen keek, een soort bijprogramma: mensen sloegen op elkaar in, wezenloos, wanhopig, in het wilde weg. Ze vochten voor goden, grenzen, familie en voedsel, maar het zag er allemaal nogal onhandig uit, zoals bij kinderen die volwassenen nadeden.

De aarden kruik brak.

Irathindur stapte ook in gedachten de ring weer in en viel meteen als een razende aan. Zijn vuisten troffen doel, maar hadden amper effect. Gouwl sloeg terug. Zes vuisten tegen twee. Schaduwen doorboorden het goud van een open plek in het bos. Irathindur merkte dat hij het helemaal zonder dekking niet lang zou kunnen volhouden. Hij probeerde dan ook zo veel mogelijk in dekking te blijven, zwaaide met zijn bovenlichaam verder vanuit zijn heupen en maakte nog wat schudbewegingen met zijn hoofd. *Klets. Klets. Pats. Klets.* Zijn slagen kletterden als hagel neer. Lichaamstreffers om Gouwl de adem te benemen. Hoofdtreffers om hem murw te maken. Gouwl liep inderdaad achteruit in de ring. Alleen dat al was een groot succes voor Irathindur. Het publiek hield het niet meer op de banken. De mensen sprongen door elkaar, duwden elkaar weg om beter te kunnen zien, deden de stoten na en moedigden de vechtenden met een hoop herrie aan. Irathindur ging tekeer alsof er een berg tegen de grond moest. Gouwl was, doordat zijn eigen armen hem in de weg zaten, tot passiviteit veroordeeld. Op een gegeven moment werd er weer een aarden kruik stukgeslagen.

Meridienn den Dauren, mooi en gekleed in puur bruidswit, dook naast Irathindur op en duwde hem een natte spons in zijn gezicht. Toen Irathindur naar het water keek dat over zijn borst naar beneden liep, vielen hem de roodachtige slierten op.

'Bloed ik? Waar? En waarom ben ik weer vrouwelijk?' vroeg hij onduidelijk.

'Dat komt door mij,' glimlachte de mooie barones. 'Alle vrouwen bloeden wanneer ze geen kind onder het hart dragen. Pas op jezelf, mijn demon. Je wilt toch winnen.'

'Ik doe mijn best.'

'Hup. Laat hem niet op adem komen.'

Naast Gouwl stond de jonge Tenmac III, die hem tactische adviezen gaf, maar zijn stem was zo zacht en schuchter, en het geschreeuw van het rumoerige publiek zo oorverdovend, dat Gouwl er niets van kon verstaan.

De aarden kruik voor de zesde ronde. Weer stormde Irathindur op Gouwl af. Weer had Gouwl niet op zo veel woede gerekend; hij had nu tenminste een rustiger ronde verwacht. Irathindur vuurde een regen van klappen op hem af. De meeste op zijn dekking. Sommige ook ernaast. Maar de meeste waren raak. Veel treffers op zijn ribben. Af en toe op zijn oren. Twee keer zelfs, als kleine hoogtepunten midden in deze hagelstorm, vol op Gouwls tastharen. Irathindur zweette en kreunde. Zijn armen deden pijn, alsof er duizenden kilo's zware gewichten aan hingen. Gouwl wilde zich verdedigen, wilde terugslaan, maar telkens wanneer hij aanstalten daartoe maakte, werd hij drie keer geraakt. Treffers in het ritme van een hamerende specht. Gouwls donkere gezicht begon er vreselijk uit te zien. Irathindur schreeuwde inwendig tegen zichzelf: misschien lukt het, misschien lukt het; als ik maar niet voor die tijd neerga doordat mijn levenskracht is opgebruikt. De menigte schreeuwde en jankte als wolven of hyena's. Bloed vloeide rijkelijk. Voornamelijk Irathindurs bloed, maar ook Gouwl bloedde uiteindelijk uit zijn neus.

Hun beider bloed had de geur van wierook.

De maan begon te draaien.

Deze keer liet de aarden kruik voor de volgende pauze bijna een maand op zich wachten. Irathindur sloeg alleen nog maar mechanisch toe, zonder zijn tegenstander nog als tegenstander te zien. Hij bewerkte Gouwl met zijn vuisten als een zandzak. De driebenige demon begon bij elke ademhaling te jammeren. Irathindur sloeg zonder te zien of te voelen. Misschien had hij de aarden kruik gewoon niet gehoord. Nee, dan was er wel iemand gekomen om hem bij Gouwl vandaan te trekken. Gouwl droomde van een land waarin niets bewoog, dat rustig was, vreedzaam en stil.

Eindelijk het brekende geluid, dat dwars door alle lawaai sneed. Irathindur wankelde op de een of andere manier naar Meridienn toe, die hem halverwege tegemoet kwam, maar nu opeens zulk kort haar had dat het glom als de vacht van een dier. Ook met haar linkerhand was er iets niet in orde; die zag eruit alsof hij in heet metaal was gedompeld en daarna in ijswater om af te koelen.

'Het lukt me niet,' snoof hij. 'Hij gaat gewoon niet neer.'

'Je raakt hem niet goed genoeg. De hoeveelheid stoten is prima, maar de precisie ontbreekt. Maar dan nog, Minten, hoor je me? Oloc is er geweest! Hij huilt al, hij weet niet eens meer wat hij moet doen! De mensen lachen hem uit, drijven de spot met hem! Nog één ronde, nog maar één ronde zoals je het tot nu toe hebt gedaan, en dan heb je hem!'

Minten? Oloc? Irathindur was volkomen in de war. Toen hij langs zijn naakte vrouwenlichaam omlaagkeek, zag hij een plas water tussen zijn voeten steeds groter worden, van de spons die de nu sterker geworden Meridienn hem keer op keer in zijn gezicht duwde. Hij kon zichzelf in die plas weerspiegeld zien en was geen vrouw en ook geen neusloze demon, maar een jonge, kaalgeschoren man met een strakke blik.

'Nog... zo'n ronde... lukt me niet meer,' kreunde Irathindur.

'Je moet, Minten. Je moet!'

De strijd ging verder. Irathindur schudde tegelijk met zweet- en waterdruppels alle onzekerheid van zich af. Ik ben een vrouw, zei hij bij zichzelf, ik ben een man, ik ben van goud, ik ben mooi, ik ben jong, ik ben stokoud, ik ben onsterfelijk en ik zal winnen. Hij ging opnieuw in de aanval. Gouwl met zijn rug tegen de touwen. Half achterovergebogen over de touwen.

Het touw stond bijna zo gespannen als de pees van een boog. En toen, met een luide kreet van opperste frustratie, sloeg Gouwl terug. Hij brak gewoon door de slagenregen heen en stootte Irathindur met zijn vuist bijna het hoofd van zijn romp. Irathindur vloog naar achteren en knalde tegen de vlakte. Maar ook Gouwl viel. Bijna een halve ronde lang kropen ze als twee kleine kinderen door de ring. Daarna kwamen ze weer overeind –Irathindur met behulp van de touwen, waaraan hij zich omhoogtrok, Gouwl op eigen kracht. 'Blijf liggen!' hoorde Irathindur Meridienn met een zwaarder geworden stem door het publiek heen schreeuwen. Maar hij wilde niet blijven liggen. Hoe moest het dan verder met de wereld, dacht hij, als die domme, logge Gouwl zou winnen? Die zou het toch nooit ofte nimmer voor elkaar krijgen een geschikte opvolger te vinden. Gouwl zou immers in het gunstigste geval zijn oude adviseur tot koning benoemen.

Eén voltreffer maar. Irathindur gaf het niet op.

Hij ging weer in de aanval. Gouwl had nog niet echt een besef van tijd of plaats. De toeschouwers vochten nog steeds openlijk met elkaar, vielen elkaar in de rug aan en doodden elkaar lachend; ze staken vlaggen in veroverde bankenrijen en noemden die gebieden opschepperig naar zichzelf. Een van de zitbanken vloog, herhaaldelijk om zijn lengteas pirouettes draaiend, door de lucht, als een baronaat dat weigerde onderdeel van het hele gebeuren te worden. De twee vechters in de ring beukten nu op elkaar in zonder nog enige moeite te doen zich te verdedigen. Daar hadden ze allebei de tijd en de kracht niet voor. Telkens weer midden in hun gezichten, totdat het één grote brij was waar eerst nog contouren en gelaatstrekken waren geweest, er een smerig bruin-oranje ontstond waar eerst nog een contrast tussen zwart en goudgeel was. Irathindur hield het nu alleen nog maar vol omdat hij in Gouwl iets anders zag dan deze Gouwl van wie hij zo goed als niets wist. Voor zich zag hij een horde hielenlikkende coördinatoren die elkaar in onderdanigheid probeerden te overtreffen. Twee figuren staken met kop en schouders boven deze verachtelijke meute uit: Eiber Matutin, die zichzelf moed toeschreeuwde om te verdoezelen dat hij het weer eens in zijn broek had gedaan, en de arrogante kwast en baronaatsverrader Faur Benesand, die serieus geloofde dat de barones het niet merkte als hij haar gebruikte zakdoeken telkens opraapte en ze als een schat dicht bij zijn hart bewaarde. Toen zag Irathindur de jaloerse dwerg Helingerd den Kaatens en de slome koning Tenmac III, die zich in zijn korte en onverdiende regeerperiode maar één keer tot een inspannende daad had vermand, namelijk het platbranden van het onvervangbare Treurwoud. Hij zag de afgrijselijke Orison met zijn noedelgezicht, en hoe die met zijn imposante zware donderstem schijnheilige wijsheden verkondigde, waar zijn horde pootjeslangers – 'handlangers' zou in dit geval een ontoepasselijke benaming zijn geweest – weliswaar heel enthousiast over was, maar die er eigenlijk uitsluitend toe dienden Orisons eigen macht en positie op de grottroon van de ledigheid te versterken. En uiteindelijk zag hij zichzelf voor zich, Irathindur, de levendige, vindingrijke, gouden demon die met de eentonigheid en uitzichtloosheid van het demonenpoelbestaan nooit genoegen had kunnen nemen en daarom van de eerste de beste gelegenheid gebruik had gemaakt om meester over zijn eigen lot te worden. Deze daadkracht, deze ongebrokenheid, dit vuur had Irathindur nu nog één keer nodig om deze allerlaatste strijd te kunnen doorstaan.

Het gevecht eindigde met de negende ronde, toen Gouwl met twee vuisten tegelijk Irathindurs tanden stuksloeg. De vreemde vrouw uit Irathindurs hoek kwam tussenbeide en schermde Irathindur, bij wie een fontein van bloed naar buiten spoot, met haar lichaam voor Gouwl af. Gouwl stak vier van zijn zes bloedende vuisten in de lucht, stootte een kermend geluid uit, dat vermoedelijk een overwinningskreet had moeten worden, en viel toen, doordat hij uitgleed in een plas water uit de spons, onder de touwen door met een klap op de toeschouwersbanken. Irathindur gleed tussen de armen van de vreemde vrouw door eveneens op de grond – hij was te tenger om opgevangen te kunnen worden. Ze wilde voor hem zorgen, zijn hoofd en tong goed leggen, zodat hij niet zou stikken of in zijn eigen bloed zou verdrinken, maar hij was te glibberig om nog goed te kunnen worden vastgehouden. De vrouw en het schouwtoneel vervaagden. Het onbeschrijflijke rumoer rondom verwaaide als stukken brandend perkament. Irathindur wilde weer opstaan, herrijzen zoals Gouwl dat eerst had gedaan, de vloerplanken met zich meesleurend, en iets als 'Ongeslagen!' uitroepen, maar er waren geen vloerplanken meer. Alles verdween, in de diepte of in de oneindige hoogte. Was dit de hemel? De hemel in al zijn grootsheid?

Irathindur wrong zich in allerlei bochten.

De stilte overheerste nu.

Vervolgens het nooit eindigende geruis van een branding.

Nooit eindigend. Eeuwigdurend.

Irathindur aanschouwde het strand van het eiland Kelm, alsof hij er ver boven zweefde, in de hemel in al zijn grootsheid. Waarom zweefde hij, en Gouwl niet? Waren ze dan niet allebei neergegaan? Was Gouwl soms meer met de aarde verbonden geweest dan Irathindur, omdat Gouwls gastlichaam, Tenmac, meer bindingen had gehad dan de eigenzinnige barones Meridienn den Dauren? Maar betekende dat niet dat Irathindur dan nu de sterkste van hen tweeën was, omdat hij ongebonden was en onafhankelijk, onbelast door vriendschap, genegenheid en verplichtingen? En omdat de hemel in al zijn grootsheid levenskracht in zich droeg, levenskracht in overvloed, en hem daar nu mee zou voeden, terwijl Gouwl ver van de tafel moest verhongeren?

Figuren bewogen zich in het witte zand als letters op papier voor iemand met tranende, knipperende ogen. Vluchtende schipbreukelingen die elkaar in telkens weer de verkeerde richting in veiligheid probeerden te brengen. Een vrouwelijke ridder op een paard. En een koning, die een druipende viermaster op zijn vingertoppen kon laten dansen. Irathindur stootte een geluid uit dat klonk als een zacht, nerveus gepiep. Hij wilde ingrijpen, iets doen, maar het lukte hem niet eens meer de aandacht te trekken.

'Ja, Irathindur, laten we het maar uitvechten,' zei de herinnering aan een driebenige koning op sonore toon, en ze trok haar koninklijke mantel uit. Ze was nu naakt, die herinnering. Ze had een zwarte huid en overal donkere, glanzende stekels op haar gedrongen lichaam. Aan haar brede, enigszins doorschijnende lijf waren zes armen zichtbaar. Met twee van haar zes handen nam ze langzaam de breekbare koningskroon van haar hoofd en wierp hem in het fijne witte zand, dat wervelende patronen vormde.

De vrouw in haar wapenrusting steeg van haar onwerkelijk flakkerende paard af en ontdeed zich op haar beurt van haar wapenrusting. Afgezien van haar mooie en onbarmhartige gezicht, en haar lange, als slangen zwiepende haren vertoonde haar lichaam geen enkel teken van vrouwelijkheid – geen borsten, geen brede heupen. Haar lijf was smal, haast breekbaar mager, en had een ziekelijk mosterdgele kleur.

'Goed,' fluisterde ze mat, 'laten we het dan nu eindelijk afmaken!'
Irathindur piepte weer en strekte vanuit de hemel zijn handen uit.

De wolken openden zich als een gordijn. Het zand spoot in witte fonteinen de lucht in.

Het goud en het zwart stormden op elkaar af om elkaar te omhelzen of
elkaar eens en voor altijd uit te schakelen. Demonen kunnen niet sterven
– tenzij een demon een andere demon doodt.

Irathindur, die in de hemel vastzat, slaakte een jammerende kreet.

Het kwam tot een aanraking.

En de allesbeslissende strijd eindigde met een aanraking die tijd en ruimte
ineen deed vloeien, totdat alles weer in harmonie was.

Stand

Minten Liago vocht zich een weg omhoog. Overal was hout. De planken en wrakstukken van de uiteengeknalde viermaster kwamen van boven op hem af of dansten om hem heen. Hij zette zich af en bracht daardoor alles in beweging. Eerst stuitte hij op schuim, toen op lucht, toen weer op alleen water, toen op een stuk hout, en ten slotte op lucht die hij zelfs kon inademen. Een poosje dreef hij, terwijl hij zich aan een plank vastklampte, in de branding, en liep het gevaar door de golven en de wrakstukken die ertegenaan werden geslingerd te worden verpletterd.

Hij liet zijn houvast los en dook richting strand. Rondom hem dobberden de overblijfselen van de viermaster door het groene rijk der stilte.

Nu pas kwam de drukgolf. De branding veranderde opeens van richting en kwam denderend op Minten af. Licht gierde. Mensen, onder wie Eiber Matutin, werden als rook weggeblazen. Anderen dreigden te worden verzengd en verschansten zich. Minten dook, zo diep als hij maar kon, en ontkwam daardoor aan de orkaan die over het wateroppervlak raasde. Zelfs helemaal beneden in het slib, waar luchtbellen uit opborrelden, was te voelen hoe de zee werd samengedrukt en weer uiteengetrokken. Minten voelde hoe de lucht uit zijn longen werd geperst. Even wist hij niet meer welke kant hij op moest om weer aan de oppervlakte te komen. Toen zag hij de zon: een matte, donkergroene glimlach. Hij stak zijn handen ernaar uit, telkens weer, en crawlde omhoog. Toen kon hij ademhalen. De orkaan was voorbij en had maar een tel geduurd.

De branding was volkomen in de war geraakt. Sommige golven rolden op hem af, hoewel Minten richting het strand zwom, maar hij werkte zich door die tegenrollers heen zoals door zijn tegenstanders in de Binnenkring. Elke golf was anders van grootte, kracht, aard en vorm, maar uiteindelijk waren het allemaal hindernissen op de weg vooruit. Toen Minten hierover nadacht, om zich tot verder zwemmen te motiveren, viel het hem op dat hij de naam van de zittende kampioen van de Binnenkring – die mythische, grote, onoverwinnelijke figuur die hij nooit had ontmoet – totaal was vergeten. Daarentegen stonden de namen Jinua Ruun, Heserpade en Hiserio nu voorgoed in zijn geheugen gegrift.

Hij kwam op het strand aan en krabbelde meteen weer overeind; zijn benen voelden slap als gekookte groente. Het strand lag vol met vuil, wier, kapotte schelpen, wrakgoed en matrozenlijken. Een paar soldaten kropen nog rond en huilden als kinderen: de resten van het roemrijke leger van de gouden godin.

Een van de doden had een verbaasd gezicht en hield nog altijd zijn zwaard in zijn hand. Minten, die het zijne had verloren, pakte het hem af en woog het keurend in zijn hand.

Verderop op het strand, midden in een ondiepe krater van glimmend hard zand, was vaag de gouden godin zichtbaar, zonder wapenrusting, enkel nog een geest, in de veel te talrijke armen van een ander demonisch gedrocht. Minten leek de enige in de verre omtrek te zijn die nog op eigen kracht rechtop kon staan. Dus was het nu aan hem, aan hem alleen, om een eind aan deze afschuwelijke nachtmerrie te maken.

Met het zwaard, waaraan nog algen hingen, in zijn hand liep hij met opgetrokken schouders naar de twee demonen toe.

Gouwl wiegde de stervende Irathindur in zijn zes armen en nam daarbij op wat de gouden demon nog aan levenskracht in zich droeg.

Irathindur was oud en bibberig. Vrouw noch man. Gewoon alleen nog een stervende demon.

'Als we...' kreunde hij. Gouwl moest zich heel dicht naar Irathindur overbuigen om te kunnen verstaan wat hij zei. 'Als we ons in plaats van in... mensen, laten we zeggen in... twee katten hadden genesteld... twee schattige, jonge katjes – wat denk je? Hadden we dan... een gelukkig leven in vrijheid kunnen leiden?'

'Ik wil het niet uitsluiten,' antwoordde Gouwl. 'Maar zelfs katten hebben vijanden, vooral wanneer ze nog klein zijn. Elke roofvogel kan ze zo naar de andere wereld helpen. Ik ben bang dat, welke manier van leven

we ook hadden gekozen, zorgen en angst ons altijd zouden hebben vergezeld.'

'Daar... zou je wel eens... gelijk in kunnen hebben. En toch... was dit
beter dan voor altijd... alleen maar gevangen te zitten.'

Gouwl knikte.

'Of... af te wachten totdat Orogontorogon... en die andere omhooggevallen demonen... als dode vis naar boven zouden komen drijven.'

Gouwl knikte nog eens.

'Ik heb...' begon Irathindur, die nu zo zwak was geworden dat hij amper
nog te zien was. 'Ik heb echt... een mooie tijd gehad. Ik heb mannen... en
vrouwen bij me in de toren gehad. Ik heb naar muziek geluisterd. Gedanst.
En... gelachen.'

'Om te dansen was ik te onhandig. Om te lachen was mijn kroon te
zwaar.'

'Zie je?' Irathindur glimlachte. 'Dan heb ik dus toch nog... gewonnen.'
Toen verging hij tot licht. Een tijdlang zwierf dit licht nog op het strand
rond als een katje dat zijn nieuwe wereld verkent. Ten slotte was het nergens meer te bekennen.

Ook Gouwl was zo gewond dat hij amper nog de kracht kon vinden om
adem te halen. Toen Irathindur uit zijn armen verdween, verloor hij zijn
houvast en bezweek.

Over het strand kwam een man met een zwaard aanlopen. Hoewel
Gouwl zijn hoofd gebogen hield, alsof hij sliep, kon hij de man met zijn
tastharen voelen. Hij kende hem. Hij was hem tegengekomen toen hij
naar het Wolkenpijnigergebergte was gevlogen, en hij was de tegenstander van deze man geweest toen de strijd tussen Irathindur en Gouwl hen
door tijd en ruimte naar de echo van een ander, vroeger, maar even verbitterd tweegevecht had gevoerd.

De man ademde moeizaam en hief zijn zwaard om toe te slaan. Zijn
tanden waren half ontbloot en zagen eruit als die van een roofdier.

'Wacht nog even,' zei Gouwl met reutelende stem.

Minten dacht eerst dat hij het niet goed had verstaan. 'Wat? Kun jij praten, monster? Wat is dit voor valse truc?'

'Wacht nog even voordat je je koning doodt. Ik moet... je nog zeggen
wat je daarna te doen staat.'

'Mijn koning? Mijn... koning is hier ver vandaan. En jij... jij hebt daarnet... de godin vermoord!' Minten had er even over gedacht 'mijn godin' te zeggen, zoals hem vanaf zijn jeugd was geleerd 'mijn koning' te zeggen, maar in zijn hart had hij eigenlijk nooit echt in dit gouden mysterie geloofd. Ook niet toen hij in het vuur van de strijd de goddelijke lofliederen had meegezongen.

'Ja,' gaf Gouwl luchtig toe. 'De godin was een demon. Net als ik. En ik ben... was koning Tenmac III. Mijn kroon ligt daar in het zand.'

Minten volgde Gouwl met zijn blik terwijl die in de richting van de bewuste plek wees, en zag daar inderdaad de kroon liggen, half verscholen onder het wild omgewoelde zand. Onwillekeurig liet hij zijn zwaard zakken, dat veel zwaarder was dan het zwaard dat hij tijdens de veldtocht had gedragen. Minten voelde zich moe en ontheemd, veel te ver van huis.

'De koning?' vroeg hij radeloos. 'Maar... sinds wanneer was de koning dan een demon?'

'Een paar dagen voordat de belegering van Orison-Stad begon, heb ik zijn lichaam in bezit genomen en dus ook zijn plaats ingenomen.'

'Dan heeft,' concludeerde Minten na even te hebben nagedacht, 'Helingerd den Kaatens dáárom dus de hoofdstad aangevallen en omsingeld: om de demon die zich de koningstroon had toegeëigend, vast te zetten?'

Gouwl knikte.

Dat was het. De laatste bouwsteen die de mensen nodig hadden om zich tegen de bewoners van de demonenpoel, die gespannen afwachtten om massaal te kunnen ontsnappen, voldoende te kunnen wapenen. Zolang de mensen alle slechte dingen die er waren gebeurd – de onenigheden, de verdeeldheid, de oorlog en de onrechtvaardigheden – lelijke demonen in de schoenen konden schuiven, zo lang zouden ze een gezamenlijk front tegen Orison, Orogontorogon en de anderen kunnen blijven vormen. Als dat betekende dat een egoïstische onheilsstichter als Helingerd den Kaatens daarvoor achteraf tot held en redder moest worden uitgeroepen, was dat eenvoudigweg de prijs die diende te worden betaald.

'Ja,' bevestigde Gouwl nog eens. 'Je hebt in het verkeerde leger gevochten, mijn vriend. Verblind door de gouden glans van de godinnendemon Irathindur. Gadegeslagen en gemanipuleerd door de schaduw van de demon Gouwl, mijn eigen geringe persoontje. "Helingerdia" was misschien een betere naam geweest voor het hele land dan "Orison", aangezien Orison ook niets meer dan een demon was.'

Minten schudde zijn hoofd, alsof hij te veel had gedronken en nu nuchter probeerde te worden. 'Je wilt me alleen maar in verwarring brengen, demon. Met een web van kletspraat, waarin ik als in een net verstrikt moet raken. Orison een demon? Dat hoor ik echt voor het eerst!'

'Het land zal een goede, integere koning nodig hebben,' sprak Gouwl rustig verder. 'Vertel eens, ben je al eens koning geweest?'

Nu moest Minten grijnzen. 'Koning? Ik ben veel geweest de afgelopen tijd, maar koning was ik nou niet bepaald.'

'Pak de kroon dan, demonendoder. Anders ligt hij daar maar.' Met zijn laatste kracht kwam Gouwl overeind en sprong met zes armen en tandenblikkerend op de overrompelde Minten af. Minten hief zijn logge zwaard eerder om zich te verdedigen dan om aan te vallen. Gouwl wierp zich er met zijn lichaam kreunend bovenop. Een paar tellen lang waren Minten en de demon door het metaal met elkaar verbonden; aan elk uiteinde van dat metaal sidderde een angstig lichaam. Iets dat flikkerde en zwartige vonken uitsloeg, stroomde via het zwaard van Gouwl bij Minten Liago naar binnen. Daarna verging ook Gouwl, zoals Irathindur daarvoor, tot licht, want een demon kan door de hand van een mens niet sterven, tenzij hij het zo wil.

Minten viel achterover, omdat zijn tegenwicht aan het andere uiteinde van het metaal was weggevallen.

Het duurde een tijdje voordat hij weer kon opstaan. Zijn lichaam voelde aan alsof het op het punt stond een aanval te krijgen of in een kramp te schieten. Er vibreerde iets vreemds en nieuws door zijn aderen, botten en zenuwen. Het was onprettig en opwindend tegelijk.

Van de demon was niets meer te zien. Minten hoorde wel geroep achter zich. Langzaam, alsof hij diverse keren om zijn eigen as draaide, keerde hij zich om.

Taisser Sildien en zijn mooie officier Lae kwamen kletsnat over het strand op hem af gewankeld. Lae moest Taisser ondersteunen, hoewel zij toch eigenlijk nog steeds last van een niet-geheelde wond aan haar dij had, maar Taisser was duidelijk rapper van tong dan zij.

'Je hebt hem verslagen, Minten!' riep Taisser enthousiast. 'Helemaal in je eentje heb je een demon gedood! Dat is ongelooflijk... grandioos... in één woord wonderbaarlijk!'

Minten reageerde niet. Hij was blij zonder hulp te kunnen staan.

'Zag ik dat nou goed?' vroeg Lae toen ze eenmaal bij Minten stonden. 'Heeft de demon onze godin vermoord?'

Minten haalde alleen maar zijn schouders op. Eigenlijk wist hij helemaal niets meer. En hij was er ook niet zeker van of weten hem nog wel iets interesseerde. Hij had student willen worden, maar dat leek hem zo lang geleden en zo kinderachtig, iets uit een tijd waarin hij de kleur van pas vergoten bloed nog niet kende. Als hij over de vreemde weg nadacht die zijn leven het laatste jaar had ingeslagen, viel het hem op dat mensen hem niet erg veel meer interesseerden. Hij had de tanden van een beer in zijn mond. En het was een mens geweest die zijn mensentanden uit zijn mond had geslagen.

Waarom zou hij koning worden? Omdat een demon hem dat had gevraagd? Dat was toch volkomen absurd!

En dan was er nog een andere gedachte die hem nu door het hoofd spookte: alle heersers die hij ooit had ontmoet, hadden zich als demonen ontpopt. Met uitzondering van de barones van het derde baronaat misschien. Maar die was er weer verantwoordelijk voor dat Jinua, Heserpade en Hiserio dood waren. Dus waren inderdaad alle, zonder uitzondering alle heersers die Minten Liago ooit had ontmoet niets meer dan verfoeilijke, onmenselijke demonische schepsels.

Minten schudde zijn hoofd als om zijn gedachten weer naar hun veilige plek terug te drijven.

'Daar ligt de kroon van ons land,' zei hij zo zacht dat Lae en Taisser hem bijna niet konden verstaan. 'Doe ermee wat jullie willen.' Hij liep weg, zonder zich nog eens te laten tegenhouden of ompraten door mens of demon, het oerwoud van het eiland Kelm in; tussen de dichtbebladerde, met vruchten overladen bomen, die niet wisten dat ze bijna allemaal verwoest waren geweest als het demonenduel niet weer in het begin zou zijn geëindigd.

Lae en Taisser waren het over de kroon snel eens.

Lae was jong, mooi en door haar militaire achtergrond evenzeer gewend om bevelen uit te delen als ze op te volgen. Bovendien was ze – in tegenstelling tot Taisser – nooit ergens voor veroordeeld. 'Koningin Lae i' klonk behoorlijk veelbelovend. Taisser kon op zijn beurt als adviseur van de koningin fungeren, een positie die hem in ieder geval beter lag dan volop in de publieke belangstelling te staan.

Toen ze met z'n tweeën de enkele overlevenden om zich heen verzamelden en Lae de zanderige kroon bovendien opzette als een soort moderne oorlogshelm, was er niemand te vinden die twijfels of commentaar zou hebben geuit.

Er gingen vijf dagen voorbij voordat een van de twee schepen die Gouwl destijds uit de kleine vloot had gered en die gelukkig in het zevende baronaat hadden kunnen aanleggen, op zoek naar de spoorloos verdwenen godin bij het eiland Kelm aankwam en de schipbreukelingen aan boord kon nemen.

Van Minten Liago, de enige menselijke magiër die het land ooit had gekend, ontbrak op de dag van vertrek ieder spoor, en dus voer het nieuwe vlaggenschip van koningin Lae 1 zonder hem naar het vasteland om ervoor te zorgen dat er voorgoed een eind aan de zinloze oorlog van de mensen werd gemaakt, iets dat allang had moeten gebeuren.

Aangezien het huis Tenmac geen wettige bloederfgenamen meer had, bestond er geen reden de rechtmatigheid van Laes kroon in twijfel te trekken. De demon had de kroon gestolen, de geheimzinnige demonendoder had hem van de demon afgepakt en hem met een plechtig gebaar aan Lae doorgegeven. De coördinatoren waren tevreden. Tanot Ninrogin stond maar wat graag zijn plaats als koninklijk adviseur aan Taisser Sildien af en trok zich als schaapherder in de zuidelijke uitlopers van het Wolkenpijnigergebergte terug.

De oorlog eindigde omdat de leiders van de vijandelijke partijen niet meer leefden.

Koningin Lae 1 bracht Helingerdia en Irathindurië bij Orison onder, herstelde de oorspronkelijke grenzen van de negen baronaten en benoemde nieuwe baronnen, baronessen en coördinatoren waar dat nodig was.

Alles kwam zo tot rust.

Alleen de demonenpoel bleef draaien, en steeg – weliswaar onmerkbaar langzaam, maar onophoudelijk – langs de wanden van de afgrond omhoog.

Misschien waren de vele, vele doden uit deze oorlog wel in de demonen-poel opgenomen en was die daardoor in omvang toegenomen.

Of de demonenpoel was inderdaad leeg en de draaikolk was niets an-ders dan een weerspiegeling van mensenzielen, die voortdurend borrelde en kookte, en zich langzaam omhoogwerkte totdat hij op een dag onge-remd zou overstromen.

Of Orison, de demonenkoning, had dit alles van het begin af aan in zijn grote plan zo voorbestemd, had de onrust, de ontsnapping van de twee demonen, de oorlog en de aangroei van zielen versneld en verwelkomd. En hoefde nu alleen maar te wachten totdat de met een nieuwe en onge-kende macht verrijkte vrijheid en heerschappij van alle demonen in een niet al te verre toekomst eindelijk werkelijkheid zouden worden.

Een goede legeraanvoerder heeft
niet alleen helemaal geen genialiteit
en geen bijzondere kwaliteiten van node,
integendeel,
hij is beter af met het ontbreken
van de hoogste en beste menselijke eigenschappen:
zoals liefde, poëzie, tederheid,
onderzoekende filosofische twijfel.
Hij moet beperkt zijn,
er vast van overtuigd zijn
dat wat hij doet erg belangrijk is
(anders verliest hij zijn geduld)
en pas dan zal hij een dappere legeraanvoerder zijn.
God verhoede dat hij een mens is,
dat hij iemand liefheeft,
medelijden kent
of erover nadenkt wat juist is of niet.

Uit: Lev N. Tolstoj, *Oorlog en vrede*

Dankwoord

Mijn goede oude vrienden Fjodor D. en Lev T., geïnspireerd op hun werken heb ik twee passages in dit boek in elkaar laten grijpen –, maar ook Kazuo Koike en Goseki Kojima, Stan Lee en Steve Ditko, Chris Claremont, Robert Kanigher, Takashi Miike en Shigeru Mizuki, Hideshi Hino, Stephen Chow, Fritz Leiber evenals Wynton Marsalis.

Aan hen allen voor demonen, oorlog, vrede en uiterst hyperbolisch strijdgebeuren mijn allergrootste dank!

Opgedragen aan
mijn twee demonen:
mijn innerlijke en de driestere.